D0544435

PROSPER MÉRIMÉE

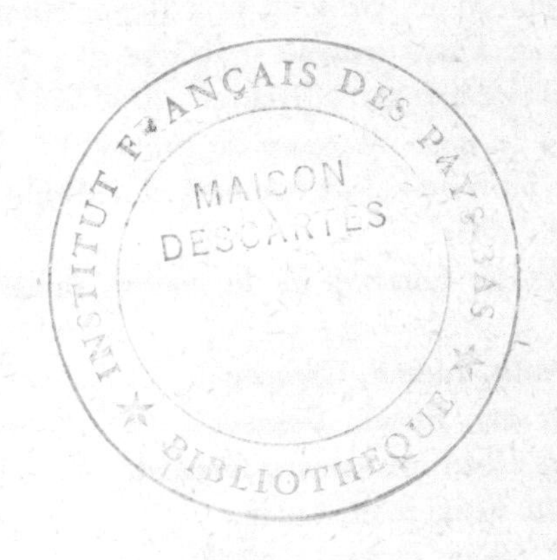

DU MÊME AUTEUR

Ne délivrer que sur ordonnance, roman, La Table Ronde et Folio.
Auteuil, roman, La Table Ronde.
Marthe ou les amants tristes, roman, La Table Ronde et Folio.
Les Filles, roman, La Table Ronde.
Un Autre Été, roman, La Table Ronde.
Aux Balcons du Ciel, récit, Grasset.
La Passerelle, roman, Grasset, prix Roger Nimier.
Les Collines de l'Est, nouvelles, Grasset.
Le Droit d'aînesse, roman, Grasset.
Chroniques d'humeur, Mercure de France.
Isabelle ou l'arrière-saison, roman, La Table Ronde et Folio, prix Renaudot 1970.
Harmonie ou les horreurs de la guerre, roman, Grasset et Livre de Poche.
Loin du paradis, roman, Grasset.
Proche est la mer, roman, Grasset.
La Maison d'Albertine, roman, Grasset.
L'Héritage du Vent, récit, Stock.
La Dernière Donne, roman, Grasset.
Les Proches, roman, Balland.
L'entr'acte algérien, récit, Balland.

Jean Freustié

PROSPER MÉRIMÉE

(1803-1870)

LE NERVEUX HAUTAIN

Hachette
littérature générale

Avant-propos

Il n'y a plus grand-chose à découvrir concernant la vie de Prosper Mérimée. Seuls restent mystérieux à mes yeux les rapports exacts qu'il a entretenus avec Jenny Dacquin. Résignons-nous. Sans doute ne serons-nous jamais tout à fait renseignés sur ce point. Pour le reste, dès l'âge de vingt-cinq ans, Mérimée, dans sa *Correspondance*, a tout dit de sa vie. C'est une correspondance admirable de fraîcheur et de sincérité. Sans doute, est-ce le chef-d'œuvre involontaire d'un auteur qui, par ses lettres, nous laisse un témoignage irremplaçable sur son époque. Il faut rendre ici un solennel hommage à Maurice Parturier qui en dix-sept volumes, scrupuleusement annotés, a réussi l'exploit de rassembler près de 6 000 lettres, passionnantes, drôles, spontanées, pleines de renseignements divers. Aussi est-ce souvent qu'à travers la ligne brisée que représentent soixante-sept ans d'existence, j'ai laissé la parole à Mérimée lui-même. Ceci n'a été rendu possible que par le sérieux et la compétence de ceux qui m'ont précédé dans cette étude.

Un hommage spécial doit être rendu au travail tout récent de Jean Mallion et Pierre Salomon qui, dans l'étonnant appareil critique qu'ils ont établi pour l'édition *Théâtre de Clara Gazul, Romans et nouvelles* de la collection de La Pléiade, éclairent bien des points de la vie d'un auteur dont ils n'ignorent presque rien.

Grâce à ces travaux une image assez nette de Mérimée se dégage. Quelle est-elle ? Contradictoire bien sûr. Un homme ne se résume ni par les faits qu'il a vécus ni les idées qu'il a exprimées. Il est toujours un peu en marge de la partie consciente de sa vie. Mérimée est un être plus que sensible, écorché, qui s'est fait un devoir de ne rien laisser paraître jamais du tremblement et des craintes qui sans cesse l'agitent. Il est toujours sur le point de « broncher ». Il a choisi de rester impassible. Sur ses vieux jours, venus tôt à cause d'une pénible maladie, il se désagrège parfois, se laisse aller aux plaintes que lui inspirent ses nerfs à fleur de peau. Mais, pour l'essentiel, c'est un hautain qui ne veut pas se laisser deviner de ses contemporains. Cela lui a valu bien des inimitiés et nous laisse des témoignages contradictoires entre lesquels on a choisi une voix médiane : portrait d'un homme chez qui des tendances un peu grossières se font jour parfois, mais demeurent maintenues par une volonté formelle, portrait d'un homme courageux devant la maladie et la mort de manière exemplaire, mais qui réagit mal aux changements de société qu'il a connus.

Littérairement, Mérimée est un cas. Débutant en pleine période romantique, il porte certes la trace de ses origines, mais se montre unique dans sa manière sèche et néo-classique. En parallèle au Romantisme, il crée un style froid, contrastant avec celui de son époque, et qui aujourd'hui encore paraît des plus modernes. Pour nous, cet écrivain de transition n'a laissé qu'une œuvre « modeste » et par la qualité et par la quantité, mais cette modestie fait tache. Elle marque une césure importante dans l'histoire littéraire. De ce fait, il s'agit d'un auteur d'une extrême importance.

I

Un succès mondain

Prosper Mérimée est né à Paris le 28 septembre 1803. Il est issu d'un milieu artiste et bourgeois tout ensemble où la vertu principale semble être l'ordre, fondé sur une certaine indifférence aux passions violentes qui agitent alors le pays. Son père, Léonor Mérimée, marié en 1802 à Anne-Louise Moreau, représente assez bien ce qu'on appelle aujourd'hui « la majorité silencieuse ». Il n'en est pas moins un curieux personnage si on en juge par sa carrière.

Il est né à Broglie dans l'Eure, en 1757, de François Mérimée, avocat au Parlement de Rouen et intendant du maréchal de Broglie, et de Marie-Louise Tillard, son épouse. Le duc et la duchesse de Broglie l'ont tenu sur les fonts baptismaux. Il a fait ses études au collège de Caen, est venu à Paris à vingt et un ans pour y apprendre la peinture. Elève de Doyen, le maître de David, il obtient au bout de neuf ans un second prix de Rome pour *Nabuchodonosor fait tuer les enfants de Sédécias.* 1788 le trouve à Rome travaillant au palais Farnèse. Après un séjour à Florence, il rentre en France en 1793. Bien accueilli par la Société populaire et républicaine des Arts, il continue à peindre des tableaux mythologiques dans le goût du jour avant d'être nommé professeur de dessin à l'Ecole centrale des Travaux publics, bientôt baptisée Ecole polytechnique.

Dès lors notre peintre semble ne plus aspirer qu'à une vie de fonctionnaire, un peu animée par un goût de la recherche scientifique, en particulier les études chimiques sur les peintures et colorants, leur vieillissement sur la toile. Nommé membre du jury, puis secrétaire de la Société d'encouragement de l'Industrie nationale, il ne va cesser de faire des rapports sur le velours, les lampes astrales, les papiers de végétaux, la gravure en taille-douce ou en taille de relief, les rasoirs fabriqués à Thiers, le peignage de la laine, la fabrication du cachemire. Ce doux maniaque obtiendra un brevet pour un mécanisme de harpe. Entre-temps il se sera marié en 1802 avec Anne Moreau, fille de la directrice d'un pensionnat où il donnait des leçons de dessin et aura été nommé secrétaire de l'école des Beaux-Arts en 1807. Sa carrière artistique culmine en 1830 avec la parution de son *Traité de la peinture à l'huile*. A noter qu'il était aussi l'inventeur d'un « papier à gargousses », utilisé dans l'artillerie de marine, ce qui lui avait rapporté quelque argent.

En résumé, l'art de peindre est peu de chose pour ce technicien touche-à-tout. Il donne des leçons de dessin, bricole, invente. Il déménage souvent. Entre le carré Sainte-Geneviève où est né son fils unique, Prosper, et l'actuelle rue Bonaparte (anciennement rue des Petits-Augustins) où il occupe en 1820 le logement du secrétaire perpétuel de l'Ecole des Beaux-Arts, il a habité sept autres appartements. Républicain sous la République, puis admirateur du Premier Consul et de l'Empereur, il est, sous la seconde Restauration, destitué de son poste à l'Ecole polytechnique. Il aurait conservé dans son cabinet un portrait de Bonaparte. Cependant il reste secrétaire des Beaux-Arts. Il fait l'objet d'un rapport de police favorable en 1815 et conserve la confiance de Decazes qui l'enverra un peu plus tard étudier l'état de l'industrie en Angleterre.

Ce milieu en fin de compte apolitique, fantaisiste, un peu bourgeois, un peu artiste que définit le comportement de Léonor n'est pas nul. Loin de là. Anne Moreau, la mère de Prosper, est une personnalité. On peut parier qu'elle a plus de caractère que son mari. Voltairienne de tempérament, elle apporte son anticléricalisme foncier à un époux indifférent. Prosper n'a probablement pas été baptisé. Petite-fille de Mme Leprince de Beaumont, auteur de contes pour les enfants, Mme Mérimée est elle-même peintre de talent. Des artistes fréquentent son salon, et en particulier Gérard. On comprend que Prosper fut un enfant précoce, très doué ; un fils unique, gâté ; « mauvais et gouailleur à taper », dit sa mère. Il manque une dimension au milieu où il fut élevé. Le marquis de Luppé nous le fait remarquer. Il note que ces gens indifférents aux grands soulèvements de leur époque, à la religion, aux révolutions qui s'annoncent vont marquer leur fils Prosper d'une « sorte d'absentéisme ». La formule me paraît heureuse. Prosper Mérimée, adulte, sera caractérisé par une « absence aux autres » qui ne vient ni du cœur ni de la tête, qui n'est ni de l'indifférence, ni un manque de sensibilité, mais bien plutôt une sorte d'impossibilité de sortir de soi-même.

Son père enseignait le dessin au lycée Napoléon (plus tard lycée Henri IV). Prosper y entra comme externe en 1811 en classe de septième. Il s'y montra un élève moyen à en juger par ses récompenses scolaires. Il était cependant assez bon latiniste. Il apprit l'anglais de bonne heure et en famille. L'anglophilie était de tradition chez les Mérimée surtout du côté de la mère. L'arrière-grand-mère de Prosper, Marie Leprince de Beaumont, avait vécu en Angleterre dix-sept ans ; la grand-mère Moreau s'était mariée à Londres ; Mme Mérimée elle-même y avait séjourné. Qu'on se souvienne enfin de la mission anglaise confiée par Decazes à Léonor. Nombre de jeunes Anglais et Anglaises fréquentaient la maison pour y prendre des leçons de peinture ou de dessin. Parmi ces élèves, Emma et Fanny Lagden dont Mme Mérimée avait connu les parents à Londres et qui bien plus tard, l'une veuve et l'autre vieille fille, veillèrent sur les derniers jours de Prosper.

En un tel milieu, le futur écrivain ne pouvait moins faire que dessiner et peindre lui-même. Son père doutait des réelles dispositions de son fils en la matière. Il n'avait pas tort. Ce ne serait jamais pour lui qu'un amusement mais il griffonnerait toute sa vie sur des albums, des lettres, ferait des aquarelles.

Léonor Mérimée ambitionnait de voir un jour son fils avocat. Nous ne saurons jamais ce que ce dernier en pensait. Il semble bien qu'il n'avait pas pour la robe de vocation véritable. Par contre son goût marqué pour la littérature le pousse à traduire Ossian avec son condisciple de lycée et ami fidèle, Jean-Jacques Ampère. Pour ne pas contrarier son père, et décidé à n'en faire plus tard qu'à sa tête, il accepte pourtant d'étudier le droit. Inscrit en 1819 à la faculté de droit il sera licencié en 1823.

Pendant ces quatre années, rêvant sans doute de littérature, il a complété son bagage en étudiant le grec et l'espagnol, la philosophie, la littérature anglaise, voire les sciences occultes. Ce jeune étudiant qu'on déclare de niveau moyen me paraît singulièrement doué. Il est curieux de tout, il lit tout ce qui lui tombe sous la main. De cette culture spontanément acquise, il lui restera beaucoup grâce à son excellente mémoire. Il est évident qu'il est habité par le démon de la littérature. Le voici pendant les vacances de Pâques 1822 à Coulommiers chez le docteur Régnier, mari d'une ancienne élève de Mme Mérimée, Marie Dubost, dont le jeune Prosper s'était épris à l'âge de sept ans au point de faire des scènes pour ne pas rencontrer le fiancé. Là il écrit son *Cromwell*, un drame dont le texte ne nous est pas parvenu. Il n'est pas très content de son œuvre, mais se prend tout de même au sérieux en tant que romantique : « Ne croyez pas cependant que je sois devenu classique. Dieu m'en préserve ! Mes principes romantiques sont encore plus affermis par la société de certains classiques de province avec lesquels je romps régulièrement une lance tous les soirs. » C'est à son maître Lingay qu'il écrit.

L'année suivante, à Coulommiers encore, il travaille à un roman, *Evénement tragique*, en collaboration avec le marquis de Varennes, futur maire du pays. De ce roman Maurice Parturier a publié un épisode sous le titre *Un Duel*. De la même époque, ou peu s'en faut, date *La Bataille*, plutôt canevas qu'œuvre achevée. Poème en prose dans le style byronien, il traite d'un épisode de la seconde guerre (1812) des Etats-Unis contre l'Angleterre.

Ces divers essais d'un jeune homme de vingt ans vont très vite lui permettre de pénétrer dans les milieux littéraires. Par le duc Decazes, ami de son père, il a fait la connaissance de

Joseph Lingay, rédacteur au *Journal de Paris* qui reçoit le samedi, d'abord rue Montmartre puis rue Caumartin, en compagnie de sa maîtresse Mme Chanson, femme de son imprimeur. C'est dans ce salon que pendant l'été de 1822 il rencontre Stendhal. Henri Beyle est depuis peu rentré de Milan. Il est un familier du couple Lingay-Chanson qu'il appelle « Maisonnette » et « Madame Romance », comme plus tard avec sa manie des surnoms il baptisera Mérimée « Comte Gazul ». Vingt ans séparent les deux hommes. C'est beaucoup. Ils sympathisent pourtant. La première impression de Stendhal a été plutôt défavorable. Il écrit : « Un pauvre jeune homme en redingote grise et si laid avec son nez retroussé. Ce jeune homme avait quelque chose d'effronté et d'extrêmement déplaisant. Ses yeux, petits et sans expression, avaient un air toujours le même et cet air était méchant. Telle fut la première vue du meilleur de mes amis actuels. »

Il est tout de même étonnant de constater que c'est le plus jeune qui prend l'ascendant sur le plus âgé. Stendhal supporte les jugements et les critiques d'une jeune homme de dix-neuf ans tout particulièrement sceptique et hautain. Mérimée doute de tout, se refuse à rien admirer. Il est ailleurs. Il est en lui. C'est cet « absentéisme » dont nous avont parlé plus haut. De Stendhal il dira : « Sauf quelques préférences et quelques aversions littéraires, nous n'avions peut-être pas une idée en commun. » Stendhal dira de lui : « Je ne suis pas trop sûr de son cœur mais je suis sûr de ses talents. »

Une date à retenir est celle du 13 mars 1825. Pour la première fois, Mérimée grimpe au cinquième étage du numéro 1 rue Chabanais où Etienne Delécluze tient un salon fort réputé. Cet ancien élève de David, la quarantaine passée, a abandonné la peinture au profit de la littérature. Il rédige la rubrique d'art du *Journal des Débats*. Qui a introduit Mérimée chez Delécluze? Peut-être Viollet-le-Duc, (le père de l'architecte) qui tient salon dans la même maison quelques étages plus bas. Fin 1822, c'est chez Viollet-le-Duc que Prosper a lu son *Cromwell*, un drame, sans doute injouable. D'après Rémusat, C'est Stendhal lui-même qui a présenté Mérimée à Delécluze. Stendhal est le grand animateur de ce salon que fréquentent, entre autres, Charles de Rémusat, le baron de Mareste, Emmanuel Viollet-le-Duc, Paul-Louis Courier, Jean-Jacques Ampère, Albert Stapfer [1]. Mérimée connaît bien les Stapfer, il s'est montré chez Mme Ancelot, chez Mareste. Mais, dans l'ensemble, les grands salons littéraires de l'époque ne lui sont pas ouverts. Or c'est du jour au lendemain, par son entrée chez Delécluze, qu'il va se faire connaître de tout le milieu littéraire parisien. Il n'a que vingt-deux ans, ne peut se targuer d'aucune œuvre, sauf de ce *Cromwell* probablement raté et de quatre articles non signés sur l'art dramatique espagnol parus récemment dans *Le Globe.* Mais il a dans sa poche les saynètes du *Théâtre de Clara Gazul*, illustrations des théories dramatiques que Stendhal soutient chaque dimanche dans le salon de Delécluze. Là en effet c'est Stendhal qui a la vedette. Il prêche avec brio en faveur de Shakespeare, expose ses idées sur l'art théâtral romantique, clame son dégoût des classiques, devant un Delécluze, parfois ébloui, parfois choqué. Le maître de maison tenait, d'après Rémusat, « une sorte de cénacle de critiques romantiques, sans l'être précisément lui-même ». Nul n'ignorait ce 13 mars, ce que Mérimée apportait. Rendez-vous pour une lecture fut pris le lendemain. C'est donc le 14 mars que Mérimée lui-même lut *Les Espagnols au Danemark*, *Le Ciel et l'Enfer* et *L'Amour africain.* Plusieurs lectures suivent, chez Delécluze encore, chez Cerclet, et le 23 mai à Valenton chez Mme Delécluze mère. A cette dernière date le *Théâtre de Clara Gazul* est sur le point de paraître chez Sautelet.

Delécluze était ravi de sa nouvelle recrue et du relief que la lecture première de ces saynètes allait donner à son salon. Sur le fond il était moins satisfait. Il ne le cache pas dans ses

1. Fils d'un pasteur helvétique, décoré de la médaille de juillet, journaliste au *National.*

Souvenirs où il parle « du laid et hideux » de ces pièces dont l'immoralité, le cynisme l'inquiètent. Mais les habitués du cénacle n'avaient été nullement choqués. Et d'ailleurs ne s'agissait-il pas d'un théâtre à lire et non à représenter sur les planches ? Rassuré, Delécluze, le 12 avril, fait un portrait de la pseudo Clara Gazul à laquelle il donne les traits de Mérimée. Un second dessin découpé selon les lignes du visage restitue la redingote, la cravate et le col du jeune Mérimée. Quelques exemplaires de l'ouvrage paraîtront avec le premier dessin seulement. Mérimée attribuant son œuvre à une comédienne imaginaire, on pourrait croire qu'il tient à son anonymat. Mais la supercherie est conduite avec tant de négligence qu'elle apparaît comme une coquetterie supplémentaire. La préface, attribuée à un nommé Joseph l'Estrange qui aurait rencontré à Gibraltar puis en Espagne la pupille d'un inquisiteur, cette Clara Gazul devenue actrice à Cadix où elle aurait joué ses propres pièces avant de se réfugier en Angleterre à cause de l'immoralité dont on l'accuse, est peu croyable. En fait tout le milieu littéraire parisien sait qui est le véritable auteur. Du jour au lendemain, pourrait-on dire, Mérimée est connu, non du grand public certes, puisque ses pièces ne sont pas portées à la scène, mais du public qui compte dans les salons. On en parle chez les Broglie, chez la marquise d'Argenson. C'est la gloire mondaine, non le succès de librairie, puisque la seconde édition, qui se complétera de deux pièces, *L'Occasion* et *Le Carrosse du Saint-Sacrement*, ne paraîtra qu'en 1830, soit cinq ans plus tard.

D'emblée Mérimée a produit ce qui fera l'essence de son talent, ce romantisme sec, sans lyrisme, sans exaltation intellectuelle de l'amour. D'emblée il se révèle comme un écrivain en marge du mouvement romantique, non oppositionnel, mais parallèle. Aux préceptes de l'époque il adapte sa voix particulière. Certes il entre en plein dans les théories stendhaliennes sur le théâtre. Aussi bien Stendhal ne ménage-t-il pas ses compliments. Qu'on relise *Racine et Shakespeare* : pas de vers, pas de règle des trois unités, pas de sujets antiques. *Clara Gazul* obéit à ces interdictions. A la veille des grandes batailles romantiques sur le théâtre, l'œuvre de Mérimée fait figure de manifeste. Aussi pour le cénacle de Delécluze est-elle l'expression même du romantisme théâtral. Et romantique elle l'est ne fût-ce que par l'exotisme espagnol, si conventionnel soit-il en un temps où Mérimée ne connaît pas encore l'Espagne. Rémusat, Vitet, Leclercq vont dans l'immédiat suivre cet exemple. Dans ses *Mémoires,* Dumas qui bientôt va porter tout comme Hugo la bataille sur scène n'a garde d'oublier ces précurseurs : « Toute une milice combattait, concourant à une œuvre générale par des attaques particulières ; c'était à qui battrait en brèche la vieille poétique. Dittmer et Cavé publiaient *Les Soirées de Neuilly ;* Vitet *Les Barricades* et les *Etats de Blois ;* Mérimée le *Théâtre de Clara Gazul.* Et remarquez bien que tout cela était en dehors du théâtre, en dehors des représentations, de la lutte réelle. La lutte réelle, c'était moi et Hugo, — je parle chronologiquement — qui allions l'engager. »

Etrange précurseur que Mérimée. *Clara Gazul* est un gage donné au romantisme : un théâtre imprimé, où la raillerie ne fait pas défaut, où l'on se demande parfois si l'auteur ne se moque pas et de lui-même et du lecteur. L'outrance même des gestes des principaux personnages est telle que l'ensemble nous apparaît aujourd'hui comme une immense supercherie.

Mérimée le hautain toujours garde ses distances. Il se méfie de tout engagement. Il ne veut pas mêler ses sentiments à ses écrits. Il ne s'annonce en réalité comme d'aucune école et la postérité se gardera de le classer tout à fait parmi les auteurs romantiques. On lui laissera sa place à part. Pour l'instant il s'amuse. Mise en place d'une théorie, soit. Mais sourire moqueur par derrière. Le sourire d'un garçon de vingt-deux ans que tout de suite on va prendre au sérieux. « C'est un fameux lapin », dira Delécluze à Sainte-Beuve. Delécluze ne se rend pas très exactement compte de l'étrange lapin qu'il vient de tirer de son chapeau. Il ne sait pas, parce que la théorie l'aveugle, que ce jeune homme révélé chez lui est en réalité un auteur classique qui traite à sa manière les théories à la mode du jour.

Il y a donc au départ méprise sur le succès littéraire un peu mondain d'un garçon dont le dandysme est évident. Ce n'est pas un « gilet rouge », un batailleur, mais un homme à la morgue modérée, qui regarde, se moque et demeure sur son quant-à-soi. Il n'empêche que ce début tonitruant est une sacrée chance qui va lui acquérir la notoriété, même au-delà de nos frontières. Tout le monde connaît le mot de Goethe rapporté par David d'Angers : « Voilà un petit coquin qui se cache sous le génie d'une femme, mais c'est bien un bel et bon génie d'homme fort qui doit aller bien loin. » Dans le pays même, on renchérit. Stendhal d'abord, cela va de soi, mais encore Victor Cousin, Chateaubriand ne ménagent pas leurs compliments.

La manière dont l'affaire a été menée est amusante. On peut dire que Mérimée, dans sa supercherie, a mis toutes les cartes de son côté. Le *Théâtre de Clara Gazul* paraît dans une « Collection des théâtres étrangers » qui en réalité n'existe pas, mais rappelle une publication analogue du libraire Ladvocat où le théâtre espagnol tient une large place. Dans toutes les saynètes de *Clara Gazul* on devine l'influence de ces auteurs, en particulier Lope de Vega et Calderon. Musset ne sera probablement pas le seul à le remarquer qui écrit dans *La Coupe et les Lèvres :*

L'un comme Calderon et comme Mérimée,
Incruste un plomb brûlant sur la réalité,
Découpe à son flambeau la silhouette humaine
Et emporte le moule et jette sur la scène
Le plâtre de la vie avec sa nudité.

Beyle voulait un sujet contemporain, Mérimée va suivre l'actualité. Il dénonce avec les libéraux de son temps la domination française sur l'Espagne et, dans *Les Espagnols au Danemark,* célèbre le général de la Romana ramenant les troupes espagnoles dans leur pays. Grande audace que de prendre ainsi parti contre son propre pays. Son anticléricalisme (relativement prudent) s'en prend à l'Inquisition qui justement vient d'être abolie en Espagne et dont il montre les excès dans *Une Femme est un diable* et *Le Ciel et l'Enfer.* On veut de la couleur locale. En voilà dans *L'Amour africain.* Et pas seulement là. Partout. La couleur locale est un des traits romantiques les plus marquants dans l'œuvre de Mérimée. A l'heure où les colonies espagnoles combattent pour leur indépendance, il situe l'action du *Carrosse du Saint-Sacrement* au Pérou, celle de *L'Occasion* à La Havane.

S'il le faut, Mérimée peut mentir. Il invente œuvres et documents qu'il cite. Ou au contraire, il se documente vraiment, indique des sources vraies qui conviennent à son goût de l'érudition. Cet esprit jeune est agile. A la fois curieux et moqueur, il joue sur tous les tableaux. Ses pièces courtes sont du genre saynètes. Il y utilise ce qu'il connaît de Calderon, Lope de Vega, Moratin, Tirso de Molina. Malgré la brièveté de la pièce, il n'hésite pas dans cet espace court à placer des gestes outranciers que, pour ma part, je ne puis voir autrement que comme un jeu. Qui peut croire, malgré l'habileté de l'auteur, à ces tueries sanglantes, rapides comme la foudre ? Théâtre pour lire bien sûr, mais avec toutes les conventions du théâtre, voire celles du théâtre espagnol du temps, qui font dire à un serviteur dans *l'Amour africain,* après le massacre final : « Seigneur, le souper est prêt et la pièce est finie. » Il faut dire que ces manières font rire, succédant à un drame bref qui amuse sans émouvoir et auquel on ne croit pas un instant.

Il faut une assez belle naïveté pour faire du prologue des *Espagnols au Danemark* une sorte de manifeste de l'Art romantique : « Je ne vais pas m'informer, pour juger d'une pièce, si l'événement se passe dans vingt-quatre heures, et si les personnages viennent tous dans le même lieu, les uns comploter leur conspiration, les autres se faire assassiner, les autres se poignarder sur le corps mort, comme cela se pratique de l'autre côté des Pyrénées. »

Justement parlons-en de ces coups de poignard. Dans *Une femme est un diable,* scène II, nous voyons l'inquisiteur Antonio, en proie à un délire amoureux, soliloquer dans sa cellule d'une manière assez comique. Dans la troisième scène, décidant de se défroquer pour devenir l'amant de la belle accusée, il cherche à la persuader : « Nous allons nous sauver ensemble dans les déserts... nous mangerons ensemble des fruits sauvages comme les ermites... » Survient l'autre inquisiteur, Rafaël. Antonio le poignarde. Avant de mourir, Rafaël avoue en hoquetant qu'il avait les mêmes intentions salaces. Tout cela fait sourire. On ne peut parler de drame qu'entre guillemets. Nous assistons bel et bien à une représentation de guignol. Dans *Inès Mendo ou le préjugé vaincu,* plutôt que de tuer le fiancé de sa fille, Mendo le bourreau se coupe le poignet droit. Heureusement le roi qui passait par là accorde sa grâce au condamné. Dans *Inès ou le triomphe du préjugé,* l'éclopé tire un coup de pistolet (de la main gauche) sur son gendre dont la femme vient de mourir d'émotion en un instant. Dans *Le Ciel et l'Enfer,* Doña Urraca sort de sa jarretière un poignard avec lequel elle tue l'inquisiteur Bartolomé. « C'est là qu'on frappe le taureau. » Dans *L'Occasion,* Doña Maria, jalouse, fait boire à son amie un poison et va se jeter dare-dare dans un puits. « Ne m'en voulez pas trop pour avoir causé la mort de ces deux aimables demoiselles et daignez excuser les fautes de l'auteur. »

Seule pièce du *Théâtre de Clara Gazul, Le Carrosse du Saint-Sacrement* est représentable et fut représenté avec quelque succès. Il est vrai qu'on n'y tue personne. Mais que faut-il penser de l'ensemble ? On peut, on doit replacer ces saynètes dans leur contexte de 1825. Mais cela ne nous avance guère, s'il s'agit de les juger un siècle et demi plus tard. On doit admettre que le style les sauve, c'est toute la grâce de Mérimée que cette finesse de plume qui participe à une ironie évidente, certaine. Mérimée joue son coup, puis il se place en retrait, pour juger de l'effet et s'en moquer peut-être. N'en doutons pas, le jeune Mérimée est un romantique et il l'a proclamé, mais il reste sur les bords. Pour le situer de ce point de vue, j'adopterai volontiers l'opinion de Mallion et Salomon : « En somme le romantisme de Mérimée consiste essentiellement dans le refus des règles, le recours aux sources étrangères, un penchant très vif pour le bizarre, le fantastique, l'anormal. »

Une autre méprise est amusante. Parce qu'il a aidé à porter en 1825 le cercueil du général Foy, geste que David d'Angers a fixé sur le papier dans une étude pour le tombeau du général, Mérimée passe pour un grand libéral. Libéral, certes il l'est, comme il est anticlérical foncièrement, mais son libéralisme ne va pas jusqu'à lui faire aimer la démocratie, il le prouvera bien en 1848 et à partir du Second Empire. Romantisme, libéralisme, et même agnosticisme s'estomperont avec les années. C'est un itinéraire classique. Pour l'instant restons-en là. Remarquons toutefois le dandysme du jeune Mérimée, son goût du vêtement élégant qui l'éloigne du commun. Il y a plus de légèreté qu'on ne le croit habituellement chez ce jeune bourgeois, bourgeois jusqu'au fond de l'âme, disposition qu'on peut combattre, mais qu'on vainc bien rarement.

En 1826 ce garçon, qui toute sa vie s'habillera à Londres, voyage pour la première fois. C'est pour se rendre en Angleterre, pays dont il parle peu dans son œuvre contrairement à l'Espagne, mais dont sans nul doute il apprécie les mœurs. Il s'y rend même deux fois cette année-là, en avril et en août, il y rencontre le peintre Rochard, maître et ami de Léonor Mérimée, y fait la connaissance de la veuve de Shelley.

De retour à Paris, il ne se lasse pas de la vie mondaine. Conséquence de son premier succès dans le milieu littéraire, les salons s'ouvrent pour lui. Il s'y montre en général peu causeur, mais caustique à l'occasion ; il regarde, juge, ironise en lui-même, attentif à ne jamais marquer quelque sentiment excessif. Il est de ces gens qui se feraient couper en quatre plutôt que de laisser paraître une émotion qui en réalité les étreint. Chez Mme Aubernon, il rencontre Thiers, Manuel, Béranger. A l'Abbaye-aux-Bois, qu'il n'aime guère mais où il se rend à cause de son ami Ampère épris de folle passion pour la belle Récamier, il voit Chateaubriand, Doudeauville, le futur chancelier Etienne Pasquier, Balzac, la duchesse d'Abrantès. Il fréquente chez Mme de Boigne, chez les marquises de Castellane et d'Aguesseau, chez le baron Gérard qui reçoit à minuit. Il se lie avec David d'Angers et Delacroix, il fait la connaissance de Musset et Hugo. A partir de 1828, il va chez Cuvier et sa belle-fille Sophie Duvaucel, et c'est là qu'il rencontrera l'avocat anglais Sutton Sharpe, fort épris de Sophie. Avec cet homme il va lier une amitié soutenue, avec ce dissipé il fera les cent coups. Il se rendra également aux thés de l'Anglaise Mary Clarke. On n'en finirait pas de donner la liste des relations que ce jeune homme entretient avec un soin jaloux. Quelle période de sa vie sera plus heureuse ? Il est jeune, célèbre, fêté, et il goûte tout cela sans avoir l'air d'y toucher. Je ne serais pas surpris qu'il soit même un peu fat. Heureusement, il n'est pas chaste. Le Mal existe et la polissonnerie qui aident à remettre les choses à leur vraie place. Mérimée très vite va donner dans la dissipation. L'amour, c'est autre chose. Il le connaîtra aussi, mais fidèle à son personnage, il en montrera aussi peu que possible, sinon dans le malheur.

On pense généralement que la période de trois ans où il déclare lui-même s'être conduit comme un « très grand vaurien » débute vers 1831. Mais dès 1828, Mérimée est un fêtard, fréquentant les « mauvais lieux » et cette race, qui nous paraît aujourd'hui presque mythique, qu'on appelait alors « les rats d'Opéra ». Il est limité cependant dans ses excès par le manque d'argent. Qu'a-t-il pour vivre ? Ses droits d'auteur bien maigres, des sommes allouées par son père, lequel ne roule pas carrosse. A ce propos, il faut noter que Mme Récamier étant intervenue en sa faveur pour qu'il accompagne dans son ambassade à Londres le duc de Laval, Prosper refuse nettement cette mission sous prétexte de politique. « Je suis auteur de quelques médiocres ouvrages, et à ce titre mon nom a paru dans les journaux. Etranger toute ma vie à *la politique*, dans mes livres j'ai montré (et peut-être trop crûment) mon opinion. J'ai pensé que sous l'administration actuelle, accepter des fonctions quelque peu importantes qu'elles soient, serait n'être pas d'accord avec moi-même. » Il ne veut pas servir les Bourbons. Dans sa famille, pourtant apolitique, on s'est toujours moqué de Louis XVIII qu'on appelait « le gros cochon ». Non seulement il a porté le cercueil du général Foy, mais il a aussi rendu visite à Béranger dans sa prison. Nous avons encore affaire au Mérimée libéral. Il dédaigne donc par idéologie une source de revenus qui lui serait fort utile.

Bien que la « Correspondance » soit peu explicite sur la dissipation de notre auteur en ces années qui précèdent 1830, il y a tout lieu de croire qu'une certaine débauche est déjà son fait. C'est en tout cas ce que pense Sophie Duvaucel qui le reçoit pourtant au Jardin du roi, aujourd'hui Jardin des plantes, où il a été présenté par Stendhal dont la réputation de libertin est établie dans la maison. Quels sont alors ses compagnons ? Outre Stendhal, le très dissipé Sutton Sharpe, Horace de Viel-Castel, Musset. Ses premières lettres à Sutton Sharpe sont au moins allusives quant aux licences qu'il se donne dans le domaine sexuel. Stendhal parle d'un certain dîner fait aux halles avec Delacroix et quelques autres. En réalité on sait peu de choses sur les débauches de Mérimée en ces années-là.

On en connaît davantage sur les amours sérieuses qui l'occuperont toujours plus ou moins, mais qu'il s'efforcera de dissimuler sous un masque impassible. Ces aventures-là ne sont pas minces. Je me hasarde à dire que tel Saint-Clair du *Vase étrusque*, Mérimée est d'une sensibilité si vive sur ce point, avec une vibration intérieure si intense, qu'il ne peut faire autrement que de réagir par une froideur d'apparence, faute de s'effondrer. Ces « nerveux hautains » n'ont d'autre ressource que de feindre l'impassibilité totale.

Vers la fin de 1827, dans le salon de Mme Davillier, il fait connaissance d'Emilie, femme de Félix Lacoste, qui venait de rentrer des Etats-Unis où son mari commerçait. Elle y avait été la maîtresse de Joseph Bonaparte, liaison que son époux, semble-t-il, toléra, peut-être à cause du prestige napoléonien. Emilie, d'après ses contemporains, était fort belle. On reconnaît en elle la fierté dédaigneuse, la blancheur du teint de Diane de Turgis de la *Chronique du règne de Charles IX* et aussi les qualités attribuées par Mérimée à Mathilde de Courcy dans *Le Vase étrusque.* On ne sait au juste comment Félix Lacoste, au début de 1828, apprit son infortune. Toujours est-il qu'il se montra moins tolérant que naguère avec Joseph Bonaparte. Il provoqua son rival en duel et le convoqua dans un fossé plein d'étrons, au dire de Mérimée qui redoutait surtout de tomber dans la merde. Jacquemont [1], témoin oculaire, nous dit que notre auteur fut blessé de trois balles au bras gauche et à l'épaule, sans avoir lui-même tiré. Trois balles sans intervention des témoins cela paraît beaucoup. Mérimée plus tard parlera d'une balle. C'est suffisant pour lui faire écrire le 12 janvier 1828 à Mme Ancelot : « Je suis tombé de cabriolet et certaine pierre dure a causé quelque dérangement dans l'ingénieux mécanisme du radius et du cubitus de mon bras gauche. »

Son honneur vengé, Lacoste part à nouveau pour l'Amérique, abandonnant sa femme aux bras de Mérimée qui s'en dit fort heureux, bien que Mme Ancelot lui trouve l'air farouche : « Monsieur Mérimée a bien le bonheur le plus triste du monde. » Cependant notre auteur écrit à Sutton Sharpe : « Je suis si heureux à Paris que je ne voudrais pas le quitter pour aller au paradis. »

Ces deux remarques ne sont pas si contradictoires qu'elles le semblent. Mérimée a besoin d'aimer, toute dissipation mise à part, de la manière la plus élevée qui soit, mais il ne sait pas aimer. Torturé perpétuel sous des allures frivoles, l'amour lui est, lui sera toujours un tourment plutôt qu'un vrai bonheur.

Cependant il travaille. Cet auteur si spontané dans ses nouvelles romanesques, a du goût pour l'érudition, le travail sur les livres. Peut-être est-ce une des raisons qui le conduisent à écrire *La Guzla* qu'il publiera, non signé, en juillet 1827. Le sous-titre du livre est *Choix de poésies illyriques, recueillies dans*

1. Botaniste et voyageur connu, ami de jeunesse de Mérimée, mort à Bombay à 31 ans.

la Dalmatie, la Bosnie, la Croatie et l'Herzégovine. Il s'agit bien sûr d'une traduction ou soi-disant telle d'un barde morlaque, Hyacinthe Maglanowitch, qui chantait ses poèmes en s'accompagnant sur sa guzla, instrument local qui s'apparente au violon. Plus tard, Mérimée racontera dans une lettre à Sobolevski les circonstances qui l'ont inspiré. Il avait envie de faire avec Jean-Jacques Ampère un voyage qui le conduirait à Trieste puis à Raguse. « Nous étions fort légers d'argent... Je proposai alors d'écrire d'avance notre voyage, de le vendre à un libraire et d'employer le prix à voir si nous nous étions beaucoup trompés. Je demandai pour ma part à colliger les poésies populaires et à les traduire. On me mit au défi, et le lendemain, j'apportai à mon compagnon de voyage cinq ou six de ces traductions. » Dans la même lettre il signale certaines de ses sources, la brochure d'un consul de France à Banialouka, le voyage en Damaltie de l'abbé Fortis. Il en oublie sûrement, car la supercherie qui trompa certains comme Pouchkine n'était pas d'un abord facile. On a cité d'innombrables sources. Il paraît à peu près certain que *La Guzla* doit beaucoup aux *Chants populaires de la Grèce moderne* de Fauriel et à l'œuvre de Nodier qui d'ailleurs protesta. Quant aux raisons profondes qui motivent la rédaction de *La Guzla,* sans doute faut-il y comprendre l'intérêt suscité dans le public par les luttes de l'indépendance grecque, et le goût de « la couleur locale » dont Mérimée se moquera plus tard, mais qui très réellement marque une bonne partie de son œuvre et le fait, en ce sens, romantique. La presse fut favorable au livre. Le public beaucoup moins. Au dire de l'auteur, il s'en vendit une douzaine d'exemplaires. A vrai dire *La Guzla* nous semble aujourd'hui assez naïve, avec ses mœurs où violence et cruauté lassent vite, dans un baroque orné de fausses grâces orientales qu'on ne saurait prendre au sérieux.

Ce qu'il faut retenir surtout de cette aventure littéraire, c'est chez Mérimée le goût de la supercherie, l'amour du livresque et de l'érudition qui l'accompagnera tout au long de sa vie, une manière, pas toujours sérieuse, de se moquer du romantisme tout en usant de certains de ses oripeaux.

Presque aussitôt après *La Guzla*, c'est encore une œuvre romantique qu'il compose, mais historique cette fois. En mars 1828, il convoque son ami le Dr Edwards à écouter la lecture d'une tragédie intitulée *La Jacquerie :* « L'auteur me charge de vous demander si vous n'êtes pas trop fatigué de votre voyage pour encourir une fatigue pire mardi soir, au logis du susdit, rue des Petits Augustins, 16, en compagnie du duc Stritils (Stendhal) du comte Jacquemont et du baron de Mareste, tous seigneurs de votre connaissance. Il y aura du thé et il sera permis de dormir pourvu qu'on ne dorme pas trop haut. »

L'œuvre paraîtra en juin 1828. Il s'agit encore une fois de théâtre à lire. La pièce, suivant les règles non classiques du *Théâtre de Clara Gazul*, raconte la révolte des Jacques en 1358. « J'ai tâché de donner une idée des mœurs atroces du XIVe siècle. » Il la donne en effet, en accumulant dans ce mélodrame, dont on a dit beaucoup trop de mal, les pires horreurs physiques : assassinats, viols, têtes tranchées ou écrasées. Mais est-ce exagéré vraiment ? Le climat des révolutions n'a guère changé. Le pire y est toujours possible. On ne voit pas pourquoi le Moyen Age y ferait exception. L'œuvre est voltairienne d'inspiration, furieusement anticléricale, mais après ? Ne s'agit-il pas d'une époque où le trône et l'autel se donnent la main ? L'hostilité foncière de Mérimée à toute religion n'enlève pas au drame sa force. Il y a du polémiste en lui, mais du bon polémiste. Aragon, dans une préface à une réédition de l'œuvre, fait remarquer que la dernière guerre mondiale avec son cortège d'horreurs fait écho à *La Jacquerie.* On a un peu sévèrement jugé ces « *scènes féodales par l'auteur du Théâtre de Clara Gazul* ». Elles valent mieux que leur réputation. On a accusé d'invraisemblance ce portrait cruel d'une époque cruelle. Ce n'est pas très sensible à la lecture toujours attachante sinon émouvante.

Sous la même couverture que *La Jacquerie* paraît un mélodrame, *La Famille de Carvajal.* Deux lettres lui servent de préface. L'une rédigée par un marin qui demande, pour être jouée par son équipage, une pièce « pas trop fade », l'autre provenant d'une jeune fille qui souhaiterait un « petit roman bien noir, bien terrible, avec beaucoup de crimes et de l'amour à la Byron ». L'un et l'autre seront servis. On y voit un nommé José de Carvajal vivant à la Nouvelle-Grenade (Colombie) au XVIIe siècle, tout occupé de torturer ses esclaves. Ce sadique se prend d'une passion violente pour sa propre fille. Il fait périr sa femme, après lui avoir dicté une missive attestant qu'il n'est pas le père de Catalina. Puis il prépare pour la jeune fille une boisson aphrodisiaque que l'intéressée n'absorbe pas. Sur le point d'être violée par son père, elle le poignarde. Puis elle se réfugie dans la forêt où elle est dévorée par les fauves. Ce récit sulfureux à l'excès, porte à rire. Il est d'un romantisme exacerbé, il incarne l'enfer. On se demande jusqu'à quel point l'auteur ne s'y moque pas du public. Il en plaisante aimablement dans une lettre adressée à Stendhal en mars 1831. Toujours est-il que le public ne le suit pas.

Il ne cesse pas d'écrire pour autant. Dès cette année 1828, il s'attaque à la *Chronique du règne de Charles IX*, toujours par « l'auteur du Théâtre de Clara Gazul ». Le livre paraîtra en mars 1829. S'attaquer au roman historique en ce temps, c'est chercher l'extraordinaire succès qu'a connu Walter Scott. Le genre est à la mode. Si Mérimée a centré sa chronique sur l'année 1572, c'est pour y faire entrer le massacre de la Saint-Barthélemy. L'atmosphère des guerres de Religion à leur apogée lui paraît favorable pour traiter d'un drame où il va mettre en scène non point des personnages historiques, mais des créatures imaginaires, purement littéraires dont le sort amoureux se joue *autour* des événements historiques. Deux frères vont s'opposer dans la querelle religieuse, plus exactement ils vont se trouver opposés. Quand Bernard de Mergy retrouve à Paris son frère Georges, celui-ci est passé au parti catholique. Bien introduit à la cour, il y fait pénétrer Bernard qui tombe amoureux fou de la belle comtesse Diane de Turgis. Pour elle il tue un duelliste célèbre, le comte de Comminges. Il est chez elle la nuit de la Saint-Barthélemy. C'est l'amour, malgré les divergences religieuses. Elle cherche en vain à convertir son protestant d'amant. Celui-ci refuse. Il réussit à s'enfuir sous un déguisement de moine, gagne La Rochelle assiégée par l'armée du roi et là, sans l'avoir voulu, il fait tuer son frère Georges.

On a bien sûr fait de nombreux commentaires concernant les sources historiques utilisées par Mérimée. On n'a pas manqué de relever des erreurs de détails, on a remarqué que les mœurs notées, la mode des duels par exemple, datent plutôt du règne de Louis XIII que de celui de Charles IX. On s'amuse devant quelques expressions littéraires malheureuses. Il n'empêche que le roman, malgré des défauts certains, se lit avec intérêt. On s'étonne un peu de la fin ironique de l'ouvrage : « Mergy se consola-t-il ? Diane prit-elle un autre amant ? Je le laisse à décider au lecteur, qui, de la sorte, terminera toujours le roman à son gré. » Voilà qui est bien de Mérimée sur ses vingt-six ans. Toujours le mélange d'ironie et d'insolente désinvolture. Malgré cela, le roman connut un certain succès et consolida la réputation encore neuve de son auteur.

On a fait remarquer que ce roman historique était en fait un roman de son temps, par une similitude toute relative. La seconde Restauration approchait de sa fin. Charles X, plus que son frère, était attaqué par les révolutionnaires et les libéraux. On peut rapprocher les Guise, catholiques de 1572, soutenus par le roi, des ultras incarnés par Polignac dont le ministère est proche en mars 1829. Les opposants, les libéraux, (les anticléricaux, anticongrégationnistes) sont figurés dans le roman par les huguenots. Ce dernier parti, c'est celui de Mérimée. En fait notre auteur apparaît comme un libre penseur qui dans son livre prêche la tolérance. Georges de Mergy, celui des deux frères qui a abjuré sa foi protestante est en réalité un athée qui refuse tout secours religieux au moment de sa mort et qui a condamné le massacre. Lui aussi est pour la tolérance. Un petit problème se pose ici concernant les convictions de Mérimée. Aurait-il dès 1829, en dehors de son attitude de libre penseur, un penchant pour la confession d'Augsbourg, ce qui expliquerait la présence d'un pasteur à ses obsèques quarante ans plus tard ? Il est possible que ce penchant ait à la longue déterminé la décision d'obsèques religieuses manifestée nettement, et dans son testament, et dans sa lettre de 1865 à Viollet-le-Duc.

Faut-il, comme le suggère le marquis de Luppé, conclure qu'avec la *Chronique...* se termine la carrière proprement romantique de Mérimée ? Cela me semble exact dans son ensemble. Encore doit-on noter la place très à part que Mérimée occupe dans le mouvement romantique. C'est un franc-tireur qui n'a jamais donné dans les lyrismes du genre, qui s'en est tenu aux formes pures. Il a indiqué la voie d'un théâtre nouveau, d'un théâtre « à lire ». *La Chronique du règne de Charles IX* est peut-être l'œuvre la plus proche du romantisme, elle va dans le sens de Walter Scott, de Vigny. Elle n'est pas tout à fait dépourvue de lyrisme. En tout cas Mérimée ne récidivera pas.

Sa première jeunesse, au fond brillante, est terminée. Voici un écrivain de vingt-six ans, bien parti, bien introduit, à la veille de la monarchie de Juillet qui va lui permettre de consolider sa place, d'aborder la partie la plus personnelle, la plus inimitable de son œuvre. Ce bourgeois libéral, un peu sec, romantique d'esprit et pas du tout de cœur, va marquer son époque d'une œuvre de transition d'une importance capitale.

II

Le voyage de 1830 en Espagne

1829-1830, telles sont les deux années qui marquent un virage dans l'œuvre de Mérimée. Jusqu'ici nous avons eu affaire à un pseudo-romantique, assez persifleur, théoricien ne prenant pas tout à fait au sérieux ses théories, capable en tout cas d'en rire et échappant à la règle par un certain flegme. On a l'impression que Mérimée s'est amusé avec le romantisme, un peu comme on se moque des marottes de son temps, en y prêtant la main, mais en restant sur la réserve. Passée la publication de la *Chronique du temps de Charles IX* (devenue plus tard *Chronique du règne de Charles IX*) qui date de février 1829, l'auteur semble prendre une orientation nouvelle. « Un romantique qui a appris son art devient un classique », a dit Paul Valéry. Sans doute Mérimée maîtrise-t-il tout son talent puisque dans la période la plus prolifique de sa vie il s'éloigne à grands pas du romantisme pour devenir une sorte de néo-classique. Entre mai 1829 et juin 1830 paraissent dans la toute nouvelle *Revue de Paris* douze œuvres courtes de lui.

Parlons d'abord des saynètes qui, moins que les autres essais, marquent le changement d'orientation. *Le Carrosse du Saint-Sacrement* et *L'Occasion* iront, en 1830, grossir la seconde édition du *Théâtre de Clara Gazul,* dont ils sont les plus beaux fleurons. *Le Carrosse* connaîtra une étrange carrière. Ayant eu peu de succès du vivant de l'auteur, il fera un triomphe en 1920 au Vieux-Colombier de Jacques Copeau, sera inscrit au répertoire de la Comédie-Française, inspirera un film à Jean Renoir. A noter également qu'avec des variantes majeures le thème est repris dans *La Périchole* d'Offenbach avec un texte de Meilhac et Halévy en 1868 dans l'interprétation d'Hortense Schneider. Mais, hors les personnages, on reconnaît mal ici l'œuvre de Mérimée.

L'action de cette pièce se passe au XVIIIe siècle à Lima au Pérou, dont le vice-roi donne à une comédienne, La Périchole, un carrosse qu'elle-même offrira à la cathédrale pour porter plus vite le Saint-Sacrement aux mourants. La pièce ne va pas sans un certain anticléricalisme qu'on retrouve d'ailleurs dans *L'Occasion* qui, elle, se situe à La Havane. Là une jeune pensionnaire de couvent, éprise de son confesseur, et jalouse, empoisonne une de ses compagnes avant de se suicider. Peu de choses à dire sur *Les Mécontents,* piécette assez insignifiante. Mais les deux précédentes sont bonnes. Les deux sont marquées par un souci certain de couleur locale. Lima, La Havane y suffiraient presque. Mais ce n'est pas là qu'apparaît le nouveau, le définitif Mérimée. Les saynètes que nous venons de citer sont en somme dans le prolongement de l'œuvre antérieure. Nous les faisons figurer en cette place comme témoignage de la prolixité de Mérimée en ces années bénies. En réalité, dès le 3 mai 1829 a paru dans la même *Revue de Paris* la première de ces nouvelles remarquables qui vont faire la gloire de leur auteur. C'est de *Mateo Falcone* qu'il s'agit. C'est une histoire corse, une histoire d'honneur. Fortunato, fils de Mateo, livre aux soldats un bandit qui s'était caché dans la maison. L'enfant est exécuté sur-le-champ par son père. Tout ceci se passe sans le moindre commentaire, dans un style neutre et dru autant qu'il est possible. Le résultat est impressionnant.

Vont paraître encore et sans répit : *Vision de Charles XI, Tamango, Fédérigo, L'Enlèvement de la redoute, Le Vase étrusque, La Partie de tric-trac.* Sans entrer dans l'analyse de ces nouvelles d'inspiration diverse, il faut noter leur caractère commun de cruauté, de violence ou d'étrangeté signant les indiscutables origines romantiques de l'auteur, ce fond souvent outrancier s'opposant de manière radicale à la maîtrise d'un style dépourvu de toute espèce de lyrisme, de toute complaisance. Les choses se passent comme si avec *Mateo Falcone*, pour la première fois signé du vrai nom de l'auteur, Prosper Mérimée, l'écrivain, maître d'une certaine forme de son art, se hâtait de profiter de ce don qu'il vient de découvrir en lui pour le récit bref, la nouvelle promptement conçue, promptement rédigée.

De l'ensemble il faut détacher *Le Vase étrusque* dont le caractère est plus personnel, plus autobiographique en quelque sorte. L'histoire est celle d'une jalousie sans objet. Saint-Clair, amant comblé de Mathilde de Courcy, apprend au cours d'un déjeuner de garçons que sa maîtresse se serait donnée autrefois à un personnage grossier appelé Massigny, mort depuis. Le voici jaloux rétrospectivement. Dans sa mauvaise humeur, il a offensé son ami Thémines avec lequel il se battra en duel. C'est trop tard qu'il confie ses soupçons à Mathilde qui, pour le convaincre de sa sincérité, brise le vase étrusque que Massigny lui avait offert jadis. Saint-Clair sera tué en duel par Thémines. Mathilde en mourra de chagrin.

L'histoire est en soi banale, mais on retrouvera dans Saint-Clair bien des traits de psychologie qui se rapportent à Mérimée. N'est-ce pas là un portrait de l'auteur tel qu'il se voyait lui-même ? Qu'on en juge : « Auguste Saint-Clair n'était point aimé dans ce qu'on appelle le monde ; la principale raison, c'est qu'il ne cherchait à plaire qu'aux gens qui lui plaisaient à lui-même. Il recherchait les uns et fuyait les autres. D'ailleurs il était distrait et indolent. Il était né avec un cœur tendre et aimant ; mais à un âge où l'on prend trop facilement des impressions qui durent toute la vie, sa sensibilité trop expansive lui avait attiré les railleries de ses camarades. Il était fier, ambitieux ; il tenait à l'opinion comme y tiennent les enfants. Dès lors, il se fit une étude de supprimer tous les dehors de ce qu'il regardait comme une faiblesse déshonorante. Il atteignit son but, mais sa victoire lui coûta cher. Il put cacher aux autres les émotions de son âme trop tendre, mais en les renfermant en lui-même il se les rendit cent fois plus cruelles. Dans le monde il obtint la triste réputation d'insensible et d'insouciant ; et dans la solitude son imagination inquiète lui créait des tourments d'autant plus affreux qu'il n'aurait voulu en confier le secret à personne. »

Cette esquisse psychologique me paraît conforme à ce que je crois deviner de la personnalité de l'auteur. Il convient aussi de noter que, dans *Le Vase étrusque,* Mathilde de Courcy n'est pas sans rappeler Emilie Lacoste. Enfin l'histoire du duel rapproche le récit imaginaire d'une réalité vécue, ce qui est rare dans l'œuvre de Mérimée.

La nouvelle paraît en février 1830. *La Partie de tric-trac* paraîtra elle aussi dans *La Revue de Paris* en juin de la même année. Et c'est aussitôt après, soit le 27 juin, que Mérimée part pour l'Espagne. Ce voyage est-il une distraction à un chagrin d'amour ? On s'interroge encore à ce sujet. Mérimée écrira plus tard à Jenny Dacquin, dont nous allons faire bientôt la connaissance, ces propos singuliers : « J'allais être amoureux quand je suis parti pour l'Espagne. C'est une des belles actions de ma vie. Celle qui a causé mon voyage n'en a jamais rien su. Si j'étais resté j'aurais peut-être fait une grande sottise : celle d'offrir à une femme digne de tout le bonheur dont on peut jouir sur la terre, de lui offrir, dis-je, en échange de la perte de toutes les choses qui lui étaient chères, une tendresse que je sentais moi-même fort inférieure au sacrifice qu'elle aurait peut-être fait. »

Mais de qui parle-t-il ? Il a été souvent question à ce propos d'une certaine Mélanie Double qu'il souhaitait épouser mais dont les parents s'opposaient au mariage. Beaucoup plus tard, comme on le verra, il prendra dans *La Revue des Deux-Mondes* la défense impossible de Libri que Mélanie avait épousé en secondes noces, et qui avait dérobé livres rares et documents, lui, inspecteur général des bibliothèques. Il en coûta au généreux « ex-fiancé » quinze jours de prison et mille francs d'amende pour outrage à la magistrature.

D'un autre côté, il pourrait s'agir d'une brouille avec Emilie

Lacoste, prélude à une fâcherie infiniment plus grave, qui surviendra deux ans plus tard.

Toujours est-il que, muni de nombreuses lettres de recommandations pour les archevêques et évêques d'Espagne, car il craint que sa réputation de libéral et d'athée ne lui crée des ennuis, et même que l'entrée du pays ne lui soit interdite, il part seul après avoir dîné chez Mme Ancelot et décidé, écrit-il à Mme Decazes, à se rendre en Italie si la frontière des Pyrénées lui est fermée. A Bordeaux il passe une journée avec Alexandre de Laborde, frère de Valentine Delessert que déjà il lorgne et qui sera plus tard, et longtemps, sa maîtresse. Puis sans inconvénient majeur, par Irun et Burgos il gagne Madrid, où le retient quelques jours la nouvelle de la révolution de Juillet. Il reprend vers la mi-août son voyage, passe par Cordoue, Séville, Cadix, Algésiras, Grenade. Il est de retour à Madrid le 25 octobre. Les déplacements dans ce pays sont rudes à cette époque. Il écrit à Sophie Duvaucel pour lui raconter sa traversée de la Sierra de Ronda. Il craignait aussi l'insécurité, mais il n'a pas rencontré de brigands et pour un peu le regretterait. « Par un triste hasard, je me suis trouvé retenu cinq jours dans la petite ville d'Algésiras, attendant des mules, des chevaux ou des vaisseaux. Vinrent enfin des ânes, et sur cette noble monture, je me mis en route en compagnie d'un honnête Prussien, mon compagnon d'infortune, et d'une demi-douzaine de muletiers, ou, pour mieux dire, d'âniers. Il nous a fallu huit jours pour gagner Grenade. Il est vrai que nous avions le chemin le plus romantique du monde, c'est-à-dire le plus montueux, le plus pierreux, le plus désert qui puisse exercer la patience d'un voyageur qui, depuis trois mois, est à bonne école pour se former à cette vertu. Les peuples, sur notre passage, accouraient en foule, admirant notre accoutrement étrange, nos casquettes surtout qui, en Andalousie, sont presque séditieuses : *Señor Ynglesito sera...* Car quel autre qu'un Anglais pourrait pousser la manie des voyages jusqu'à s'enfoncer dans la Sierra de Ronda ?

« Vous savez que j'attache quelque importance à un bon dîner. Jugez de l'extrémité où j'étais réduit. En lisant mon menu, vous allez frémir d'horreur. Il est bon que vous sachiez d'abord que dans une auberge espagnole on trouve assez souvent du pain et de l'eau, mais pas autre chose. En conséquence, nous étions obligés d'acheter notre dîner d'avance. Souvent, j'ai porté en croupe un coq vivant dont je devais souper le soir. Il ne fallait rien moins que l'appétit que donne l'air des montagnes pour me rendre insensible au sort de cet infortuné volatile et particulièrement à la dureté de sa chair. Le coq, au bout du voyage, est tué, plumé, mis en quartiers et jeté dans une grande poêle avec de l'huile, beaucoup de piment et du riz. Le tout étant censé cuit, on sert la poêle sur une petite table haute de deux pieds, et mon Prussien, le muletier, son garçon et moi, nous mangeons à la gamelle, chacun armé d'une petite cuiller de bois fort courte. Le muletier était le plus sale cochon de l'Andalousie ; mais il serait inutile, ou plutôt il serait indécent et extravagant de demander une assiette à part, ou de prier que l'on servît les cheveux séparément pour l'usage de ceux qui les aiment.

« Ce souper digne des temps héroïques étant achevé, nous disons des douceurs à la fille de la maison, tout en fumant nos cigares, puis nous allons nous jeter tous les deux sur un matelas épais comme une brochure à dix sous et nous dormons enveloppés dans nos manteaux, quand les punaises ne sont pas trop affamées. Samedi dernier, nous avions un matelas pour chacun et nous nous préparions à dormir comme des rois, quand sont survenus trois autres voyageurs, gens de bonne mine et paraissant éduqués. Nous avons montré, dans cette occasion, une haute vertu en offrant à ces pauvres diables de partager nos lits. Les matelas étant très étroits, il n'a pas été facile de nous arranger pour dormir cinq, là où il n'y avait place que pour deux. Cependant, la Providence étant grande et le sommeil aussi grand, nous avons dormi.

« Je n'ai rien à vous dire des voleurs : on dit que le pays en fourmille, mais je n'en ai pas rencontré. De quoi vivent ces pauvres diables, les voyageurs sont si rares ! Je suis passé dans une *venta* que dix-huit de ces messieurs avaient pillée la veille, à ce que nous disait le *ventero ;* mais je ne conçois pas ce que l'on peut prendre dans une *venta,* excepté des bancs de bois et la poêle à frire. »

D'emblée Mérimée a été saisi par une « couleur locale » véridique qui n'a rien à voir avec les aspirations romantiques. Le petit peuple d'Espagne l'a séduit, les corridas aussi. Il écrit à Albert Stapfer : « La canaille est ici intelligente, spirituelle, remplie d'imagination, et les classes élevées me paraissent au-dessous des habitués d'estaminet et de roulette de Paris. Je ne sais si c'est à la demi-éducation qu'ils reçoivent que l'on doit attribuer les préjugés et la sottise des gens comme il faut. Il me semble qu'un savetier espagnol peut être bon pour les emplois les plus élevés, et un grand peut tout au plus devenir un bon toréador. A propos de taureaux, sachez que c'est le plus beau spectacle que l'on puisse voir. Il est certain qu'il n'y a rien de plus cruel, de plus féroce que les courses de taureaux ; mais prenez M. Appert le philanthrope, et forcez-le d'assister à une corrida, je parie qu'il en deviendra plus amateur que les Espagnols eux-mêmes. Moi qui vous parle, qui ne puis voir saigner un malade sans éprouver une émotion désagréable, j'ai été voir les taureaux seulement pour l'acquit de ma conscience, afin de voir tout ce qu'il y a d'étrange à voir. Eh bien ! maintenant j'éprouve un indicible plaisir à voir piquer un taureau, éventrer un cheval, culbuter un homme. A une des dernières courses de Madrid, j'ai été scandaleux. On m'a dit, mais j'ai peine à le croire, que j'avais applaudi avec fureur, non le matador, mais le taureau au moment où il enlevait, sur ses cornes, cheval et homme. On s'intéresse à un taureau, à un cheval, à un homme dix fois, mille fois plus qu'à un personnage de tragédie. Je ne m'étonne plus que les gens qui une fois par semaine voient tuer une douzaine de taureaux ne puissent prendre goût à des ouvrages dramatiques. »

Les femmes espagnoles ne l'ont pas laissé non plus indifférent. Il avouera plus tard à Mme de la Rochejaquelein toutes les « bêtises » dont il s'est rendu coupable avec elles. Pour montrer ses goûts en la matière, j'anticipe sur une correspondance beaucoup plus tardive où il est fait allusion à un autre séjour espagnol : « Je vais à Madrid, où la chemise de chair vive coûte cher, mais on en a pour son argent. Il y a une Maruja qu'on pourrait offrir à N.S.P. le pape. Je me surprends avec des envies de l'emmener en France et de la montrer pour de l'argent. Ceci sans nulle exagération : un enfant de cinq ans monterait à califourchon sur sa croupe tandis qu'elle est debout et le corps en arrière » ... « Malgré mes efforts, je n'ai pas encore pu arrêter mes idées sur le diamètre moyen des culs espagnols. Je croyais bonnement que celui de Maruja devait être inscrit parmi les maxima, mais j'ai fait chez Violante une découverte qui a changé ma théorie. »

De son premier séjour en Espagne, Mérimée rapportera des souvenirs forts qui donnent toute leur saveur aux quatre *Lettres d'Espagne* publiées en quatre livraisons de janvier 1831 à décembre 1833 dans *La Revue de Paris* et qui vont quelque quinze ans plus tard fournir la matière de *Carmen.*

Dans la diligence de Tolède à Madrid il rencontre un curieux personnage, Don Cypriano de Guzman, comte de Teba, borgne et paralysé du côté gauche. C'est un homme d'illustre famille. Il a servi dans l'armée française pour laquelle il perdit un œil. En 1814, pour avoir défendu Paris, il a été décoré par Napoléon. A Madrid il présente sa femme à Mérimée. La comtesse de Teba, qui à la mort de son beau-frère allait devenir comtesse de Montijo, était née Kirkpatrick. D'origine écossaise par son père, Manuela était Liégeoise par sa mère. C'est une assez belle figure que celle de la future belle-mère de Napoléon III. Intelligente, ambitieuse, passionnée, de mœurs libres, elle connaît à fond l'Espagne, son passé et ses coutumes. Elle n'ignore pas le petit peuple. Elle le fera connaître à Mérimée en confiant celui-ci à la garde du romancier Don Serafin Estebanez Calderon avec qui il explore les faubourgs. Elle est riche en petites histoires. Elle raconte à son nouvel ami comment elle a sauvé le titre et la fortune des Montijo dont elle sera bientôt héritière, en empêchant son beau-frère Eugenio, qui avait épousé une cigarière de reconnaître un enfant trouvé que cette curieuse belle-sœur s'apprêtait à faire entrer dans la famille. Cette action en dit long sur le caractère altier et volontaire de la comtesse. Avec Mérimée elle assiste à des corridas, lui fait visiter le Prado.

Elle avait deux filles dont Eugénie née en 1826 dans un bosquet de roses, dit-on, où sa mère s'était réfugiée lors d'un tremblement de terre. L'histoire est trop belle pour qu'on mette en doute sa véracité. Mérimée se souviendra toujours de l'enfant qu'il fit sauter sur ses genoux, qui devint son impératrice et dont le malheureux destin d'exilée attrista ses derniers jours.

Des récits de la comtesse de Teba il se rappelera plus tard pour écrire *Carmen.* Surtout il vient d'acquérir une amitié qui lui sera précieuse jusqu'à sa mort. Mérimée, dans une correspondance abondante, fera d'elle la confidente de ses amours et de ses tristesses. Il viendra souvent, quand elle aura quitté la cour, se réfugier auprès d'elle dans son domaine de Carabanchel. Cette amitié a bien sûr fait beaucoup jaser. Horace de Viel-Castel, autrefois ami de Mérimée, puis brouillé avec lui, n'est pas étranger à ces rumeurs. La politique joua aussi son rôle. On voulut atteindre l'impératrice et le sénateur qu'allait devenir notre écrivain. Il fut donc affirmé que Manuela de Montijo avait des relations sexuelles avec Mérimée. Tous les textes semblent prouver qu'il n'en fut rien. A Jenny Dacquin, à Francisque Michel, à Mme de la Rochejaquelein il parle de la comtesse comme de sa « sœur », de sa « meilleure amie ». Il écrit à Saulcy [1] : « Avez-vous quelquefois joui de l'intimité d'une femme d'esprit dont vous n'êtes ni ne pouvez être l'amant ? C'est ce qu'il y a de plus doux au monde. » Et à Stendhal, devant qui il préférerait sans doute se vanter : « Je ne voyage pas avec une admirable Espagnole. Je vous mènerai à mon retour chez une excellente femme de ce pays, qui vous plaira par son esprit et son naturel. C'est une admirable amie, mais il n'a jamais été question de chair entre nous. » D'autre part la façon dont Mérimée parlera

1. Numismate célèbre en son temps. Inspecteur de la Société d'archéologie et membre de l'Institut.

plus tard à la comtesse de sa liaison avec Valentine Delessert, des tristesses que cette dernière lui cause, lève les derniers doutes. Un certain ton ne trompe pas. Nous tenons ici un exemple d'une belle et longue amitié.

Dans le salon des Teba, Mérimée rencontra une aristocratie libérale qui l'enchanta. La marquise de Navarra, la marquise de Quintana, nièces de la comtesse, achèveront de le réconcilier avec les hautes classes espagnoles. A la mi-novembre cependant, il quitta Madrid pour Valence et Paris où il fut au début de décembre. L'Espagne restera désormais sa terre de prédilection. Il y reviendra à plusieurs reprises. Qu'en rapportait-il ? Des trésors, dit le marquis de Luppé qui les énumère ainsi : « Une couleur locale authentique, sa plus célèbre héroïne, ses amitiés les plus pures. »

Il rapporte aussi les éléments des fameuses, à juste titre, *Lettres d'Espagne* portant sur quatre sujets différents : les courses de taureaux, une pendaison à Valence, les voleurs, les sorcières. Le problème s'est toujours posé, se pose encore de la part d'invention qui entre dans ces récits. Il est certain que l'écrivain arrange ce qu'il a vu, c'est son droit, il rédige. Il est non moins sûr qu'il rapporte également ce qui lui a été conté, en particulier par la comtesse de Teba et Serafin Estebanez Calderon. La seule chose évidente c'est que ces lettres constituent un des exemples les plus parfaits de la prose de leur auteur.

III

L'imbroglio amoureux d'un fonctionnaire

Dès son retour à Paris, Mérimée se trouve engagé comme artilleur dans la garde nationale. Trois fois par semaine il fait l'exercice dans la Cour carrée du Louvre. Habit bleu, épaulettes rouges et shako, il apprend à pointer le canon dans une batterie qu'on a surnommée « la meurtrière » tant elle comprend de médecins. En font également partie Arago, Raspail, Dumas père. Lors du procès des ministres de Charles X, le 21 décembre 1830, la garde nationale bivouaque dans la rue. Mérimée, de faction avec Alexandre Dumas, parle toute la nuit avec le romancier de peinture et de littérature.

L'exaltation des journées de Juillet est tombée. Ces lendemains de révolution sont tristes. Et Mérimée, à vrai dire, a peu de goût pour les émeutes populaires. Il écrit à Stendhal : « Vous n'avez pas idée comme les émeutes de Paris sont sales. Il n'y a jamais eu une goutte de sang répandue, et en les voyant on est plus triste que si on avait vu un champ de bataille. » Presque un an plus tard cependant il se présentera, contrairement au règlement, habillé en artilleur, à une soirée de Mme Ancelot. En fait cette artillerie avait été dissoute, et Mérimée versé dans l'infanterie. On le reverra en uniforme, et légitimement cette fois, en 1848.

Pour l'instant il n'a que vingt-huit ans. Nous avons vu que s'il a réussi à se faire connaître du milieu littéraire, cela ne lui a pas pour autant apporté la fortune. Il doit trouver un emploi. Le moment n'est pas mal choisi où, sous une monarchie libérale, des places sont à prendre pour ceux qui se sont montrés libéraux. Dans l'entourage de Mérimée, Vitet est inspecteur des monuments historiques. Stendhal est consul à Trieste, avant de l'être à Civitavecchia. Le baron de Mareste a de l'avancement à la préfecture de Police. C'est par lui sans doute que Mérimée est nommé chef de bureau du secrétariat général du comte d'Argout, ministre de la Marine et des Colonies. Si Mareste n'est pas l'auteur de cette recommandation, on peut penser encore aux protecteurs traditionnels de la famille Mérimée, Broglie et Decazes. André Billy fait remarquer que la nomination de Mérimée est contraire au règlement qui ne veut admettre dans les bureaux de la Marine que des hommes ayant « servi au moins pendant trois ans dans l'administration des ports et sur les vaisseaux ». Il ajoute avec ironie que les révolutions ne serviraient pas à grand-chose si elles ne permettaient pas les passe-droits. *La Quotidienne*, organe légitimiste, protestera : « M. Prosper Mérimée, auteur du *Théâtre de Clara Gazul* et de plusieurs productions distinguées, vient d'être nommé chef de bureau du secrétariat général de la Marine. Il vaque, dit-on, une place à la direction des Lettres, au ministère de l'Intérieur. Nous espérons qu'on la donnera à un officier de marine. »

La compétence de Mérimée en matière de marine doit être en effet assez courte, mais l'homme est consciencieux. Quand un mois plus tard, Apollinaire d'Argout quitte la Marine pour le Commerce et les Travaux publics, dans le gouvernement de Casimir Perier, il emmène avec lui le jeune homme dont il est satisfait, en fait son chef de cabinet chargé des beaux-arts et belles-lettres auquel on accorde en mai 1831 la Légion d'honneur. Sans doute notre chef de bureau ne s'était-il pas trop mal débrouillé dans son nouveau métier. D'écrivain, il est devenu fonctionnaire. Il semble s'en accommoder fort bien. Cette disposition d'esprit me plaît. Il y aura toujours chez Mérimée, par son comportement, ses silences, un côté amateur qui le distingue du littérateur embrigadé et qui lui réussit.

Quand en 1833 paraît *La Double Méprise*, c'est encore sous

le nom de l'auteur du *Théâtre de Clara Gazul.* Son vrai nom est pourtant connu. Il est depuis deux ans haut fonctionnaire. Mais il est jeune encore. Les trois années de 1831 à 1834 qu'il passe au cabinet du comte d'Argout sont celles où plus que jamais dans le privé il s'est montré dissipé. Il écrira en 1842 à Jenny Dacquin : « Ce qu'il y a de singulier dans ma vie, c'est qu'étant devenu un très grand vaurien, j'ai vécu deux ans sur mon ancienne bonne réputation, et qu'après être redevenu très moral, je passe encore pour vaurien. En vérité, je ne crois pas l'avoir été plus de trois ans, et je l'étais non de cœur, mais uniquement par tristesse, et un peu peut-être par curiosité. » Voyons sa lettre très célèbre adressée à Stendhal en septembre 1831 : « J'ai dîné avant-hier avec nos amis du dîner de la rue de la Draperie, plus Sharpe et Musset. Musset qui avait été toute affectation jusqu'au vin de Champagne, s'étant trouvé soûl au dessert est devenu naturel et amusant. Il nous a proposé de nous donner le spectacle de lui baisant une fille au milieu de 25 chandelles. La proposition ayant été acceptée avec empressement, nous sommes sortis aussitôt pour la mettre à exécution. Il y avait émeute ce jour-là, et nous avons eu toutes les peines du monde à passer au milieu des masses de garde nationale.

« Arrivé chez Leriche, notre poète romantique a saigné du nez et a commencé à chercher des mais et des si, etc. Bref, malgré tous les efforts et toute la science de deux assez jolies filles, il a été impossible d'en rien tirer.

« Nous avons fait exécuter des exercices de gymnastique par 6 filles *in naturalibus* et le but c'était la contenance d'un chacun. Besan[1] était calme comme un amant fidèle (il est toujours amoureux); Horace superbe d'éloquence arsouille. Mais notre ami Delacroix était frénétique. Il haletait, pantelait et voulait les embrocher toutes à la fois. Sans le respect qu'on doit au papier, je vous dirais de drôles de choses de son enthousiasme érotique. »

Mérimée en ce temps a peu de soucis. Fonctionnaire, muni

1. Sobriquet d'Adolphe de Mareste.

de nombreux appuis, écrivain déjà estimé, libéral dans un milieu libéral, qu'a-t-il à craindre ? La révolution de 1830 a échappé aux mains du peuple pour favoriser ce juste milieu un peu droitier dont notre auteur fait justement partie. Il n'a pas d'inquiétude métaphysique, le socialisme le laisse froid, le marxisme n'existe pas encore. Il peut se montrer anticlérical à sa guise. Il écrit à Stendhal en mars 1831 : « Vous avez perdu un beau spectacle, celui du pillage de l'Archevêché. Rien n'était drôle comme une procession où figuraient nombre de savetiers et d'arsouilles de toute espèce, en chasubles, mitres, etc., marmottant des prières et aspergeant le public d'eau bénite qu'ils puisaient dans des pots de chambre. La garde nationale se tenait les côtes de rire et n'empêchait rien. Il n'y a pas de religion dans ce pays-ci. »

Il y a en effet de petits incidents au début de cette monarchie de Juillet, on pille l'archevêché, des étudiants rossent des ouvriers, on règle des comptes. Cela n'inquiète guère notre homme. Il se paye même le luxe de se moquer du nez et du prénom de son protecteur d'Argout. Il confie à Beyle ce que d'autres jeunes gens du ministère, Thiers, Dittmer, Vitet, pensent d'Apollinaire, connu par son mauvais goût en peinture et ses bévues. Cependant il accomplit sa tâche avec application. Il reçoit les lettres, y répond, s'efforce d'éliminer des centaines de solliciteurs, accompagne le roi et le ministre du Commerce dans un voyage avec « les gens les plus hauts, les plus grands, les plus radicalement assommants de France ».

Dans les bureaux qu'il fréquente il ne s'est pas fait que des amis. Il en a certes. Mais d'autres, qui sont au courant de sa situation sociale et qui par comparaison se sentent pauvres scribouillards, le jalousent. Il le leur rend bien par un mépris solide qui est dans sa nature. Finies les heures de bureau, il court à ses plaisirs. On peut dire que dans ces années, de 1831 à 1834, il s'est ménagé une vie pleine d'imbroglios féminins où on a peine à se reconnaître. Il fréquente des actrices. A partir de 1832, c'est Céline Cayot qui tient la vedette. C'est une ancienne figurante des ballets de l'Opéra qui vient de débuter aux Variétés. Elle a vingt ans. Jusqu'en 1835 cette liaison durera. Elle exclut la jalousie comme le montre cette lettre de juillet 1832 à Edouard Grasset[1] : « Cayot, rue Cadet, n° 1. Il faut des manières et de l'amabilité pour plaire à cette infante ; on ne doit pas offrir de l'argent grossièrement. Elle s'amourache facilement et est très recommandable par ses grâces dans le coït. Mais on a vu sur son épaule il y a 15 jours un bouton de mauvaise apparence et qui a fait venir toutes sortes d'idées pénibles et mercurielles au curieux qui l'a découvert. Avis au lecteur. »

Cette Cayot est un personnage littéraire. Elle fournira à Stendhal le personnage de Caillot dans *Lamiel* et de Raymonde dans *Lucien Leuwen ;* à Mérimée celui d'*Arsène Guillot.* Céline, c'est le demi-monde. Dans le même temps où il profite de ses faveurs, Mérimée est amoureux de Mme Delessert qui sera finalement la grande aventure sentimentale de sa vie et qui ne se donnera à lui qu'en 1836. Ce n'est pas tout. Pour compliquer l'intrigue, une correspondance singulière et prolongée va commencer avec Jenny Dacquin, fille d'un notaire de Boulogne-sur-Mer, qui publia en 1873 ces *Lettres à une inconnue* qui ont posé des problèmes à tant de mériméens. Le recueil était incomplet, tronqué, trafiqué dans le sens où il souhaitait faire croire à une liaison purement platonique.

Tout commence par un petit complot, dans lequel ont trempé Sophie Duvaucel et une certaine Mme Lambert qui vivait à Calais. Jenny née en 1811, personne instruite, amoureuse de la littérature, sans doute un peu bas-bleu, écrit en 1831 à Mérimée qu'elle admire une lettre signée Lady Algernon Seymour. L'écrivain se prend au piège, répond. Une correspondance abondante s'établit, lettres littéraires et soignées, d'abord un peu gourmées comme ce qui s'adresse à une personne inconnue. Mérimée n'est pas homme, on l'a vu, à laisser tomber la possibilité d'une aventure amoureuse. Chargé par son ministère d'une mission officieuse en Angleterre en décembre 1832, il va en profiter pour rechercher l'énigmatique Lady Seymour,

1. Intime de Mérimée depuis 1830. A enlevé Marie de Neuville, nièce du ministre. Carrière consulaire.

soi-disant dame de compagnie dans une famille anglaise.

Signalons en passant que, reçu par Talleyrand à l'ambassade de France à Londres, Mérimée s'étonne de voir ce personnage se rincer non la bouche à table, comme c'était alors l'usage, mais le nez ce qui n'est pas plus ragoûtant. Il écrit au comte d'Argout : « On lui met sous le menton une espèce de serviette en toile cirée, puis il absorbe par le nez deux verres d'eau, qu'il rend par la bouche. Cette opération, qui ne se fait pas sans grand bruit, a lieu sur un buffet à deux pieds de la table. Or, hier, pendant cette singulière ablution, tout le corps diplomatique, les yeux baissés et debout, attendait en silence la fin de l'opération, et derrière le Prince, Lady Jersey sa serviette à la main, suivait tout le cours des verres d'eau, avec un intérêt respectueux. Si elle avait osé elle aurait tenu la cuvette. » Mais c'est à Hippolyte Royer-Collard [1] qu'il raconte ses fredaines britanniques : « C'était chez une putain de nos amies haute de cinq pieds dix pouces, blonde à outrance mais d'ailleurs louche et très jolie. Cette aimable personne était flanquée de deux autres filles également très jolies et fraîches comme pas une fille de Paris. En vérité ce n'est qu'ici que l'on peut trouver des femmes et du poisson frais. Outre les charmes de notre conversation nous avions apporté une bonne provision de vin de Porto, de Champagne et d'eau-de-vie. Chacune de ces dames s'étant d'abord désaltérée d'une bouteille de porto nous nous sommes trouvés fort gais, mais encore si éloignés de crier vive la charte et d'ôter nos culottes que je me suis fait une querelle sérieuse avec une de ces dames pour lui avoir relevé les jupes à mi-jambe. C'était un plaisir de voir avec quelle aisance elles avalaient de grands verres d'eau-de-vie en mangeant des huîtres. Après avoir parlé de sujets vertueux pendant une partie de la nuit, nous nous sommes séparés pour aller nous coucher, c'est-à-dire deux par deux. J'avais une très belle femme en partage, mais d'une pudeur déplorable. Bataille réglée pour la mettre en chemise, autre bataille pour conserver

1. Médecin connu, fort dissipé, neveu du célèbre philosophe doctrinaire.

une bougie dans la chambre. Toutes ces batailles gagnées par moi, je l'enfile, et il me semblait coucher avec Mme la duchesse de Broglie. Après quelques instants de repos, je commence à causer avec ma princesse tout en la masturbant. Voilà qu'au milieu de cette opération elle me dit : — Connaissez-vous le duc de Fitz-James ? — Oui. — Quelle horreur que cet infâme Louis-Philippe l'ait fait mettre en prison ! Et je découvre que j'avais affaire avec la plus violente ultra de Londres. Nous avons achevé la nuit en discutant le Reform bill et en accompagnant la discussion de quelques exercices gymnastiques. »

Quant à Lady Seymour il ne la trouve pas et pour cause. Elle lui a écrit, lui a envoyé son portrait, mais refuse de le voir, il insiste. De retour en France il rend visite à Calais à Mme Lambert. Il raconte ainsi cette entrevue à Sutton Sharpe :

« A mon arrivée à Calais je suis allé chez la dame qui m'avait remis le portrait de Lady Seymour. D'abord elle m'a remis une lettre évidemment écrite dans une grande agitation d'esprit et dans laquelle mon inconnue me disait qu'elle ne pouvait me voir. La lettre lue, Mme L., la dame de Calais, ayant pris un air excessivement sérieux, me demanda la permission de me parler avec toute franchise. Je frémissais, craignant qu'elle ne s'avouât coupable de m'avoir écrit. N. B. que c'est une dame très respectable de 49 ans au moins. Cependant, je dis, du ton le plus assuré que je pus : — Je ne demande pas autre chose. — Sachez donc, monsieur, que les lettres qui vous ont intrigué ne sont pas écrites par une dame anglaise, mais par une demoiselle française. Cette jeune personne a une tête fort vive, très inconsidérée, très exaltée, d'ailleurs remplie de vertu et de bons sentiments. Lorsqu'elle vous a écrit pour la première fois, elle n'avait qu'un but, celui de se procurer un autographe de vous. Peu à peu elle a pris goût à la correspondance, puis au correspondant, enfin cela est devenu une véritable passion. En un mot elle est folle de vous. Sa mère et moi nous nous étions d'abord prêtées à toutes ces folies, les croyant sans conséquence, mais maintenant nous sommes désespérées. A quoi je répondis : — Que voulez-vous que j'y fasse ? (Convenez, mon cher ami, que ma position était assez comique.) Je pensai que le moment était venu de s'expliquer tout à fait. Je dis que je ne me marierais jamais et que je me lavais les mains de toute cette affaire-là : qu'on était venu me chercher, etc. J'étais, il faut vous le dire, de fort mauvaise humeur du ton tragique de cette Mme L.

« Elle répondit qu'il ne s'agissait pas de mariage — qu'on n'y pensait pas — mais que j'avais dérangé la tête de cette pauvre enfant, et qu'on me suppliait de la remettre. Jolie commission ! Mme L. me montra alors trois ou quatre lettres de cette demoiselle, que j'appellerai J., lettres qui vous auraient attendri, tout féroce que vous êtes. Figurez-vous toute la folie et toute l'exaltation d'une tête bien romanesque, qui vit en province et qui se figure que je suis un héros beau au moins comme le soleil et le reste à l'avenant. Au milieu de toutes ces extravagances, il y avait un fond de sensibilité si réelle et si bien exprimée que je ricanais tantôt et tantôt je me sentais fondre comme une cire. Aux lettres de la fille succédèrent celles que la mère écrivit à Mme L. et ce n'étaient pas les moins curieuses. Il me parut que J. gouvernait absolument sa mère et qu'elle l'avait rendue presque aussi éprise de moi qu'elle l'était elle-même. La bonne femme voulait savoir si je viendrais à Boulogne où elle demeure et si je *consentirais* à voir sa fille quand j'aurais appris qu'elle m'avait trompé sur son véritable nom. Elle disait que J. en tout ne faisait rien qu'à sa tête, et qu'il n'y avait que moi au monde qui pût la faire obéir. Toutes ces lettres lues, je pris un air très grave et je dis que, si cette jeune personne était si éprise de moi, je ne croyais pas devoir la voir, puisque ce serait encourager une passion qui ne pouvait pas avoir de résultats. Cependant je sus si bien me faire prier que je consentis à la voir. J'étais bien aise de paraître forcé à faire une chose dont j'avais grande envie.

« A Boulogne, j'envoie un commissionnaire avec une lettre à l'adresse qu'on m'avait indiquée, annonçant ma visite et demandant un tête-à-tête. La réponse était à peu près illisible, mais on accordait tout. Je passai une heure à mettre ma plus belle cravate et je partis assez intrigué. J'oubliais de vous dire que Laglandière m'ayant suggéré l'idée d'un guet-apens, j'avais pris une canne à lui, laquelle est munie d'un stylet. J'entre dans une maison d'assez bonne apparence et une femme de chambre me conduit dans une petite chambre où il n'y avait qu'une bougie fort loin de la cheminée et, devant, une femme assise dont je ne pouvais pas voir les traits. Quand j'entrai, elle se leva comme poussée par un ressort et retomba tout de suite en mettant son mouchoir devant sa figure. Je lui tendis la main, elle me donna la sienne et je m'assis. Notez que, par la disposition particulière de la bougie, elle m'éclairait entièrement et je ne pouvais voir que l'*outline* de J. qui lui tournait le dos.

« Nous causâmes ; elle avait une voix très agréable. Nous parlâmes de cent mille choses. Elle me parut un peu timide mais spirituelle. Au bout d'un quart d'heure de conversation, je lui demandai de mettre la bougie entre nous deux. Elle refusa en me disant qu'elle n'oserait plus me parler ; mais un autre quart d'heure passé, elle consentit enfin.

« Je vis alors une fort belle personne de vingt ans à peu près, brune, avec de beaux yeux noirs à la Trench, des sourcils admirables, cheveux noirs, etc. Ajoutez à cela un pied grand comme le doigt dans un brodequin de satin noir d'une forme ravissante. Je devins tout de suite plus aimable de moitié. Nous étions penchés tous les deux vers le feu et elle avançait ce pied avec un bout de jambe parfaitement assorti. — Il y a si longtemps, lui dis-je, que je n'ai vu de jolis pieds, que je ne puis me lasser de regarder le vôtre. — Le trouvez-vous bien, en vérité ? me dit-elle, et elle avança ce pied vers moi avec une coquetterie enfantine, qui commença à causer des insurrections dans mon pantalon. Je pris ce pied dans ma main, et tout en causant haute morale, nous en étions là, je ne sais quel diable me tenta, je levai le pied à ma bouche et je le baisai très tendrement. Cela ne put se faire sans que le pied fût dérangé sensiblement de sa distance à la terre et sans que l'autre jambe ne parût fort en évidence. Elle était couverte d'un bas de soie noire transparent : je n'essaierai pas de vous le décrire. Jamais Hollandais recevant au milieu de la bedaine un obus à la Paixhans n'a paru plus subitement anéanti que la pauvre J. Elle retira son pied, sa tête tomba sur sa poitrine et elle devint cramoisie. Il aurait fallu être tigre pour continuer. Je ne suis point tigre. »

Jenny Dacquin se laissa voir par la suite, et non sans manières. Elle s'installa à Paris en 1842. La correspondance que Mérimée lui adresse, toujours copieuse, raffinée, dura jusqu'en 1870 et une des trois dernières lettres de l'écrivain fut pour elle. A la question : fut-elle sa maîtresse ? on peut répondre oui presque sans hésiter. Dans la publication qu'elle fait en 1873 de cette correspondance, tronquée et mutilée, de son probable amant, elle laisse, sans doute par distraction, subsister cette phrase : « Nous avons commencé à nous écrire en faisant de l'esprit ; puis nous avons fait quoi ? je ne vous le rappellerai pas. » Evidemment ce n'est pas là une « preuve », mais quelque chose qui en approche. On n'a malheureusement pas retrouvé les lettres autographes. Quant à celles de Jenny elles ont disparu dans l'incendie qui, après la mort de Mérimée, dévasta son appartement de la rue de Lille en 1871. Ces faits laissent subsister un mystère sur lequel je reviendrai. La correspondance entre Mérimée et Jenny, pour ce qu'on en connaît, évoque des rapports d'un ton des plus étranges.

Cependant que se poursuit cette intrigue, les choses durent mais se compliquent avec Mme Lacoste. Il y avait eu certainement brouille, lors du premier voyage de Mérimée en Espagne. Toujours est-il qu'à partir de 1832, l'enthousiasme de Mérimée pour Emilie Lacoste fait place à la tristesse. Il s'en plaint à mi-mot à Jenny Dacquin, employant la même comparaison du « diamant » qu'il utilisera plus tard pour qualifier les déceptions que lui causera Valentine Delessert. Alors qu'il n'a pas encore rencontré Jenny, il se confie à elle dans une lettre d'octobre 1832 : « *Mariquita de mi vida* (laissez-moi vous appeler ainsi jusqu'à vos noces). J'avais une pierre superbe, bien taillée, brillante, scintillante, admirable sur tous points. Je la croyais un diamant que je n'aurais pas troqué pour celui du Grand Mogol. — Pas du tout ! voilà qu'il se trouve que ce n'est qu'une pierre fausse. Un chimiste de mes amis vient de m'en faire l'analyse. Figurez-vous un peu mon désappointement. J'ai passé bien du temps à penser à ce prétendu diamant et au bonheur de l'avoir trouvé.

« Maintenant, il faut que je passe autant de temps (encore plus) à me persuader que ce n'était qu'une pierre fausse.

« Tout cela n'est qu'un apologue. J'ai dîné avant-hier avec le diamant faux et je lui ai fait une mine de chien. Quand je suis en colère, j'ai assez en main la figure de rhétorique appelée ironie, et j'ai fait au diamant un éloge de ses belles qualités le plus ampoulé que j'ai pu et avec un sang-froid bien glacial. Je ne sais, en vérité, pourquoi je vous dis tout cela ! surtout si nous allons nous oublier prochainement. En attendant, je vous aime toujours et je me recommande à vos prières. »

Il y a apparemment tout ce qu'il faut pour brouiller notre auteur avec Emilie. Alors que son mari n'est toujours pas rentré des Etats-Unis, Emilie met au monde un fils, le 5 juin 1833. Ce sera Emile Duranty, le romancier qu'on semble redécouvrir aujourd'hui comme le précurseur du naturalisme. Duranty croira longtemps que Mérimée est son père, opinion qu'il partage avec quelques contemporains. Le vrai père serait Edmond Anthoine, auditeur au Conseil d'Etat. Ce qu'on connaît de Mérimée, de sa droiture et de sa générosité dans les affaires sérieuses empêche de croire qu'il ne se soit jamais intéressé, fût-ce un instant, à ce fils, alors qu'il gardera, après rupture, de bons rapports avec la mère. Sans doute a-t-il des raisons sérieuses de penser que cet Emile n'est pas son enfant. Mérimée sait qu'il a un rival. D'où sa tristesse, d'où l'image du « diamant », d'où peut-être la dissipation dans laquelle il cherche à s'étourdir.

Trois sorcières lui avaient prédit que 1833 serait l'année de sa mort. Elles s'étaient trompées. L'année n'en fut pas meilleure pour autant, au moins au point de vue moral. Vers le 22 avril, il passe une nuit avec George Sand. C'est un fiasco au sens stendhalien du terme. Il y avait longtemps que Mérimée pressait cette femme, dont pourtant il paraît évident, rien qu'à voir ses portraits et à lire l'histoire de sa vie, qu'elle est le prototype de la frigide déçue. Elle s'était un peu monté la tête sur lui et lui sur elle. Ils n'en furent que plus chagrinés. Lui espérait du plaisir, elle espérait avoir « rencontré un homme », c'est-à-dire celui qui lui apprendrait le plaisir. Ils se quittèrent au matin. Elle raconta cette nuit déplaisante à Marie Dorval, qui la raconta à Dumas père qui la raconta à tout le monde, causant ainsi le plus grand tort auprès des petits rats de l'opéra à la réputation de virilité de Mérimée. Celui-ci répliqua avec infiniment de justesse en déclarant : « C'est une femme débauchée à froid, par curiosité plus que par tempérament. »

Cette même année paraît le 4 juin, *Mosaïque.* Mérimée y rassemble ses contes, quatre ballades en prose, la comédie *Les Mécontents* et ses trois premières *Lettres d'Espagne.* Il publie en livre séparé, *La Double Méprise,* puis dans *La Revue de Paris, Les Sorcières espagnoles,* quatrième lettre d'Espagne.

Il n'en est pas pour autant guéri de sa mélancolie comme il le confie dans une lettre à Edouard Grasset : « J'essaye non de cette ressource (se masturber) mais d'une autre analogue pour me consoler de la fin horriblement triste d'un amour archiromanesque qui me préoccupait fort. On m'a procuré une mulâtresse qui a beaucoup de mérite. Lorsque le cœur est préoccupé, on ne peut agir sur la partie brutale qu'au moyen d'espèces de monstres. Les mulâtresses sont excellentes. Le plaisir qu'elles font ne s'élève pas au-dessus de la région épigastrique. Si j'étais aussi dolent que vous mon cher ami, j'aurais une belle occasion de renouveler les lamentations du prophète Jérémie. Une si jolie fille, une tête si originale, tant d'amour et tant de bizarrerie dans les idées ! Dire adieu à tout cela. En vérité cette année 1833, qui s'il en faut croire des sorcières est la dernière que je verrai, m'a été déjà bien fatale. J'ai perdu un oncle et une tante, un ami intime, Victor Jacquemont, une femme que j'aimais m'a planté là, et une autre que j'aimais encore plus m'est enlevée. Sur quoi je ne trouve rien de mieux tant je suis abruti que de fumer, de faire des mémoires administratifs et d'enfiler une mulâtresse. »

Certes Mérimée n'a pas attendu 1833 pour montrer quelque dissipation. Mais il était jusqu'alors fort démuni d'argent. On peut tenir pour probable que son emploi au ministère lui facilite un genre de distraction sur lequel il est assez porté. De ces filles qu'il fréquente il parle dans ses lettres à Jenny Dacquin. « Voilà que vous me regardez comme un Sardanapale, parce que j'ai été à un bal de figurantes d'Opéra. Vous me reprochez cette soirée comme un crime, et vous me reprochez comme un plus grand crime encore de faire l'éloge de ces pauvres filles. Je le répète, rendez-les riches, et il ne leur restera plus que leurs bonnes qualités. Mais l'aristocratie a élevé des barrières insurmontables entre les différentes classes de la société, afin qu'on ne puisse voir combien ce qui se passe au-delà de la barrière ressemble à ce qui se passe en-deçà. Je veux vous conter une histoire d'Opéra que j'ai apprise dans cette société si perverse. Dans une maison de la rue Saint-Honoré, il y avait une pauvre femme qui ne sortait jamais d'une petite chambre sous les toits, qu'elle louait moyennant 3 francs par mois. Elle avait une fille de douze ans toujours très bien tenue, très réservée et qui ne parlait à personne. Cette petite sortait trois fois la semaine dans l'après-midi, et rentrait seule à minuit. On sut qu'elle était figurante à l'Opéra. Un jour, elle descend chez le portier et demande une chandelle allumée. On la lui donne. La portière, surprise de ne pas la voir redescendre, monte à son grenier, trouve la femme morte sur son grabat, et la petite fille occupée à brûler une énorme quantité de lettres qu'elle tirait d'une fort grande malle. Elle dit : " Ma mère est morte cette nuit, et elle m'a chargée de brûler toutes ses lettres sans les lire. " Cette enfant n'a jamais su le véritable nom de sa mère ; elle se trouve maintenant absolument seule au monde, et n'ayant d'autre ressource que celle de faire les vautours, les singes ou les diables de l'Opéra.

« Le dernier conseil de sa mère a été pour l'engager à être bien sage et à continuer à être figurante à l'Opéra. Elle est d'ailleurs fort sage, très dévote et ne se soucie guère de raconter son histoire. Veuillez me dire si cette petite fille n'a pas infiniment plus de mérite à mener la vie qu'elle mène, que vous n'en avez, vous qui jouissez du bonheur singulier d'un entourage irréprochable et d'une nature si raffinée qu'elle résume un peu pour moi toute une civilisation ? Il faut vous dire la vérité. Je ne supporte la mauvaise société qu'à de rares intervalles, et par une curiosité inépuisable de toutes les variétés de l'espèce humaine. Je n'ose jamais aborder la mauvaise société en hommes. Il y a là quelque chose de trop repoussant, surtout chez nous ; car, en Espagne, j'ai toujours eu des muletiers et des toreros pour amis. J'ai mangé plus d'une fois à la gamelle avec des gens qu'un Anglais ne regarderait pas, de peur de perdre le respect qu'il a pour son propre œil. J'ai même bu à la même outre qu'un galérien. Il faut dire aussi qu'il n'y avait que cette outre et qu'il faut boire quand on a soif. Ne croyez pas pour cela que j'aie une prédilection pour la canaille. J'aime simplement à voir d'autres mœurs, d'autres figures, à entendre un autre langage. Les idées sont toujours les mêmes, et si l'on fait abstraction de tout ce qui est convention ou règle, je crois qu'il y a du savoir-vivre ailleurs que dans un salon du faubourg Saint-Germain. »

Ces filles qui sont-elles ? On connaît quelques noms : Mlle Dupont qui ne s'est pas rendue célèbre, Anaïs Aubert qui débute comme ingénue à la Comédie-Française. Citons encore Cora, Pauline, Képler, Chavigny. Elles céderont le pas à Céline Cayot. Elles changent de partenaires. Elles viennent parfois en groupe avec leur compagnon du jour Sutton Sharpe, Malitourne, Hippolyte Royer-Collard, Viel-Castel, dîner en famille rue des Beaux-Arts.

Avec Sutton Sharpe, Mérimée a toujours échangé de bons procédés. C'est-à-dire qu'il fournit en femmes l'avocat anglais lors de ses séjours parisiens en échange de celles que son ami lui fait connaître à Londres. Avec ses autres amis, une fois quitté le ministère, Prosper va dîner, et la soirée finit souvent au bordel. Qui voyons-nous à ces dîners ? Hippolyte Royer-Collard, Sutton Sharpe quand il est à Paris, Horace de Viel-Castel, Delacroix, Musset, le docteur Koreff, Malitourne [1], le baron de Mareste. Il y a là tout un petit groupe qui se réunit au Palais-Royal, au *Café de la Rotonde* avant de se rendre au *Café de Paris* pour le souper ou au *Café anglais*. La bande fréquentait aussi *Les Frères proven-*

1. Collaborateur de *La Revue de Paris*. D'après Stendhal serait le véritable auteur des *Mémoires de Robespierre*.

çaux, galerie Montpensier, ou *Véry*, ou le célèbre *Rocher de Cancale*. Il se pouvait aussi qu'on se retrouvât près de l'Opéra au *Divan* de la rue Le Pelletier. Comme je l'ai dit plus haut ces soirées se terminent parfois de façon grivoise. Plus tard, quand il sera inspecteur des Monuments historiques, Mérimée écrira à Requien : « J'ai trouvé qu'il y avait à Rome, dès le temps d'Auguste, un inspecteur des Monuments historiques, lequel cumulait avec l'inspection des édifices publics celle des bordels, *lupanaria* (au nombre de 46 seulement dans la IXe région de Rome). Je me propose de citer le précédent à M. Thiers et de faire ajouter ces fonctions à celles que j'exerce déjà. »

Nul doute, Mérimée, ce raffiné, a du goût pour les maisons de passe, les plaisirs qu'on pourrait dire vulgaires, les partouzes, les rigolades. A ce titre, il est bien un homme du XIXe siècle. Et ce goût se concilie assez facilement avec une certaine distinction des manières. Disons qu'une forme particulière de vulgarité qui tend à s'estomper de nos jours, en faveur bien entendu d'une autre, est dans les mœurs de l'époque. Même vers la cinquantaine, au cours de ses voyages en Espagne, notre auteur, que j'ai cité plus haut à ce propos, en sera encore à discourir sur la grosseur du postérieur des dames. Luppé fait remarquer ce côté « vieux collégien » contrastant avec le dandy, gentleman et homme d'esprit qui ne peut s'habiller qu'à Londres. Il n'empêche que lorsqu'on parle de « délicatesse de sentiments » à propos de Mérimée il est permis de se montrer circonspect.

N'oublions pas que ce « vaurien » est en 1833 chevalier de la Légion d'honneur, maître des requêtes, chef de cabinet d'Argout au ministère de l'Intérieur. Malgré son travail de bureau, malgré ses dissipations, il a fait paraître *Mosaïque* qui n'est, il est vrai, qu'un recueil de précédentes œuvres. Reste qu'en septembre de cette même année il publie *La Double Méprise*. Comme dans *Le Vase étrusque* où apparaissait en transparence l'image de la société qu'il fréquentait, nous avons ici pour cadre le temps même où notre auteur écrit. Par certains côtés, médiocrité de l'intrigue, manières mondaines, grossissement de faits sans importance, le petit livre fait penser à certains romans de Françoise Sagan, n'étaient-ce la manière et le style. C'est une œuvre psychologique. Julie de Chaverny, mariée à un médiocre qu'elle n'aime pas, retrouve un ami d'enfance, Darcy, diplomate en poste à Constantinople. C'est en revenant de chez une certaine Mme Lambert demeurant aux environs de Paris, où ont eu lieu les retrouvailles, que Julie a un accident. Sa voiture verse. Recueillie par Darcy qui arrive dans sa propre voiture, Julie, qui a le tort de croire que Darcy l'a aimée autrefois, se donne à lui dans la calèche même. Darcy n'a fait que profiter d'une occasion. Julie tombe dans les remords les plus affreux. Elle mourra dans une auberge où elle s'est réfugiée, d'une sorte de phtisie galopante. Le petit roman paraît fort étiré. C'est en réalité une nouvelle dont on a tenté de faire un roman puis qu'on a laissé tourner en nouvelle.

Certains critiques, tels Jean Mallion et Pierre Salomon pensent non sans raison que l'anecdote de *La Double Méprise* a des rapports avec les mécomptes éprouvés par l'auteur en avril 1833 auprès de George Sand. Ils font justement remarquer que le portrait de Chaverny, plutôt développé, se superpose assez exactement à l'idée qu'on a de Casimir Dudevant, mari de George Sand. Le jeune attaché du comte d'Argout n'est pas non plus absent de l'affaire. Quant à Julie si elle ne ressemble guère à la George Sand de 1833, elle est Aurore Dudevant, épouse incomprise d'un mari indigne. En étudiant l'affaire sous l'angle psychanalytique, on sent que Julie a le sentiment plus ou moins conscient d'avoir été violée dans la voiture. Dans ce cas, si Darcy est assez semblable par certains traits de caractère à Mérimée (et il l'est) on peut aboutir à ceci que Mérimée compense par l'écriture un « fiasco » qui lui a été douloureux. Est-ce pour cela qu'il parlera plus tard sans complaisance aucune de cette *Double Méprise* qui ne lui rappelle qu'un mauvais souvenir ? C'est possible. L'œuvre eut peu de succès et connut une presse dans l'ensemble peu favorable. Réimprimée en 1842, elle montrera des corrections de l'auteur, allant dans un sens prude, assez étonnant. Mérimée songeait alors il est vrai à l'Académie française. En fin de compte, il écrira à Mme de la Rochejaquelein en 1857 : « C'est un de mes péchés faits pour gagner de l'argent, lequel fut offert à quelqu'un qui ne valait pas grand-chose » (Céline Cayot probablement, et dans ce cas on trouve Mérimée bien sévère). A noter qu'en 1857 Flaubert publie *Madame Bovary.* La promenade en fiacre dans les rues de Rouen serait-elle inspirée de Mérimée ?

Quoi qu'il en soit, ce récit mal équilibré, de fausse longueur, de sujet médiocre, reste une œuvre estimable, miracle du style et de l'analyse, alors qu'il aurait dû sombrer parmi tant d'autres du même type et de la même époque. C'est par ce genre de miracles qu'existe un auteur appelé Mérimée.

IV

Monsieur l'inspecteur

Un remaniement ministériel d'avril 1834 allait changer la destinée de Mérimée. A la démission du duc Victor de Broglie, Thiers prit le ministère de l'Intérieur et le comte d'Argout, devenu gouverneur de la Banque de France, abandonna son protégé. Celui-ci resta prudemment en retrait. Il écrit, à Edmond Blanc [1] sans doute : « Je vous ai dit hier, et ce matin encore, les objections, ou plutôt les difficultés que je voyais à me faire une position au Ministère, position qui satisfasse le petit amour-propre que je puis avoir comme chef du cabinet du dernier Ministre, et comme Maître des Requêtes. — Je vous ai dit aussi tout le désir que j'avais de prouver à M. Thiers combien j'appréciais ses bons et généreux procédés à mon égard. Vous m'avez répondu qu'il pourrait arriver dans un avenir qui n'est pas éloigné, que j'obtinsse *naturellement* une position où je pourrais être utile, et qui conviendrait à mes goûts et à mes études. J'ai pensé qu'il y avait moyen pour moi d'avoir un provisoire qui ne gênerait en aucune façon le Ministre. Veuillez lui dire de ma part que quant à présent, je ne demande aucun titre officiel. Je continuerai à faire les petits travaux dont M. d'Argout m'avait chargé et je m'acquitterai encore de mon mieux de ceux que M. Thiers voudrait me confier. Dans ce cas, je ne voudrais pas de titre. Je travaillerais en amateur. Quant au traitement, il ne

1. Secrétaire général du ministère du Commerce et des Travaux publics.

pourrait jamais être une difficulté. Vous me connaissez assez pour savoir que cette question n'est jamais bien importante avec moi. Je ne serais pas fâché même, de n'en avoir pas. M. d'A. en s'en allant m'a donné une gratification qui me permet d'attendre. »

Il n'attendra pas lontemps. En mai, Vitet fut nommé au secrétariat général du Commerce. Pour ne pas cumuler il abandonne ses fonctions précédentes à l'Inspection générale des Monuments historiques. Par décision de Thiers, ces fonctions furent confiées à Mérimée qui s'en montra satisfait. Tout en passant commande à Sutton Sharpe pour une douzaine de bas à l'intention de Céline Cayot, il annonce à son ami sa nomination. « Elle convient fort à mes goûts, à ma paresse et à mes idées de voyage. » Il venait de terminer la rédaction des *Ames du purgatoire* qui paraîtrait cette même année, en août, dans *La Revue des Deux-Mondes*.

Céline Cayot, oui, bien sûr. On peut malgré tout noter à partir de cette date de mai 1834 un certain assagissement de la conduite de notre auteur. Lui-même plus tard le déclarera. Il va désormais se consacrer avec sérieux à sa tâche nouvelle et avec un indiscutable succès. Il va occuper ces fonctions pendant vingt-cinq ans. On peut se demander ce qui l'y a préparé. A peine a-t-il noté, lors de son premier voyage en Espagne, les méfaits du temps et des hommes sur les monuments mauresques. Il a fréquenté surtout des écrivains, des peintres. Il s'est intéressé à la peinture. Il est dessinateur, ce qui l'aidera. Il accepte avec confiance un poste qui, à première vue, paraît lourd et fort éloigné de ses compétences. Mais il ne faut pas sous-estimer son goût du travail, ses connaissances livresques, ses formidables facultés d'adaptation. Il lui faut se mettre au courant de l'archéologie. Il lit des ouvrages techniques, demande conseil à Vitet, son prédécesseur, à des spécialistes.

On portera aussi à son crédit sa bonne connaissance des ministères. Il sait comment on obtient ce qu'on veut, par quelles voies détournées, quelles paperasseries.

En fait, dans ce domaine de la Conservation tout reste à

faire. Le poste a été créé par Guizot en 1830, Vitet, premier titulaire, a inauguré le principe des tournées d'inspection que Mérimée va poursuivre avec ardeur. Il faut visiter les monuments, évaluer les réparations à effectuer, en chiffrer les devis, obtenir les crédits nécessaires, donner des directives aux architectes et les surveiller. Ce n'est pas une mince affaire. Comme toute entreprise de ce genre, elle commence par des parlottes à l'intérieur des commissions. Celles-ci sont à leur début. Il faut les développer. Guizot crée en 1835 le Comité des Monuments inédits de la Littérature, de la Philosophie, des Sciences et des Arts. Mérimée fait partie de cette assemblée. Il s'y ennuie.

« Nous sommes occupés à rédiger des instructions pour les correspondants de notre comité. Je trouve qu'on les fait trop longues et qu'on en demande trop. Nous sommes une drôle de réunion, voici nos noms :

« M. Guizot ; président ; — M. Cousin, vice-président ; — M. A. Leprevost ; — M. Ch. Lenormant ; — M. Victor Hugo ; — M. Sainte-Beuve ; — M. Lenoir ; — M. Didron ; — M. Vitet ;

« Et votre humble serviteur.

« Vous dire quels bavards nous faisons est impossible. Le Victor Hugo nous fait de la poésie sur tout ; M. Cousin, des discours de deux heures auxquels je ne comprends rien. »

En 1837 est créée la Commission des Monuments historiques dont Mérimée deviendra vice-président plus tard. Ces commissions et comités sont des réunions où l'on discute fort, comme en témoigne le *Bulletin archéologique* où apparaît presque toujours le nom de Mérimée. Ne s'agit-il pas de cette œuvre immense : dresser un catalogue de tous les monuments français ? Sous l'influence de Mérimée on a recruté en province des particuliers, hommes de bonne volonté, parfois architectes compétents ou archéologues à qui il faut apprendre ce qu'on veut faire : renseignements qu'on attend d'eux, instructions qu'on leur donnera en retour. Mérimée expose ces difficultés dans une lettre de 1835 à Requien, lettre qui en dit long sur son travail. « Autre embêtement : j'ai mon rapport à faire. Il s'allonge à mesure que j'y travaille. J'avais compté me tirer d'affaire avec une brochure de cent cinquante pages. Bienheureux si j'en suis quitte pour un volume in-8°. Autre embêtement : M. Guizot m'a nommé membre d'une commission chargée de diriger les travaux historiques en ce qui concerne l'histoire de la philosophie, la littérature, les sciences et les arts. M. Guizot, à la première séance, nous dit que nous devions faire un catalogue de *tous* les monuments de la France actuellement existants. Je me récriais, il me dit : “ Figurez-vous que ni le temps ni l'argent ne vous manqueront. ” Je fus réduit au silence, et mon voisin, homme au pis, m'écrivit sur un morceau de papier : “ Le temps ? Il ne sera pas ministre dans trois mois. L'argent ? Il n'a déjà plus un sou des 120 000 francs votés pour 1835. ” En attendant, nous nous réunissons fréquemment pour blaguer. Ce ne serait rien, mais il faut faire de menus rapports, etc., c'est à mourir. Nous allons pourtant faire une bonne chose, c'est un manuel paléographique, au moyen duquel on pourra apprendre promptement et facilement à lire les manuscrits. On répandra ce manuel à profusion, en sorte que tout homme de bonne volonté ait le moyen d'étudier les vieux parchemins et de se crever les yeux, quand l'envie lui en prendra. Autre embêtement... mais j'en aurais trop long à vous conter, si je vous disais tous mes embêtements. »

On imagine les tourments de qui est chargé de coordonner ces différents organismes en vue d'un résultat qui est recenser, classer par priorité, sauvegarder enfin. Cela suppose un nombre considérable de lettres, réclamations, rapports, conflits à arbitrer. Mérimée fait face. De 1834 à 1848 les crédits qu'il obtient passent de 95 000 francs par an à 800 000 francs, la valeur du franc restant stable. Membre de neuf commissions, il doit harceler sans cesse ses collaborateurs et exécutants. Luppé recense à son actif, pour le seul Comité des Arts et Monuments 104 interventions, 75 rapports, 10 instructions, 4 communications « sans compter les circulaires ».

On n'attendait pas Mérimée ici, cet écrivain qui écrivait rarement et dont la carrière littéraire aurait fort bien pu s'interrompre en 1834, auquel cas nous le connaîtrions peut-être comme responsable seulement de la sauvegarde des remparts d'Avignon. En réalité, il est vraiment l'inspecteur des Monuments historiques tel que la monarchie de Juillet l'aurait rêvé. Il sera écrivain par surcroît et, merveille, écrivain amateur en quelque sorte, c'est-à-dire le fin du fin. La IIe République hérita de ce parfait fonctionnaire. Elle n'eut guère le temps de s'en servir. Mais le Second Empire en sut profiter. En 1853, Mérimée devenu sénateur et riche du même coup renonça à son traitement d'inspecteur mais il en conserva l'emploi, confiant toutefois les grandes « tournées » à son adjoint Courmont. Il ne démissionna, sa santé étant précaire, qu'en 1860, mais resta jusqu'à sa mort vice-président de la Commission des Monuments historiques et membre du Comité des Arts et Monuments.

Nommé en mai 1834, Mérimée part en juillet pour une tournée dans le Midi de la France. C'est en août, et donc pendant ce voyage qui le tiendra jusqu'en décembre, que paraissent *Les Ames du Purgatoire* écrit en des jours plus calmes. Dans son décor favori, l'Espagne, il place l'intrigue de sa nouvelle. C'est l'histoire de Don Juan de Maraña, différente de celle du Don Juan Tenorio de Molière et de Mozart. Ce jeune homme de haute lignée, étudiant à Salamanque, devient l'intime d'un certain Don Garcia démoniaque qui l'initie au vice. Il séduit Doña Teresa après avoir tué en duel son rival, Don Cristoval. Puis il se livre aux pires débauches. Acceptant d'échanger avec Don Garcia, Doña Teresa contre Doña Fausta, maîtresse de Garcia et sœur de Teresa, il provoque dans la maison du père un scandale. Dans l'obscurité la Fausta, qui se défendait de lui, est tuée d'un coup malheureux d'arquebuse. Acculé au combat, Don Juan tue le père des deux jeunes filles. D'accord avec Garcia, il décide de partir pour les Flandres où l'Espagne se bat. Là il commet encore quelques diableries anticléricales, mais non sans quelques remords et appréhensions de l'au-delà. Don Garcia est tué. Après quelques jours de meilleure conduite, Don Juan revient à la débauche. Il apprend que ses parents sont morts, rentre à Séville où il mène une vie de libertin, dresse la liste de ses maîtresses. Il lui manque d'avoir trompé Dieu lui-même. Il lui faut une nonne : celle qu'il veut séduire n'est autre que Doña Teresa réfugiée dans un couvent depuis la mort de son père. Il réussit à la circonvenir, à lui faire accepter l'idée d'une évasion qu'il met au point. Rentré chez lui il se trouve en face d'un tableau qui l'avait fort effrayé dans son enfance parce qu'il représentait les souffrances corporelles infligées aux condamnés du purgatoire. Ce tableau l'empêche de dormir. Parti pour enlever Doña Teresa, il trouve sur sa route un convoi funèbre qu'on lui dit être celui de Don Juan de Maraña. Des visions atroces l'assaillent. Il perd connaissance. Retrouvant ses esprits, il revient à la religion, se confesse, entre au couvent, se mortifie. Cependant, de son côté, Doña Teresa, épuisée par le chagrin de ce qu'elle considère comme un abandon, meurt. Dans son couvent Don Juan reçoit la visite de Don Pedro, frère de Teresa et de Fausta, fils de celui qu'il a tué jadis en duel. Cet homme le provoque. D'abord Don Juan refuse de combattre. Puis, à bout, il prend une épée, tue son adversaire. Le supérieur du couvent étouffe cette grave affaire. Don Juan pendant dix ans mène une vie d'humilité et de pénitence, jusqu'à passer lors de sa mort pour une sorte de saint.

Le personnage littéraire de Don Juan est une création de Tirso di Molina qui ne faisait que mettre en forme un thème traditionnel. Le thème du libertin puni, utilisé par Molière, puis Mozart, ne pouvait que passionner l'école romantique. Byron, Musset, Stendhal, George Sand l'ont mis en scène dans des œuvres plus ou moins importantes. Le personnage *vrai* est le Sévillan Miguel de Leca y Colona y Mañara. Mérimée à Séville avait vu les lieux où reposent les restes de ce libertin repenti. Il préféra l'histoire vraie à la tradition littéraire, fit de Miguel, Juan et de Mañara, Maraña. Cela ne l'empêcha pas de prendre de grandes libertés avec l'histoire et d'inventer des épisodes. Ce qu'il raconte emprunte aussi au personnage littéraire de Lisardo, l'étudiant de Cordoue dont il est question dans les romances populaires contées dans le livre de Cristoval Lozano, *Solitudes de la vie et désillusions du monde.* Mérimée connaissait certainement ce livre où il est question d'âmes du purgatoire et d'un homme qui assiste à son propre enterrement.

Quoique écrit en une période dissipée de la vie de l'auteur, on retrouve ici ses qualités propres : mélange de merveilleux et de réalisme, naturel du ton, romantisme mitigé qui ne se réfugie nullement dans la forme, mais réapparaît dans le fond, dans le cadre, une œuvre qui résonne très juste dans l'époque moderne, une œuvre qui n'a pas vieilli.

Cependant l'écrivain, désormais occasionnel, a entamé sans tarder sa carrière de fonctionnaire. Il débute avec des appointements de huit mille francs, ce qui pour lui est l'aisance. Mais il aura moins de temps pour écrire. Surtout il va se fatiguer en des voyages pratiqués dans des conditions fort pénibles. Il écrit à Hippolyte Royer-Collard dès sa première tournée. « Je suis entré aujourd'hui à Autun en écrasant une oie sous les roues de mon char traîné par deux chevaux au galop. Ce char était un tape-cul presque sans dossier. Chaque pavé saillant me faisait sauter deux pieds en l'air. J'ai fait vingt lieues aujourd'hui en changeant sept fois de voiture. Quelquefois j'étais dans de magnifiques calèches, d'autres fois dans d'horribles machines sans ressorts, suivant que les maîtres de poste étaient des messieurs ou des paysans. Je suis roué, moulu. Précisément comme je sortais de Saulieu dans le plus infâme de tous les tape-culs, j'ai rencontré trois Anglaises charmantes qui ont daigné rire beaucoup des sauts que je faisais. » Au même médecin il confie un peu plus tard : « Je ne sais si ça été la fatigue, les insomnies, ou une bourse de mille deux cents francs en or qui ballottait dans ma poche à la hauteur de ce que vous savez bien, mais je suis arrivé ici avec un testicule gros comme le poing et douloureux. Cavalisque ! comme on dit ici. Je me suis traité avec force bains, melons d'eau, raisins, etc. et grande sagesse. Depuis deux jours j'en suis réduit aux proportions ordinaires. Vous me ferez plaisir de me dire d'où cela provenait. Ma conscience était pure. Le gonflement n'appartenait pas au testicule proprement dit. Il semblait qu'un autre testicule m'était crû. Je crois sauf votre meilleur avis, que c'était un gonflement des vaisseaux spermatiques, produit par la concussion de soixante napoléons ? *Quid dicis ?*

« Je crois que vous me trouverez diablement bête à mon retour. J'aurai bon besoin d'être retrempé dans le thé du Café anglais. Au fait, la vie que je mène est abrutissante. Quand je ne vais pas en voiture, je me lève à neuf heures, je déjeune et je donne audience aux bibliothécaires, archivistes, et autres espèces. Ils me mènent voir leurs masures. Si je dis qu'elles ne sont pas carolingiennes on me regarde comme un scélérat et on ira cabaler auprès du député pour qu'il rogne mes appointements. Pressé entre ma conscience et mon intérêt, je leur dis que le monument est admirable et que rien dans le Nord ne peut y être comparé. Alors on m'invite à dîner, et on dit dans le journal du département que j'ai bougrement d'esprit. On me prie de déposer une pensée sublime sur un album. J'obéis en frémissant. Le soir on me reconduit à mon hôtel en cérémonie, ce qui m'empêche d'aller au vice. Je rentre excédé et je broche des notes, des dessins, des lettres officielles, etc. Je voudrais que mes envieux me vissent alors. »

Avec beaucoup de discernement, il a tout de suite distingué parmi les érudits et architectes locaux ceux qui ont quelque valeur, tels Jaubert de Passa, Requien, Joly-Leterme, Caignart de Saulcy. Ce dernier il l'a connu dans l'Est en juillet 1844 et a su lui plaire. Saulcy écrit à son ami La Saussaye : « Hier, à neuf heures du soir mon bon ami, je suis arrivé à Metz, revenant de la plus admirable excursion que j'ai jamais faite. J'avais visité Trèves et Igel en compagnie d'un homme qui me revient autant que possible et qui me paraît digne de l'amitié de deux lapins comme toi et moi ; un véritable bon garçon enfin qui n'est autre que Prosper Mérimée. J'ai passé *quatre jours* avec lui dans les joies les plus innocentes de l'archéologie et de la boustifaille. Nous avons chié avec jubilation sur le donjon du castel de Saarburg. Bien des fois j'ai pensé à toi et je me suis dit que tu manquais pour faire un heureux et joyeux trio : patience cela viendra peut-être quelque jour. »

Pour commencer, Mérimée fit un peu trop confiance aux antiquaires locaux (ainsi appelait-on alors les archéologues), mais très vite il sut se faire une doctrine. Les monuments modernes ne l'intéressent guère. Il prête plus d'attention à l'art antique ou médiéval. Il veut conserver ce qui existe, mais pour ce qui est de « restaurer » il reste de la plus extrême prudence, doctrine qu'aurait dû suivre un de ses collaborateurs, Viollet-le-Duc. Il expose ses vues à Segrétain, architecte du département des Deux-Sèvres, correspondant du ministère de l'Instruction publique :

« Vous me paraissez bien endurci dans votre amour pour les restaurations complètes. Mais vous me faites plus puriste que je ne le suis. Lorsqu'il reste quelque chose de certain, rien de mieux que de réparer, voire même de refaire, mais lorsqu'il s'agit de *supposer,* de suppléer, de recréer, je crois que c'est non seulement du temps perdu mais qu'on risque de se fourvoyer et de fourvoyer les autres. Observez que l'archéologie est une science qui commence à peine. Qui nous dit que dans quelques années d'ici on ne fera pas quelque belle découverte sur la symbolique du Moyen Age qui nous expliquera les monstres et les marmousets de nos églises ? En refaire de toutes pièces à présent, ce n'est pas prudent je crois. »

Mérimée se montre très vite connaisseur en matière d'architecture. Et même il nous étonne. Sa relative érudition se révèle dans les ouvrages techniques qu'il rédige : *Essai sur l'architecture du Moyen Age particulièrement en France, L'Architecture militaire au Moyen Age,* également ses *Notes de voyages dans le Midi de la France,* dans l'Ouest de la France, en Auvergne, en Corse. L'écrivain qui est en lui ne dédaigne pas les morceaux « à effets ». Il voudrait s'adresser à un public cultivé, sinon nombreux. En réalité, destinés à ses supérieurs hiérarchiques, ces écrits, qui pourtant correspondent à une mode de la littérature des voyages alors fort en vogue, et quoique supérieurs de ton à l'ordinaire, ne serviront pas sa carrière littéraire. A peine sont-ils lus par « une demi-douzaine de doctes qui haussent les épaules ». Déçu de ce côté-là, il se remet à l'histoire qui l'a toujours intéressé. Il confie à Requien en 1838 : « Je travaille en ce moment, ceci est *inter nos*, à quelque chose de plus sérieux que mes anciennes fredaines. Cela est pourtant bien rococo. Avez-vous entendu parler d'un nommé Jules César, lequel fut fait mourir à Rome vers l'an de grâce *moins* 44 ? Il avait du mérite en son genre, bataillait très bien, volait mieux et faisait l'amour sans préjugé avec les deux sexes. J'écris la vie de ce drôle-là qui, comme feu M. de Robespierre, n'est point encore jugé. Je vous vois ouvrir de grands yeux si vous ne riez pas en votre vénérable barbe. Que voulez-vous ? Je suis cuistre par profession et je commence à le devenir par goût. Tant de gens qui m'ennuient se sont jetés à corps perdu sur le Moyen Age qu'ils m'en ont dégoûté. C'est comme manger après les harpyes qui, comme vous savez, faisaient caca sur la nappe. Je suis plongé depuis un an dans un tas de bouquins qui sont fort amusants et si je fais un mauvais livre ou pas de livre du tout, j'aurai du moins passé mon temps en bonne compagnie et d'une manière agréable. » Il sortira de ces travaux un *Essai sur la guerre sociale* (1841) et *La Conjuration de Catilina* (1844). L'ouvrage sur César lui-même ne vit jamais le jour.

Sans doute ces livres ont-ils le tort de se fonder surtout sur une érudition dont Mérimée avait le goût profondément ancré. C'est un homme qui toujours a aimé les recherches, les bibliothèques, les grimoires dans lesquels son imagination lui fait voir des trésors. Il écrit à Saulcy : « Je travaille à un grand ouvrage cuistro-historique. Je lis des bouquins latins, j'en épelle de grecs, j'avale une poussière infernale à secouer des livres que depuis Saumaise on n'avait jamais touchés. Vous serez peut-être curieux de savoir quel grand dessein " me peut venir en tête ". Je n'ai rien de caché pour vous. Croyez-vous que la vie d'un homme qui a été le plus grand capitaine de tous les siècles puisqu'il n'a jamais été battu, le plus intrépide paillard, grand orateur, bon historien, si joli garçon que les rois s'y trompaient et le prenaient pour femme, qui a fait cocus tous les grands hommes de son temps, qui a changé la constitution politique et sociale de son pays, qui, trente mille qui, que la vie de feu J. César en un mot soit amusante à écrire ? Je voudrais qu'elle le fût à lire, ce qui est difficile, mais quand cela sera fait, si j'en suis mécontent, avec une allumette je m'en débarrasse. » Plus tard il dira à Segrétain : « Je vous écris à la hâte, car je suis accablé de besogne. Je corrige des épreuves d'un mien bouquin, opération fort ennuyeuse et qui me fait prendre beaucoup d'exercice. Je fais au moins trois lieues par jour entre ma table et ma bibliothèque, afin de vérifier des citations et de collationner les textes. Jugez comme cela est amusant. Heureusement, je commence à voir la fin de mes peines. J'imagine que je me produirai à la lumière vers le commencement du mois prochain. »

Le goût des textes, leur approche fréquente serait en soi une bonne chose, si n'intervenait le tempérament passionné de Mérimée. (N'oublions pas que nous avons affaire à un passionné froid.) Il prend parti tandis qu'il écrit l'Histoire, jugeant avec mépris celui-ci et plus favorablement celui-là, selon son intuition ou son humeur. En somme il reste créateur, romancier dans le fond quoiqu'il ait d'une certaine façon renoncé à sa première carrière depuis son entrée dans le fonctionnariat. Citons encore une lettre adressée à Saulcy : « Ce César est d'une incommensurable longueur. Il a vécu 56 ans et a fait bien des choses par devant et par derrière. Ce sera long à conter. Or, je me demande si en faisant quelques additions et quelques retranchements je ne pourrai pas publier à part un mémoire sur la guerre sociale, guerre assez obscure et où j'ai porté le flambeau de la critique et de la sagacité sans compter la blague. Quid dicis ? Faut-il l'imprimer à 150 exemplaires et le donner à vos illustres collègues ? Faut-il le vendre à un libraire, s'il s'en trouve un assez hardi ? Faut-il l'insérer dans une Revue ? Cela me tracasse et je voudrais bien avoir votre avis avant d'avoir terminé, car pour chacune de ces hypothèses il y a une manière d'écrire différente. Je vous dirai tout net que je voudrais me faire des titres à l'Académie ; mais, cependant, je tâche de faire mon livre *excessivement* compréhensible pour le public ignorant. Peut-être, entre l'Académie et le public resterai-je le cul à terre. O heureux temps où j'écrivais des contes à dormir debout ! »

Cette lettre est intéressante parce qu'elle manifeste des soucis de carrière (l'Académie) et des regrets (les contes à dormir debout).

A ces contes il n'a pas vraiment renoncé. C'est à cette époque qu'il écrit des chefs-d'œuvre : *La Vénus d'Ille* qui paraît en 1837, *Colomba,* (1840), *Carmen* (1845). Cependant il est à noter que de 1834 à 1846 sa production vraiment littéraire se limite à six contes : *La Vénus d'Ille, Il Viccolo, Colomba, Carmen, Arsène Guillot, L'Abbé Aubain.* Puis ce sera un silence de vingt ans ; le fonctionnaire surmené, l'érudit, le courtisan qu'il va devenir l'ont emporté, semble-t-il alors, sur l'écrivain.

V

Le grand amour d'une vie

Si, à partir de 1834, l'œuvre littéraire de Mérimée est peu abondante, ce n'est pas seulement à cause de la place qu'occupe dans sa vie l'Inspection des Monuments historiques. Quoique n'étant plus « le vaurien » que lui-même a dépeint, il consacre encore une grande part de son temps à la vie sociale. Son traitement de fonctionnaire lui permet désormais quelques libéralités. En 1836 se fonde rue de Choiseul le Cercle des Arts où il entre et dont il devient bientôt vice-président. Là il aime rencontrer ses amis, surtout Sutton Sharpe et Stendhal, ce dernier a quitté Civitavecchia. Il va jouir d'un congé prolongé de mai 1836 à juin 1839.

Mérimée continue néanmoins à habiter chez ses parents. Sauf l'habillement, toujours de style anglais, l'argent que lui coûte l'entretien de Céline Cayot, le goût du club et des sorties dans le monde, il se contente du minimum. Très scrupuleux en matière d'argent, ayant horreur des dettes, il fournit à son ministère des notes de frais d'une extrême exactitude. Somme toute, il jouit d'une aisance lui permettant de mener la vie qu'il aime, mais sans exagération. Les salons lui plaisent. Jusqu'en 1839 il fréquentera celui de Mme Decazes. Il va aussi chez la duchesse de Broglie. C'est un haut fonctionnaire et presque un familier des hommes que la monarchie de Juillet a mis en place. Avec Sutton Sharpe il va, en août 1836, rendre visite à Thiers qui a démissionné pour être remplacé par Molé.

Dans sa correspondance apparaissent des noms nouveaux, ceux de gens que son nouveau métier l'oblige à fréquenter parfois avec plaisir et profit, tel Requien qu'il a connu en 1834 à Avignon et qui est devenu son correspondant local. Bien sûr au Cercle des Arts il continue à voir Cuvier, David d'Angers, Delacroix, Delécluze, Grasset, Mareste, Royer-Collard, Trousseau. Mais tout ce monde a passé la trentaine. On n'en est plus à la dissipation. Sophie Duvaucel a quitté Paris pour épouser l'amiral Ducrest de Villeneuve.

En 1835, M. et Mme de Montijo sont à Paris. Ils vont placer au Sacré-Cœur de la rue de Varenne leurs deux filles Paca et Eugenia que Mérimée ira souvent par la suite visiter, quitte à jouer les pères sévères. En attendant, il promène dans Paris le noble couple espagnol. C'est à regret qu'il doit quitter pour un temps sa grande amie Manuela de Montijo pour un voyage d'inspection en Bretagne où tout l'étonne. « Au lieu de votre joli patois dont on comprend toujours quelque chose, c'est une langue que le diable a inventée qu'on parle là-bas et qui n'a pas moins de quatre dialectes très différents », ainsi dit-il à Requien. Il écrit aussi à Jaubert de Passa à propos des mœurs des Bretons : « Croyez, Monsieur, que le catalan qui me faisait tant enrager n'est qu'un jeu d'enfant auprès du bas-breton. C'est une langue que celle-là. On peut la parler fort bien, je crois, avec un bâillon dans la bouche, car il n'y a que l'estomac ou même les entrailles qui paraissent se contracter quand on cause en bas-breton. Il y a surtout l'*h* et le *c'h* qui laissent loin derrière elles la *jota* espagnole. Les gens qui parlent cette belle langue sont bons diables, mais horriblement sales. On tient à déshonneur de laver ses culottes, et ceux qui donnent dans cette pratique n'osent porter ces culottes à demi propres que dans les villes. On voit dans les villages les enfants et les cochons se roulant pêle-mêle sur le fumier et la pâtée que mangent les premiers serait probablement refusée par les cochons du Canigou.

« J'ai assisté à des fêtes de village qui commencent par des processions, prières, etc., et qui finissent par une soûlerie complète. »

S'il n'est plus vaurien, Mérimée n'en est pas moins l'homme à femmes que nous avons vu à l'œuvre dans sa première jeunesse. En juin 1835 il a fait les quatre cents coups au cours d'un voyage à Londres auprès de Sutton Sharpe. C'est une habitude. Il en parle très librement dans une lettre à Royer-Collard : « Je vois ce pays-ci moins en beau qu'à l'ordinaire. C'est peut-être parce que je suis devenu vieux. Les femmes m'ont tout à fait déplu cette fois. Elles n'ont de bien que la figure. Les nôtres ne font que gagner depuis le moment où on les suit jusqu'à celui où on les mouille. Vous rappelez-vous comment nous avons été agréablement surpris sur le boulevard par l'examen d'une poison vulgaire ? Ici vous voyez une tête admirable de grâce, d'innocence, de régularité, etc., posée sur un corps grand et gras mais habillé avec un goût détestable d'étoffes éclatantes qui crèvent les yeux. Les pieds sont plats, avec des bas de soie, et des souliers sans rubans. C'est à ce moment que l'érection est à son comble. Si vous allez plus avant, vous découvrez que cette femme si modeste est une gueuse qui ne pense qu'au souverain qu'elle va avoir ; que sous sa robe de soie couleur de feu il y a un jupon de flanelle médiocrement propre, que ses bas de soie aux pieds sont de coton à trois pouces de la cheville, qu'elle n'a pas de cul, mais cinquante livres de tétons qui s'échappent entre les doigts, aussi difficiles à serrer que de la pâte liquide. Par conséquent Sharpe est justifié. Savez-vous qu'il a fait un petit moutard, mais qui n'a pas vécu ? Il couche presque toutes les nuits avec elle, mais il n'est pas trop constant. Il ne voulait pas me la montrer, non je crois par jalousie. Le hasard me l'a fait rencontrer. Il est faux qu'elle n'ait pas de cheveux. Les siens ont quatre pouces de long. Elle a encore des dents, mais il faut du courage. » Puis il aborde la politique : « Voilà le radicalisme dûment installé dans ce pays-ci. Il y a trois ans on n'osait pas s'avouer radical, on s'en fait gloire aujourd'hui... »

A Paris, il a Céline Cayot qui le trompe et dont il sait ne pas se montrer jaloux quoiqu'il lui soit apparemment fort attaché. Que devient Jenny Dacquin à qui aucune lettre de Mérimée n'est adressée de 1834 à 1840 ? Il est vrai que de leur correspondance

« l'inconnue » a fait un usage étrange qui ménageait avant tout sa réputation. Et comme ses lettres à elle ont disparu dans un incendie, on ne peut rien conclure de cette interruption. On peut se demander aussi avec Luppé ce qu'il en est exactement de cette Mélanie Double, la future Mme Libri pour qui en 1852 Mérimée ira en prison.

Toujours est-il qu'une nouvelle passion l'habite vers la fin de 1835. C'est à peu près l'époque à partir de laquelle il n'est plus guère question de Céline Cayot. Il en aura des nouvelles bien plus tard, en 1866, quand elle manquera de se noyer au cours d'un naufrage. Ici commence peut-être le plus grand amour de Mérimée avec cette Valentine Delessert qui le rendra heureux puis malheureux, mais que jamais il n'oubliera.

Il la connaissait et dînait chez elle rue Lafitte depuis 1830. On suppose qu'il lui avait été présenté par Sophie Duvaucel. Mais sa renommée grandissante lui avait peut-être spontanément ouvert les portes d'un salon où l'on prisait art, littérature et politique. Ce salon s'était transporté à Passy, 19 rue Basse (rue Raynouard). C'est la raison pour laquelle écrivant à Stendhal en 1831, Mérimée parle de Valentine en l'appelant Mme Sypas : « Il n'y a plus de société supportable à Paris, excepté celle de Mme Sypas et encore elle est infectée de si grands imbéciles du juste milieu que j'y fais une pinte de mauvais sang tous les soirs. » Si on le croit il est donc familier de ce salon où fréquentent des gens non du juste milieu comme Thiers, Delacroix, Molé, Musset, entre autres.

Valentine était fille du comte Alexandre de Laborde. Elle avait épousé un homme de vingt ans plus âgé qu'elle, Gabriel Delessert, fils du riche banquier qui était à l'origine du percement du boulevard appelé aujourd'hui de son nom. La révolution de Juillet l'avait placé à des postes administratifs importants au point qu'il fut préfet de Police de 1836 à 1848.

Valentine n'était pas moins bien servie par sa propre famille. Son père, Alexandre, fut directeur des Ponts et Chaussées de la Seine. Il était frère de Nathalie de Noailles et tuteur du futur duc de Morny. Il avait été aide de camp de Louis-Philippe.

Général de la garde nationale, questeur de la Chambre, préfet, archéologue, membre de l'Institut, il avait épousé une dame d'honneur de Marie-Louise, Thérèse Sabatier de Cabre.

Le fils, Léon de Laborde, ancien aide de camp de La Fayette, fut membre de la Commission des Monuments historiques avant d'être directeur général des Archives de l'Empire. A ce titre il fut assez fréquemment en rapport avec Mérimée.

Ce dernier donc, dès 1830, est reçu par cette jolie femme, dans un milieu brillant. Il est séduit. Il écrit à Beyle en 1831 : « Vous avez bien tort de ne pas aimer Sypas. Si vous saviez toutes les difficultés qu'elle a dû vaincre pour être ce qu'elle est, vous auriez plus de considération pour elle. A tout prendre, je crois avoir été un grand jobard avec elle, mais je crois avoir plus gagné à faire ce que j'ai fait qu'à la traiter comme une aiguille. Adieu, je vous en écrirai plus long quand j'aurai moins mal à la tête. Ne parlez pas de Sypas dans les lettres que vous écrirez à d'autres qu'à moi. » Il reste donc très réservé au début vis-à-vis d'une femme que sans nul doute il a aimé tout de suite. Mais il est craintif. En 1834 il espérait, au cours d'une tournée, la trouver à Carcassonne. Pas de chance ; Delessert, préfet de l'Aude vient d'être nommé à Chartres. Mais justement il sera plus heureux en décembre où, visitant Chartres, il sera l'hôte de la préfecture. Il avait un projet de voyage en Sicile, il le remet. Il écrit à Requien en janvier 1836 : « Ce n'est pas le choléra, dont je fais peu de cas, mais la peur des quarantaines qui m'a empêché d'aller cette année en Sicile. Quand on n'a que deux mois à passer dans un pays, il serait dur de rester 30 jours dans un lazaret. Puis, comme je vous ai dit, je suis amoureux, amoureux fou de la perle des femmes, heureux parce que je suis aimé, très malheureux parce que je ne puis prouver mon amour aussi souvent que je voudrais. » Au même correspondant il dira en avril : « Lorsqu'on a un rapport monstre à écrire, des in-folios à lire, des épreuves à corriger de livres qu'on n'a point faits, qu'à tant d'embarras viennent se joindre ceux d'une grande passion, qu'après de longues et poignantes péripéties on se trouve possesseur d'une femme ayant les trente-six qualités physiques recommandées par

Brantôme et des qualités morales que ce cochon-là ne savait pas apprécier, alors on est bien excusable de négliger un peu ses amis. »

On date du 16 février 1836 l'abandon de Valentine Delessert aux bras de son amoureux jusqu'ici discret. Cette liaison sera longue. Combien de temps dura-t-elle exactement ? C'est en février 1855 que Mérimée écrit à Mme de Montijo : « C'est un rêve fini. Le réveil est assez triste. Je n'ai, pour me consoler, que la pensée de n'avoir rien fait pour être traité de la sorte. Plus j'y pense, et plus je m'y perds. Il y avait juste dix-huit ans que cela avait commencé. Tous les ans, le 16 de ce mois, je lui donnais un petit souvenir et elle m'en donnait un. J'ai assez d'expérience pour savoir qu'on se console de tout, mais je voudrais bien être au temps où je ne penserai plus à cela qu'avec le chagrin que laisse un roman qui finit mal. » 1855 moins 18 nous donnerait 1837. D'après Parturier, Mérimée ferait erreur d'un an. Cela me paraît surprenant ; les amants sur de tels sujets sont rarement imprécis, ils usent de repères. On attribue à Mérimée une défaillance de mémoire en citant une autre lettre à la même comtesse de Montijo du 17 janvier où il est déclaré : « Le résultat d'une liaison de plus de vingt années me désespère. » Mais ici Mérimée me semble faire allusion au fait qu'il connaissait Mme Delessert avant d'être son amant. André Billy, dans son *Mérimée* confond les deux lettres en une seule et déclare que Mérimée se contredit dans la même missive. Non seulement il y a deux lettres, mais surtout le propos dans les deux passages cités me paraît essentiellement différent dans l'esprit de l'auteur.

En faveur de la date de février 1836, les deux lettres à Requien citées un peu plus haut, me paraissent infiniment plus éloquentes. Aussi retiendrons-nous finalement cette date. Dans une lettre à Beyle de juillet 1836 que j'ai précédemment citée, après avoir déclaré son amitié sans équivoque charnelle avec Mme de Montijo, Mérimée ajoute : « Je suis grandement et gravement amoureux d'autre part. » C'est à peu près à cette époque qu'il présentera l'amie à la maîtresse dont le mari occupe alors la préfecture, rue de Jérusalem. Les deux fillettes espagnoles, élevées au Sacré-Cœur jouent avec les enfants Delessert, Cécile et Edouard.

Cette liaison où la chair et le cœur trouvent leur compte, commence favorablement. Elle est bien sûr connue aussitôt de tout Paris. Le monde sait qu'il a affaire à un de ces ménages quasi légitimes qu'il ne convient pas d'inviter séparément. Malgré l'appareil policier qui l'entoure, le préfet Delessert ne se doute de rien, semble-t-il, mais ce n'est peut-être qu'une apparence, car son ignorance en de telles circonstances paraît bien étonnante. Toujours est-il que rien ne vient troubler les amours. Outre le plaisir des sens et la satisfaction sentimentale, Mérimée trouve là une promotion sociale. La maison est luxueuse, l'atmosphère élégante, l'entourage des plus relevés. Intelligente et vive, Valentine saura servir la carrière de son amant. Pour elle, celui-ci aura des ambitions. Il essaiera de se surpasser aussi bien au point de vue littéraire que dans la réussite sociale. Il trouve aussi une famille dans ce salon. Il se lie avec Léon de Laborde, le frère de Valentine, archéologue distingué qui sera son collègue aux Inscriptions et Belles-Lettres. Il se prend d'affection pour les enfants, Cécile et Edouard. Il admonestera plus tard ce dernier, devenu jeune homme, en des termes qu'il me plaît de citer sans tarder : « A mon avis les femmes se divisent en deux classes : 1° celles qui méritent le sacrifice de la vie ; il n'y en a guère à la vérité, mais en cherchant on en trouve ; 2° celles qui valent de 5 à 40 francs. Dans cette dernière classe il y a d'excellents morceaux. Grâce aux sages règlements de la Préfecture de Police, le danger de se gâter comme dit Rabelais est à peu près nul et on sort du lit sans remords et sans préoccupations, parfaitement purifié des vapeurs érotiques qui vous ont obligé d'avoir recours à ce remède. Les Lorettes qui sont les amphibies de l'espèce féminine, je veux dire, qui tiennent d'un côté à la 1re classe et d'un autre, qui est le plus large, à la seconde, les Lorettes ont tous les inconvénients de l'une et de l'autre. On les paye et on ne peut les quitter quand on veut. Elles occupent comme les femmes honnêtes et l'on finit toujours par regretter le temps qu'on a perdu avec elles. Il me semble que si j'avais à recommencer ma carrière avec l'expérience que j'ai acquise, je me tiendrais toujours à longueur de gaffe de ces demoiselles. Le résumé de cette expérience est en ces mots : j'ai médiocrement baisé, pas mal payé, j'ai eu des chagrins dignes de ceux d'un enfant qui a cassé son jouet, et j'ai été fait cocu par des banquiers de soixante ans et des garçons perruquiers de vingt. Dixi. »

Il se lie aussi avec les sœurs de Valentine, Mme Bocher et Mme Odier. Ainsi se trouve-t-il entouré dans un milieu qui le porte vers des succès précoces et sert son ambition que je crois très réelle. Mais pour l'instant, il en est à l'amour. Qu'on me pardonne cette expression vulgaire : son cœur s'est donné. Cet état de grâce va durer dix-huit ans et, après que Valentine l'aura répudié en quelques douloureuses étapes, il continuera de lui être attaché, seize ans encore, jusqu'à sa mort. Tel est le *cœur* fidèle de cet homme infidèle et contradictoire. Chassé par Valentine littéralement, il se comportera en chien battu, dans une humilité qui contraste avec son habituelle hauteur. Et pourtant, lors même que sa passion bat son plein, il n'en continue pas moins sa liaison souterraine et un peu mystérieuse avec Jenny Dacquin, liaison que Valentine ignore probablement. Je ne parle pas des infidélités de chair, de hasard. Elles sont multiples, distinctes de l'amour, et Mérimée n'en porte aucun remords, n'y attache même aucune importance. Ce cynique est en réalité un timide passionné qui saura toute sa vie se contenter de ce que lui donnent les femmes, « celles qui méritent le sacrifice de la vie » et « celles qui valent de 5 à 40 francs. » A toutes, il donne une réponse équivalant à ce qu'elles lui proposent. Et cela va de Valentine (sacrifice de la vie) à Céline Cayot (femme entretenue), en passant par Jenny Dacquin (amitié amoureuse).

Mérimée, homme à femmes, s'occupa des femmes dans tous les détails. « J'ai des théories sur les plus petites choses, sur les gants, sur les bottines, sur les boucles, etc., et j'attache beaucoup d'importance à tout cela, parce que j'ai découvert qu'il y a un rapport certain entre le caractère des femmes et le caprice (ou la liaison d'idées et le raisonnement, pour mieux dire) qui leur fait choisir telle ou telle étoffe. Ainsi, par exemple, on me doit d'avoir démontré qu'une femme qui porte des robes bleues est coquette et affecte le sentiment. La démonstration est facile, mais elle serait trop longue. » Autant dire qu'il est soumis aux femmes, à leurs caprices d'amies, d'amoureuses, de maîtresses autoritaires. Mais tout cela est caché par un masque. On sait que sa devise est « Méfiance ». Mais ne se méfie-t-il pas de lui-même autant que des autres ?

Craindrait-il que son aspect physique ne le desserve ? Curieusement on a décrit Mérimée comme peu attrayant d'aspect. (Se référer aux premières impressions de Stendhal.) On parle beaucoup de son nez comme étant disgracieux. Or tous les portraits que l'on me montre de lui me font voir un visage plutôt agréable, tel celui fait par Delécluze pour Clara Gazul. Je ne vois rien d'extraordinaire à son nez. Et on me dit, ses contemporains l'affirment, que jusqu'à sa mort il apparaîtra grand, élancé, élégant, tiré à quatre épingles.

La faiblesse est morale. Mérimée, devant quelqu'un, et surtout une femme qui lui en impose, craint de ne pas être à la hauteur. Cependant, et grâce peut-être à son masque, il n'a pas trop mal réussi jusqu'en ces années 1836-1837. Il a une maîtresse brillante qu'il aime et dont il est aimé, une renommée littéraire établie, au moins dans le milieu qu'il fréquente, un métier qui lui rapporte sinon beaucoup d'argent du moins en suffisance, métier qu'il aime puisqu'il s'éprend avec ardeur de l'archéologie.

Mérimée continue à habiter chez ses parents, chez sa mère plutôt. Léonor en effet est mort en septembre 1836. Des travaux dans l'école des Beaux-Arts l'ayant privé de son logement, il avait dû quitter les Petits-Augustins pour la rue des Marais-Saint-Germain. Toujours avec sa mère, Mérimée s'installera en 1838 rue des Beaux-Arts, puis rue Jacob jusqu'à la mort de la vieille dame en 1852. L'entente semble régner entre la mère et le fils.

Mérimée, tenu par son travail, espace les déjeuners et les dîners. Mais il n'en fréquente pas moins les salons et parmi ses amis voit surtout Sutton Sharpe qui vient passer quelque temps à

Paris en 1836 et 1837 et Stendhal qui, grâce à Molé, bénéficie d'un long congé, comme nous l'avons déjà dit, de 1836 à 1839. Avec Stendhal l'amitié est sans complaisance. Les deux hommes s'étudient l'un l'autre et ne manquent pas de se critiquer. Ils déjeunent pourtant ensemble à Saint-Cloud ou rendent visite à Mme de Castellane. Pour ses *Mémoires d'un touriste* Beyle s'est fortement inspiré des *Notes de voyage* de Prosper, sans davantage se gêner. En 1837, Mérimée ayant lu un projet de préface de Stendhal pour ses *Mémoires sur Napoléon* écrit à son ami : « Il y a dans cette préface un manque complet de méthode... Vous trouvez le moyen d'offenser à la fois les juges littéraires et ceux de la bonne compagnie... Outre la maladresse insigne de traiter son lecteur aussi irrévérencieusement, votre assertion est loin d'être exacte. » On ne saurait s'exprimer avec moins de précautions. A cette mercuriale, Stendhal ne doit pas être insensible. Ayant lu *La Vénus d'Ille* parue cette même année, il note « le manque de sens moral et politique de l'auteur ». Cependant, voyageant en Italie avec Mérimée, il signale en marge de son exemplaire des *Promenades dans Rome* « l'affreuse vanité » de son compagnon qui lui « gâte ce voyage à Naples ». A vrai dire ces critiques existent dans toute amitié et il ne conviendrait pas de leur attacher trop d'importance. Ce n'est pas la première fois que ces deux-là se déplacent de compagnie. Ils ont été ensemble à Laon en 1836. En 1837 aussi, lors de la tournée de l'Inspection des Monuments historiques en Auvergne. Non, ils ne s'épargnent pas. Peut-on rêver caractères et talents plus dissemblables.

C'est avec réserve que Mérimée présente des gens à sa grande amie Mme de Montijo qu'il aime et respecte. Il fait cet honneur à Sutton Sharpe et Stendhal. Lui-même va voir les deux petites filles Paca et Eugenia au Sacré-Cœur. Il les promène, les gave de gâteaux. Il les fait connaître à Stendhal qui va les subjuguer par ses récits de l'épopée napoléonienne et leur dédiera dans une note longtemps restée mystérieuse la description de la bataille de Waterloo de *La Chartreuse de Parme :* « A Paca et Eoukenia. » Stendhal aura aussi les honneurs du salon Delessert où Mme de Montijo est désormais bien introduite. Sans doute Prosper se réjouit-il de cette communauté de ceux qu'il aime. La liaison de Cécile Delessert avec Paca et Eugénie l'enchante. Désormais ce qui compte le plus pour lui gravite autour de Valentine.

Le 15 mai 1837 paraît *La Vénus d'Ille* dans *La Revue des Deux-Mondes.* Depuis quelques années, monsieur l'Inspecteur écrit pour les « doctes ». A nouveau il s'adresse à un public littéraire. On a beaucoup glosé sur l'origine du sujet. Elle est évidemment multiple. En 1831 a été représenté l'opéra comique de Hérold, *Zampa ou la fiancée de marbre,* histoire d'une statue qui se venge du fait que le corsaire Zampa lui avait mis la bague au doigt. Plus lointainement, on retrouve la légende dans une œuvre du bénédictin et historien anglo-normand Guillaume de Malmesbury parue pour la première fois à Londres en 1596. Si on s'en tient à ce que Mérimée dit lui-même, voici ce qu'il écrit à son correspondant Eloi Johanneau en 1847 : « Je suis bien fier que ma petite drôlerie ait été prise un instant au sérieux par un savant tel que vous. La Vénus d'Ille n'a jamais existé et les inscriptions ont été fabriquées *secundum artem* avec Muratori et Orelli. L'idée de ce conte m'est venue en lisant une légende du Moyen Age rapportée par Freher. J'ai pris aussi quelques traits à Lucien... J'ai entrelardé mon plagiat de petites allusions à des amis à moi, et de plaisanteries intelligibles dans une coterie où je vivais lorsque cette nouvelle a été écrite.

« J'ai vu dans les Pyrénées une grande quantité d'inscriptions consacrées à des dieux topiques, mais je n'en connais aucune où Vénus soit mentionnée, du moins sous son nom. » Plus tard encore (1851) il écrira à Francisque Michel : « J'ai lu dans Pontanus, excusez-moi d'écrire des noms si incivils, l'histoire d'un homme qui avait donné son anneau à une Vénus de marbre ou de bronze, mais il y a si longtemps de cela que je ne sais plus trop ce que c'est que ce Pontanus. » Il n'a pas été possible de retrouver dans les œuvres des divers Pontanus l'histoire racontée par Mérimée. Parturier écrit : « Il se peut que Mérimée ait brouillé les cartes soit par malice, soit par défaut de mémoire. »

A. Filon cite une autre source dans *Mérimée et ses amis.* Villemain, auteur de *Histoire de Grégoire VII,* parue après la mort de Mérimée, aurait raconté l'anecdote à son ami, telle qu'il l'aurait lue dans diverses chroniques et lui-même rapportée dans son *Grégoire VII.* Cette anecdote ressemble par bien des côtés à la nouvelle de Mérimée. Laissons les diverses influences des voyages nombreux de notre auteur et les statues de Vénus qu'il aurait pu voir au cours de ses tournées pour tenter de résumer cette œuvre courte et passionnante.

Mérimée s'y met en scène, comme un inspecteur des Monuments historiques. Il est reçu en Roussillon chez un M. de Peyrehorade qui a, un jour, découvert, à Ille dans sa propriété, une superbe Vénus antique de bronze. On la fait admirer au connaisseur que l'on fête d'autant plus que le fils Peyrehorade est à la veille de son mariage auquel le visiteur est convié. Une partie de jeu de paume a lieu peu avant la noce entre Alphonse de Peyrehorade et quelques muletiers espagnols. Alphonse est un beau garçon, impulsif et sportif, sans beaucoup de tête. Pour se mettre à l'aise, il passe sa bague de marié au doigt de la Vénus et l'oublie. Il gagne la partie puis, sottement, offense un de ses adversaires. Il a une autre bague pour mettre au doigt de celle qui devient sa femme. La mariage a lieu normalement. De retour à la propriété, Alphonse veut récupérer la bague confiée à Vénus. Impossible, le doigt s'est replié dessus. La nuit des noces on entend des pas lourds dans l'escalier. Au matin on trouve Alphonse mort. Sa femme dit l'avoir vu pendant la nuit étreint par « une espèce de géant vert ». Peut-être délire-t-elle. Mais la fameuse bague est retrouvée sur le plancher de la chambre. Que s'est-il passé ? On nous laisse le choix entre la solution de la Vénus magique réalisant ses noces mortelles et l'assassinat dans de bizarres conditions par le muletier aragonais offensé la veille.

Cette double détente est des plus habiles. Mérimée ne

l'ignore pas qui écrit à Edouard Delessert en 1848 : « Et puis il ne faut pas oublier que lorsqu'on raconte quelque chose de surnaturel, on ne saurait trop multiplier les détails de réalité matérielle. C'est là le grand art de Hoffmann dans ses contes fantastiques. » Mallion et Salomon notent le caractère policier de la nouvelle. Il y a à la fin du récit une enquête cherchant à mettre en cause ou au contraire à disculper le muletier aragonnais. On cherche des empreintes de pas. C'est justement l'impossibilité de démontrer le crime qui fait ressortir le caractère fantastique du récit. Dans un article sur Gogol dans *La Revue des Deux-Mondes*, notre théoricien écrira : « Commencer par des portraits bien arrêtés de personnages bizarres, mais possibles, et donnez à leurs traits la réalité la plus minutieuse. Du bizarre au merveilleux la transition sera insensible et le lecteur se trouvera en plein fantastique bien avant qu'il se soit aperçu que le monde réel est loin derrière lui. »

Par des détails de ce genre, Mérimée dans son récit laisse subsister le mystère. C'est ce qu'il voulait et il se montrera encore satisfait du résultat vingt ans après en déclarant à Mme de la Rochejaquelein : « Avez-vous lu une histoire de revenants que j'ai faite et qui s'appelle *La Vénus d'Ille*. C'est, suivant moi, mon chef-d'œuvre. » La chose est amusante d'autant plus que personne moins que Mérimée n'est capable de croire au fantastique. A la même Mme de la Rochejaquelein, il écrit : « Je me plais à supposer des revenants et des fées. Je me ferai dresser les cheveux sur la tête en me racontant à moi-même des histoires de revenants, mais malgré l'impression toute matérielle que j'éprouve, cela ne m'empêche pas de ne pas croire aux revenants ; et sur ce point, mon incrédulité est si grande que, si je voyais un spectre, je n'y croirais pas davantage. »

Stendhal a porté, je l'ai dit, un jugement peu favorable sur *La Vénus d'Ille*. Je le trouve sévère. La nouvelle est excellente, ingénieuse et réaliste à la fois, elle atteint bien son but qui est de provoquer un malaise. Elle ne manque pas non plus d'ironie. Il faut souligner ce point. En donnant au principal témoin de la singulière aventure son propre personnage de fonctionnaire,

Mérimée se mettait dans l'obligation de montrer quelque malice. Il y a dans le ton général du récit un je ne sais quoi de retenu qui, évoquant Mérimée, donne à sourire. C'est dire qu'il est là, soulignant les petits ridicules d'un M. de Peyrehorade que par ailleurs il traite bien. Pour les aspects séduisants de cet homme il a emprunté, semble-t-il, à un de ses correspondants, Jaubert de Passa, qu'il aimait bien. Pour certains ridicules et cuistreries qu'il attribue au même on sait qu'il pense à un certain Puiggari avec qui il eut des démêlés. Il s'agit d'un « antiquaire » du Roussillon qui l'avait assez justement critiqué à propos des *Notes d'un voyage dans le Midi de la France.* C'est de lui que Mérimée se moque quand il attribue à M. de Peyrehorade des étymologies hasardeuses, des explications compliquées et étranges sur des problèmes archéologiques. Au demeurant cela reste assez bénin.

La Vénus d'Ille paraît en mai 1837. Dix jours plus tard Mérimée part pour une tournée en Auvergne avec Beyle qui le quittera à Bourges pour un voyage qu'il doit faire en Bretagne et en Normandie. Il est de retour à Paris en août. En septembre il se rendra avec Sutton Sharpe chez Mme de Montijo fixée à Versailles, et c'est ce même mois qu'est créée la Commission des Monuments historiques dont Mérimée sera membre d'abord, puis vice-président. Pour situer les faits dans le temps, disons que le 13 octobre cette année-là a lieu la prise de Constantine au cours de laquelle est tué le général Damrémont.

A suivre la chronologie de l'année 1838, on devine quelle place tient dans la vie de Mérimée son métier de fonctionnaire : il fournit rapport sur rapport, assiste aux nombreuses séances de la Commission des Monuments historiques. En juin, c'est une tournée dans l'Ouest et le Sud-Ouest de la France qui l'occupe, et jusqu'en septembre. De retour il ira plusieurs fois à Versailles voir son amie Manuela de Montijo soit seul, soit en compagnie de Beyle ou de Sutton Sharpe. De son voyage dans le Sud-Ouest, il lui reste d'abord qu'il a à cœur de sauver l'église de Saint-Savin pour laquelle il montre une prédilection. Son goût de l'érudition le lance dans de grands travaux. Il songe à cette *Vie de Jules César* qu'il n'écrira jamais.

VI

Le voyage en Corse

On est un peu surpris quand on pense aux tâches multiples auxquelles Mérimée doit faire face. A vrai dire, ce qu'il entreprend vis-à-vis des Monuments historiques, personne avant lui ne s'y est attaché. L'époque romantique s'intéresse aux traces du passé. On n'avait guère prêté d'attention jusqu'ici aux monuments plus ou moins ruinés qui parsemaient la France. Il y a eu l'art classique qui méprisait le gothique, l'époque où ruines était synonyme de beauté au point qu'on en aurait créé de fausses s'il n'en existait pas de vraies. Le vandalisme révolutionnaire est passé là-dessus. Or voici que l'art nouveau, le Romantisme, s'éprend de ces restes splendides. N'oublions pas que *Notre-Dame de Paris* date de 1831. Victor Hugo tonne dans *La Revue des Deux-Mondes,* alors revue d'avant-garde : « Guerre aux démolisseurs ! »

Qu'en est-il en effet ? Les bâtiments civils n'ont jamais été entretenus. Pour les églises et abbayes on a imposé aux acheteurs des biens nationaux de les détruire ou de les affecter à un autre usage. On en a fait des magasins, des ateliers, des casernes. Les églises rendues au culte sont dans un état déplorable. Alors on les abat. Ou bien si l'on a quelque argent on les répare n'importe comment. On badigeonne des fresques superbes, on construit des maisons entre les arcs-boutants. Luppé fait remarquer que, passée la tourmente révolutionnaire, les pires ennemis des monuments sont désormais les apprentis réparateurs, les curés, les maires, les officiers, les architectes.

De nos jours où les travaux archéologiques s'entourent des plus grandes précautions, où « l'ancien » est respecté religieusement, les restaurations effectuées à l'époque de Mérimée ont mauvaise réputation. On aurait *trop* restauré. Mérimée dès le début de son fonctionnariat a lui aussi compris le danger. Il convient avant tout de ne pas modifier ce qui pourrait être l'aspect initial du monument par des imaginations architecturales. Cette notion, bien ancrée en lui, il ne cessera de la répéter à ses correspondants locaux, à ses architectes. « Il faut restaurer ce qui a été endommagé mais non pas remplacer ce qui a été complètement perdu »... « Par restauration, nous entendons la conservation de ce qui est, la reproduction de ce qui a manifestement existé. » « Dans une restauration on ne doit rien inventer ; lorsque les traces de l'état ancien sont perdues, le plus sage est de copier les motifs analogues dans un édifice du même temps et de la même province. »

Ces conseils de modération ne seront pas toujours suivis. Ils semblent trop modestes pour l'époque. La France est vaste dans un temps où les déplacements sont malaisés. Les correspondants de Mérimée, les architectes locaux sont éloignés. Ils prennent donc souvent de malencontreuses initiatives. On est pourtant bien obligé de leur faire confiance et c'est un heureux hasard que de trouver à Saumur un architecte tel Joly-Leterme. Peu à peu Mérimée s'est constitué une équipe, presque trop enthousiaste, mais agissante et d'excellent vouloir. Lassus, Boeswillwald sont des gens de sa génération. Viollet-le-Duc a dix ans de moins. C'est à vingt-six ans qu'on lui confie la restauration de Vézelay. Son allant ne va pas dans le sens des théories de Mérimée. Il veut « rétablir dans un état complet qui peut n'avoir jamais existé à un moment donné ». Aussi la réputation de Viollet-le-Duc est-elle de nos jours des plus médiocres. Mérimée avait beau lui conseiller prudence, il n'en abîma pas moins la façade de Vézelay et restaura Pierrefonds de façon extravagante. Encore faut-il dire qu'il n'était pas le pire. Il avait de l'intelligence et du talent, à défaut de mesure.

C'est à Mérimée qu'on reproche aujourd'hui ces excès. Il y a eu excès, c'est certain, et malgré Mérimée. On doit à ce dernier, reprenant dans la mesure du possible au début des années 30 les merveilleuses réformes préconisées par Guizot, d'avoir sauvé de l'écroulement nombre d'importants édifices qui sans lui n'existeraient plus du tout aujourd'hui. Sa science archéologique était incertaine, c'est vrai, il s'est souvent trompé, mais il fallait faire vite, en établissant un ordre d'urgence. Cet homme courageux, travailleur, consciencieux a sauvé entre autres du complet désastre Vézelay, Saint-Savin, Vignory, Laon, Cunault, Notre-Dame-du-Port à Clermont-Ferrand, les remparts d'Avignon.

Il a payé de sa personne dans de nombreux voyages inconfortables qui ont nui à sa santé. Il a établi sur toute la France un réseau de collaborateurs souvent compétents avec lesquels il échange une correspondance assidue. Il entre en relations avec les « antiquaires » provinciaux dont Jaubert de Passa à Perpignan, Eusèbe Castaigne à Angoulême, Chergé à Angers, Chaudruc de Crazannes dans le Gers, Mangon de Lalande à Poitiers, Honoré Clair à Arles, La Saussaye à Blois. Mentionnons surtout Esprit Requien à Avignon avec qui Mérimée lie une véritable amitié et qu'il dépeint ainsi à Sutton Sharpe : « Il y a ici un homme riche et un parfait gentleman, homme d'esprit par-dessus le marché. Il demeure dans une rue où il faut marcher sur la pointe des pieds en se bouchant le nez. Des tanneries empestent sa maison de leurs peaux et les masures qui l'entourent sont peuplées de blanchisseuses et de branleuses à quatre sous. L'idée ne lui vient pas de se chercher une autre habitation en meilleur air et un voisinage plus décent. Il préfère acheter tous les ans des médailles. Il donne aussi de l'argent à ce tas de gueux et les met en état de continuer à l'empester. Il est amusant de voir la figure des Anglais qui vont le visiter dans son cloaque, car c'est l'homme le plus distingué d'Avignon. »

On s'aperçoit alors que la vie provinciale forme de bons esprits et qu'il n'est pas que Paris pour constituer l'intelligence.

A partir de 1830, il y a une véritable floraison des études provinciales. Des sociétés « d'antiquaires » naissent ou ressuscitent à Mâcon, Nancy. Citons encore la Société archéologique du Midi de la France, celles des Antiquaires de la Morinie, des Antiquaires de Picardie ou encore celle de Normandie fondée par Arcisse de Caumont. C'est sur une telle renaissance que Mérimée va appuyer son effort. Dès 1834 il écrit à Arcisse de Caumont : « C'est à vous que je devais m'adresser d'abord. Vos ouvrages m'ont donné le goût de l'archéologie. Vous savez mieux que personne à combien d'ennemis nos antiquités sont exposées. Les réparateurs sont peut-être aussi dangereux que les destructeurs. J'ai bien peu de moyens d'être instruit des projets de ces messieurs ; je vous serais bien reconnaissant si vous vouliez me donner ou me faire donner avis de leurs méfaits lorsqu'ils viendront à votre connaissance. Soutenu de l'autorité de votre nom, j'aurai plus de chances de succès. J'ai demandé que toutes les réparations projetées pour les monuments historiques fussent soumises au Conseil des Bâtiments civils. »

Mérimée pendant dix-huit ans allait parcourir la France, « plus inconnue, écrivait-il, que la Grèce ou que l'Egypte ». Ce n'était pas en ce temps une petite affaire. Sa correspondance en fait foi. Il écrit à Royer-Collard, à Sutton Sharpe, à Requien pour se plaindre des conditions matérielles dans lesquelles il lui faut accomplir sa tâche : « Je suis accablé de fatigue, car je fais mon métier en conscience, courant la nuit, grimpant le jour dans de vieilles masures. J'ai manqué me casser le cou. Si pareil accident m'arrive, soignez ma nécrologie... » « Les gouttières ici sont admirablement dirigées pour achever ceux qui échappent aux ruisseaux. Je rentre trempé comme une soupe, les routes ne sont plus praticables. Il faut que je reste trois jours ici en proie aux punaises... » « Si l'on est fier d'être Français en regardant la colonne, on ne l'est guère dans une petite auberge du Midi de la France, couché dans un lit où de gros rats ont établi leur domicile et nourri de ratatouille à l'huile. Ces gens-là auraient bien besoin d'un tyran qui leur fît des routes, les obligeant à être propres. » « En Bretagne il est impossible de toucher sans pincettes les personnes du sexe... » « Marseille pue la merde, sauf l'honneur de toute la compagnie, encore plus que par le passé. Je serais curieux de connaître la pesanteur spécifique de l'eau du port, bien entendu qu'on écumerait les étrons et les chiens morts qui flottent à sa surface. Il y a près de cette eau des coquilles en vente. Il paraît que le préfet est de la famille des cucurbitacées... Quel musée ont ces bougres-là : *margueritas ante porcos* ! »

Son caractère ne semble pas se ressentir de ces inconvénients. Malgré fatigue, gîtes malpropres et punaises, il sait rire avec les archéologues du cru. Viollet-le-Duc nous dit : « Il est toujours aussi aimable... le temps passe rapidement avec lui, toujours gai, d'une humeur égale. » Mérimée est un gourmet. Il apprécie la bonne auberge. C'est aussi un fameux coureur de jupons et s'il n'ose pas demander les « bons endroits » à ses correspondants, sauf peut-être à Requien, il sait les découvrir lui-même. Malgré cela Viollet-le-Duc nous dit combien il est consciencieux dans son travail. Charles Weiss, bibliothécaire à Besançon, va lui rendre visite à l'hôtel : « C'est un homme de trente ans, d'assez bonne mine, mais ayant fort peu de physionomie. En le voyant il est impossible de deviner l'auteur si gai et si spirituel du *Théâtre de Clara Gazul.* A le juger d'après sa conversation le trait dominant de son esprit est le bon sens. » Il lui en faut, pour défendre son œuvre contre les prédateurs et ignorants qui trop souvent l'entourent, curés, maires, imbéciles locaux. Il écrit à Jenny Dacquin : « Chaque année, je trouve la province plus sotte et plus insupportable. Cette fois-ci, j'ai le spleen et je vois tout en noir, peut-être parce que vous m'avez oublié si indignement. Je n'ai eu de bons moments qu'en traversant toute sorte de bois très épais dans les Ardennes, qui me faisaient penser à d'autres bois bien plus agréables. Je crains que vous n'y pensiez guère. Pour m'achever, j'ai trouvé ici d'horribles bêtises qu'on a faites avec notre argent. Ce sont des pères de famille vertueux et niais qui les ont faites, et contre lesquels je dois lancer les rapports les plus fulminants, tendant à les faire crever de faim. Ce métier de férocité m'afflige. » Parfois, loin de fulminer, il use de la flatterie. Ainsi dit-il à propos de Saint-Sernin : « Le maire paraît rempli de bonnes intentions, la ville est riche et pourvu que l'on convienne qu'elle est la capitale du royaume d'Aquitaine, et que Clovis et Charlemagne sont des polissons, Alaric et Vaifre des héros, elle donnera beaucoup d'argent. » Ou encore, évitant la colère, il rit de ce qu'il découvre : « On voit encore dans l'enquête, écrit-il à Vitet en 1840, vingt-sept citoyens de Cunault déclarer que l'adjonction du chœur est urgente et qu'il serait bien fâcheux pour l'art et pour l'histoire de ne pas rendre à l'église sa magnificence primitive. Lesquels vingt-sept citoyens ont tous dit ne savoir signer. »

Mais quelquefois, devant tant d'ignorance ou de sottise, il s'abandonne à la fureur : « En passant à Chauvigny j'ai trouvé le curé de Saint-Pierre qui faisait réparer son église *proprio sumptu.* L'abside orientale n'a plus de soubassement, les colonnes de l'arcature inférieure sont détruites, ses contreforts rompus au pied. Il ne s'occupait de rien de tout cela. Il faisait boucher les fenêtres pour y substituer ce qu'en style de curé on nomme grotte, c'est-à-dire une niche à mettre une vierge en plâtre. On plaquait à l'intérieur de l'abside de vilaines petites colonnettes à chapiteaux bizarres exécutées par les soins dudit curé qui les payait deux francs la pièce de plus que s'ils eussent été *toscans* comme le maître maçon les voulait faire. En vérité ils n'étaient pas mal et quand ils seront noircis ils pourront embarrasser plus d'un antiquaire. Pour mettre toutes ces belles choses on a détruit une corniche et des bases anciennes qu'on a remplacées Dieu sait comme. J'ai fort grondé le curé qui m'a dit que l'église était à lui, que la commune ne lui donnait rien, qu'il fallait être propre ; mais que si le gouvernement lui donnait un secours, il se ferait un plaisir de remettre tout en l'état primitif, qu'il renoncerait à sa grotte, et qu'il débadigeonnerait les chapiteaux, bien qu'il eut gâté trois soutanes à les peindre en blanc et gris de lin. »

A propos de son cher Saint-Savin, il écrit de Poitiers à Vitet : « En ouvrant la porte de l'église j'ai manqué tomber à la renverse. Toutes les colonnes étaient peintes, les murs latéraux aussi, la bande retrouvée faisait le tour de la nef, il y avait des échaffauds dans le chœur, dont la voûte était plus qu'à moitié recouverte de grandes figures, et quelles figures ! Le contraste entre les fresques anciennes très claires et les peintures modernes d'un ton très intense (elles sont sur mortier frais) était la chose au monde la plus révoltante. Après être demeuré stupide pendant un grand quart d'heure, j'ai retrouvé la voix pour entrer dans une colère telle que Leduc craignait à chaque instant de me voir disparaître par un des trous de l'échaffaud. » « En enlevant le badigeon de la voûte du chœur, tout le mortier qui la recouvrait et même quantité de pierrailles sont tombées. Il a fallu refaire presque entièrement cette voûte. Le peintre, un M. Louis, venu je ne sais d'où, s'est imaginé alors contre l'ordre de Joly (c'est au moins ce que dit Joly) de couvrir de peintures cette voûte nouvelle, en s'aidant de quelques traces qu'il a cru retrouver sur le *mortier tombé de l'ancienne.* Or, voici ce qu'il a fait. 1° Un père éternel dans une gloire, barbe grise, louchant horriblement. 2° A côté de lui, il avait trouvé un bec d'oiseau. C'était probablement l'Aigle de Saint-Jean. Il en a fait un coq avec une belle queue, etc. 3° puis, sur les pendentifs, il avait commencé à peindre des saints qu'il croyait copier d'après deux ou trois, qui subsistent encore et qu'on a exhumés de dessous le badigeon ; tout cela était exécrable. »

Parfois entre l'inspecteur et les exécutants, surtout le clergé, les rapports se tendent : « Le séminaire refuse à la Société d'Archéologie de Nevers des fragments sculptés provenant de la démolition de l'église Saint-Sauveur. Ils gisent dans une cour parmi des gravats et des immondices. Un Christ magnifique donnant les clefs à saint Pierre est dans les latrines. Que ne dirait-on pas si cela se passait dans un collège ? J'ai écrit de mon encre la plus fulminante à l'évêque et dans ma péroraison je l'ai menacé de la presse. »

C'est contre le curé de Notre-Dame-du-Port à Clermont-Ferrand une véritable guerre qu'il doit mener avec intervention du préfet, du ministre des Cultes. Son travail heurte certains intérêts, les journaux locaux le prennent à parti. Que de soucis ! Mais quelle joie de découvrir dans la cathédrale du Puy la fameuse fresque des Arts libéraux. Il écrit à Baroche, ministre de l'Intérieur : « Le 23 de ce mois, je me trouvais au Puy, avec M. Mallay, architecte chargé de la restauration de la cathédrale de ce diocèse. Après m'avoir montré les travaux qu'il a exécutés jusqu'à ce jour avec autant d'habileté que de succès, il me conduisit dans une salle du XIIIe siècle, dépendant de la cathédrale, et qui doit être convertie en sacristie. Là, il me fit remarquer sur une paroi comprise dans une grande arcade en ogive, quelques traces de couleurs assez brillantes, paraissant entre les crevasses du badigeon. Une peinture, disait-il, est cachée sous ce badigeon, et il eut l'obligeance d'ajouter qu'il m'avait attendu pour s'en assurer. La muraille fut aspergée d'eau chaude, et dès que le badigeon commença à se boursoufler, nous nous armâmes de racloires en bois et nous commençâmes à l'enlever avec précaution. Nos premiers essais ne nous promettaient rien de bien curieux. Sous une couche épaisse de badigeon blanc, nous trouvâmes une fenêtre peinte en détrempe avec ses barreaux et ses vitres en losange. Mais nous ne tardâmes pas à reconnaître que, sous cette première peinture il en existait une autre. M. Mallay ayant fait tomber une large écaille formée du badigeon blanc et de la peinture de la fenêtre, nous vîmes apparaître comme par enchantement une tête de femme d'une rare beauté, mais qui n'avait nullement l'air d'une sainte. Les couleurs étaient de la plus grande fraîcheur. Je n'ai pas besoin de vous dire avec quelle ardeur nous nous remîmes à l'ouvrage. Au bout de quelques minutes nous découvrions une tête d'homme coiffé d'un bonnet fourré, puis un lézard, puis des draperies, enfin des fragments de légendes qui ne présentaient aucun sens. Nous sondions à droite et à gauche, en haut et en bas, une surface de quatre à cinq mètres carrés. Je ne vous entretiendrai pas des conjectures aventurées que chaque découverte nouvelle nous suggérait. Enfin après trois heures de travail, nous avions remis au jour une vaste composition de dix figures de grandeur naturelle, et grâce à des légendes latines placées auprès de chaque personnage, le sujet était devenu parfaitement intelligible. Dès le lendemain il ne restait plus un centimètre carré de badigeon sur toute la partie peinte de la paroi.

« Ce tableau qui paraît avoir été exécuté au commencement du XVIe siècle, représente les quatre arts libéraux. »

On est tenté de penser qu'en dépit d'un injuste oubli le travail de Mérimée aux Monuments historiques, mené selon le mot de Paul Léon par une « infatigable propagande », fut d'une capitale importance.

Cependant au milieu de tous ses tracas, il fait leur part à l'amour et à l'amitié. Valentine Delessert lui donne des ambitions nouvelles. Mme de Montijo reste la confidente irremplaçable. Mais en mars 1839, le comte de Montijo étant gravement malade, la comtesse est rappelée à Madrid. Les enfants restent quelques jours à Paris, puis la santé du malade devenant de plus en plus précaire, Mérimée est chargé de leur rapatriement, ce dont il éprouve un grand chagrin. Il a joué auprès des fillettes un rôle de père, il a grondé Paca qui se conduisait mal envers sa gouvernante. Il semble que Stendhal ait lui aussi assisté au départ en diligence. Il en a noté la date à deux reprises dans ses *Marginalia :* « 17 mars 1839, départ d'Eoukenia, cour des messageries. » En réalité le comte est mort le 15 mars, ce qu'à Paris on ignorait. Mérimée en reçoit la nouvelle par une lettre de la comtesse qui lui parvient le 25 mars. Il écrit aussitôt pour dire à son amie son affection et à nouveau à plusieurs reprises les jours suivants. Cela ne l'empêche pas de travailler énormément. Il en est toujours à César. « Plus je travaille et plus je vois à travailler », dit-il à Saulcy. Et un peu plus tard, découvrant ses ambitions : « En avant César, et puisse sa publication coïncider avec une bonne peste qui dégarnisse les fauteuils de l'Académie. Sont exclus, bien entendu de ce vœu philanthropique les correspondants de l'Institut, honnêtes gens qui écrivent des lettres à leurs amis et leur donnent des leçons de numismatique gauloise. » A noter que Saulcy et La Saussaye sont depuis peu membres correspondants de l'Académie des Inscriptions et Belles-Lettres.

En deux livraisons, le 1er et le 15 avril, Mérimée publie, non signé, dans *La Revue des Deux-Mondes, Le Salon de 1839.* Entre-temps, le 6 avril est paru *La Chartreuse de Parme* de Stendhal.

Vatout, directeur des Monuments publics et historiques, avait signé le 8 mai un arrêté par lequel la Corse serait comprise dans la tournée entreprise par Mérimée en cette année, tournée qui le mènerait de Sens à Toulon en passant par Lyon. Le 12 un début d'insurrection conduit par Barbès et Blanqui se produisit autour du Palais de Justice et de la préfecture de Police. Des coups de feu furent échangés. Voici ce qu'en écrit Mérimée à Mme de Montijo : « Si c'est notre tranquillité que vous nous enviez, les coups de fusil de l'autre jour nous ont assez tristement rappelé le temps des émeutes qu'on croyait passé à tout jamais. Le pis, c'est qu'il n'y a rien de terminé et qu'on nous promet une seconde représentation. En attendant Paris a repris son aspect accoutumé. Seulement un grand nombre d'étrangers nous ont quittés comme gens de trop mauvaise compagnie. L'émeute du 12 a eu un caractère tout nouveau. Point de cris de la part des révoltés. Ils tiraient des coups de fusil, tuaient et se faisaient tuer sans que personne sût pourquoi. Il y a à Paris environ deux mille garçons tailleurs ou chapeliers qui sont toujours prêts à surprendre des corps de garde et à faire le coup de feu quand ils en reçoivent l'ordre de trois ou quatre fous enragés auprès desquels les républicains de juin et d'avril sont des espèces de petits saints. » Gasparin démissionna du ministère de l'Intérieur, Soult constitua son second ministère. Duchâtel, passant à l'Intérieur, garda les Monuments dont Vatout quitta la direction et Vitet fut désigné comme président de la commission. La tournée de Corse un moment compromise était sauvée. « J'ai enfin un ministre et celui que je désirais. Je crois que je vais aller en Corse travailler de mon métier et voir un peu s'il y a quelque chose de ce côté-là. J'en doute fort, mais ce doit être un pays curieux. Je tâcherai de vous déterrer quelques monnaies puniques et peut-être vous apporterai-je dans mon innocence des sous de S.M. le roi des Marmottes. Si Dieu me prête vie, je pousserai jusqu'à Naples où je passerai 8 jours. Je pisserai dans le Vésuve, je verrai le Musée et je m'en reviendrai aussitôt. » Cette lettre est adressée à Saulcy.

Stendhal a quitté Paris pour Civitavecchia le 24 juin.

Mérimée entama sa tournée le 29 par Sens, comme je l'ai dit, Dijon, Lyon, Grenoble, d'où il redescendit vers le Midi. D'Avignon il adressa un rapport sur le Palais des Papes dont les soldats qui y vivaient en caserne barbouillaient les fresques. Il ne fallut que soixante ans pour qu'une nouvelle caserne leur fût construite. A Marseille, ville dont il note la saleté, il fait des « gueuletons » fameux avec le docteur Cauvière, restant à table jusqu'à cinq heures d'affilée.

Il s'embarque le 15 août à Toulon et arrive à Bastia le lendemain où il est reçu par les autorités officielles. Dans sa tournée très complète il s'intéresse moins aux monuments qu'aux personnes et aux paysages comme en témoigne sa lettre à Requien, datée de Bastia le 30 septembre. « Vous me croyez sans doute à Naples. Pas du tout. Je me suis fort amusé dans ce pays-ci et j'ai tâché de tout voir, depuis le cèdre jusqu'à l'hysope. En fait de monuments, il est pauvre; cependant, il y a des dolmens et des menhirs, choses infiniment curieuses dont vous ne m'aviez rien dit, et une statue phénicienne qui a tout l'air du portrait de Bomilcar, si ce n'est celui de Giscon ou d'un autre. Mais c'est la pure nature qui m'a plu surtout. Je ne parle pas des vallées, ni des montagnes, ni des sites tous les mêmes et conséquemment horriblement monotones, ni des forêts assez piètres, quoi qu'on dise, mais je parle de la pure nature de l'HOMME. Ce mammifère est vraiment fort curieux ici et je ne me lasse pas de me faire conter des histoires de vendettes. J'ai passé plusieurs jours dans la ville classique de la *schioppettata*, Sartène, chez un homme illustre, M. Jérôme R. qui le même jour fit coup double sur deux de ses ennemis. Depuis, il en a tué un troisième, toujours acquitté à l'unanimité par le jury. J'ai vu encore une héroïne, Mme Colomba, qui excelle dans la fabrication des cartouches et qui s'entend même fort bien à les envoyer aux personnes qui ont le malheur de lui déplaire. J'ai fait la conquête de cette illustre dame qui n'a que 65 ans, et en nous quittant nous

nous sommes embrassés à la Corse, *id est* sur la bouche. Pareille bonne fortune m'est arrivée avec sa fille, héroïne aussi, mais de 20 ans, belle comme les amours, avec des cheveux qui tombent à terre, trente-deux perles dans la bouche, des lèvres de tonnerre de Dieu, cinq pieds trois pouces et qui à l'âge de seize ans a donné une raclée des plus soignées à un ouvrier de la faction opposée. On la nomme la Morgana et elle est vraiment fée, car j'en suis ensorcelé ; pourtant il y a quinze jours que cela m'est arrivé. Sans les punaises, la Corse serait un pays charmant, mais on en trouve partout. Il faudrait encore qu'il y eût des dryades ou des nymphes pour répondre aux soupirs des voyageurs, mais on y est horriblement moral.

« Je pars demain pour Murato et l'Algajola ; à mon retour de Bastia, j'irai au cap Corse, d'où je reviendrai encore ici. J'espère trouver vers le 10 ou 12 octobre un certain bateau à vapeur qui me transportera en Italie. »

Dans ses *Notes d'un voyage en Corse,* livre paru au printemps de l'année suivante, il arrive à cette conclusion : « La Corse, trop faible et trop divisée pour subsister de ses propres forces, se donna toujours à la puissance qui dominait dans la Méditerranée, et cependant elle ne perdit jamais le sentiment de sa nationalité et ne s'assimila point à ses protecteurs... Pauvres, nullement enthousiastes de dévotion, exploités par des gouvernements avides, les Corses n'ont jamais pu cultiver les arts... »

Il avait noté la ressemblance entre les monuments mégalithiques bretons et les monuments corses, la ressemblance aussi du type physique et du caractère corses avec le type et le caractère gallique. Il voyait dans la vendetta une forme bâtarde du duel. En résumé, le voyage, s'il lui avait permis de nombreuses observations psychologiques, l'avait laissé froid quant à ces monuments qu'il jugeait rares et peu importants.

Comme il était convenu avec Stendhal il retrouve son ami à Civitavecchia. Ensemble ils vont passer douze jours à Rome visitant églises et palais. Puis ils gagnent Naples par la diligence de San Germano qui évitait les Marais Pontins. Que se passa-t-il entre eux ? Stendhal note dans ses *Marginalia :* « L'affreuse vanité d'Académus (Mérimée) gâte ce voyage à Naples. » Ensemble ils visiteront Paestum, Herculanum et Pompeï qui enchante Mérimée. Parmi les raisons qui pourraient motiver l'aigreur de Beyle vis-à-vis de son ami, il faut probablement voir un certain style que donnaient à l'inspecteur ses connaissances, récentes mais sûres, de l'archéologie qui pouvait énerver un profane. Egalement les ambitions déclarées de Mérimée qui visait l'Académie française. La différence d'âge jouait de plus en plus entre eux et sans doute Stendhal, qui allait reprendre avec déplaisir son travail à Civitavecchia, enviait-il son compagnon qui bientôt rejoindrait la vie brillante de Paris. Notons également que Stendhal, qui allait mourir trois ans plus tard, n'est sans doute pas au meilleur de sa forme. Sa première manifestation apoplectique date du 1er janvier 1840. Peut-être a-t-il oublié les interventions de Mérimée pour le faire décorer, et motiver ses longues absences de Civitavecchia.

En même temps que les *Notes d'un voyage en Corse*, Mérimée rédige *Colomba*, d'abord publiée intégralement le 1er juillet 1840 dans *La Revue des Deux-Mondes*. La Corse depuis longtemps intrigue le public. Il s'est publié beaucoup de choses concernant ses mœurs. Dès 1830 Balzac a fait paraître une nouvelle, *La Vendetta*. Ce sont là des phénomènes sociaux qui ont toujours intrigué les Français. Alors que Balzac faisait preuve d'imagination dans son récit, Mérimée se réfère à des faits réels. On en a un exemple dans la lettre à Requien reproduite ci-dessus, concernant l'affaire des Roccassera à Sartène. Une autre histoire de vendetta survenue à Fozzano en 1830 avait été portée à la connaissance de Mérimée. Mais l'origine de l'œuvre tient aussi à ses lectures et à une documentation préalable au voyage en Corse. Avant même d'écrire *Mateo Falcone*, Mérimée avait lu dans *Le Globe*, les *Lettres sur la Corse* dont une au moins relate une veillée funèbre analogue à ce qui est rapporté dans *Colomba*. Un article d'un numéro de 1830 de *La Revue de Paris* auquel lui-même avait collaboré en y publiant *La Partie de tric-trac* l'avait frappé. Il s'agit de *Souvenirs de Corse. La Trève de Dieu* où Rosseeuw-Saint-Hilaire parle d'une chemise sanglante, dont Mérimée se servira. Notre auteur a lu avant de partir en tournée l'ouvrage de Valéry, *Voyages en Corse, à l'île d'Elbe et en Sardaigne,* paru en deux volumes en 1837 et 1838. Valéry lui aussi a connu Colomba Bartoli qui perdit un de ses fils dans l'affaire sanglante de 1833.

Enfin on pense généralement que, juste avant l'embarquement pour la Corse, passant à Lyon, Mérimée se serait renseigné auprès d'un certain Gregori, conseiller à la cour royale de cette ville et expert en histoire corse. Ajoutons que le livre de Robiquet, *Recherches historiques et statistiques sur la Corse* (1835), qui fait allusion aux affaires de Sartène et de Fozzano, a été emprunté par Mérimée à la Bibliothèque royale à son retour de Corse. Ce fait me paraît capital. Entre le voyage, la rencontre de Catherine Bartoli, fille de la vieille Colomba, et les lectures, on voit bien comment s'organise l'imagination du romancier, qui d'abord rajeunit son héroïne.

Dans la nouvelle, Colomba a vingt ans. Elle est très jolie. Son frère Orso della Rebbia, rentrant de l'armée, se trouve sommé par elle de venger son père peut-être tué par la famille rivale des Barracini. Orso ne croit guère à cet assassinat, mais poussé par sa sœur fanatique, et quoique blessé d'un coup de fusil, il abat ses agresseurs, les frères Barracini. Il ne sera pas inquiété par la justice, puisqu'il se trouve en état de légitime défense et qu'on apprendra par ailleurs que les Barracini étaient vraiment les meurtriers du père des deux héros. Orso quitte l'île pour épouser la jeune Anglaise qu'il aime, Lydia Nevil, témoin du drame.

Mérimée a terminé son récit le 7 juin, mais il entend le soumettre à l'approbation de Valentine Delessert et doit en modifier la fin. Il écrit en effet ceci à Etienne Conti, futur membre du conseil général de la Corse qu'il avait rencontré à Ajaccio : « J'ai tâché de faire une mosaïque avec les récits que j'ai recueillis à droite et à gauche sur votre pays, et dans toutes les pièces de rapport embrassées tellement quellement, vous avez pu en reconnaître plus d'une que je vous devais. Il faut que je vous avoue une chose. Dans la fin de l'histoire je n'ai pas suivi le plan que je m'étais tracé d'abord. J'avais l'intention de peindre dans Colomba l'amour de la famille si puissant dans votre île. Son père vengé, je voulais la montrer occupée d'assurer la fortune de son frère, et je lui faisais organiser une espèce de guet-apens pour obliger l'héritière anglaise à l'épouser. Peut-être était-ce plus vrai de la sorte. Une dame à qui je montrai cette fin me dit : jusqu'ici j'ai compris votre héroïne, maintenant je ne la comprends plus. L'alliance de sentiments si nobles avec des vues intéressées me semble impossible.

« J'ai beaucoup de respect pour le goût de cette dame et j'ai fait le changement que vous avez vu, laissant dans le vague les desseins de Mlle Colomba. Cependant j'ai eu quelque inquiétude contre ce reproche de bassesse et de vues intéressées et c'est pour cela que j'ai outré dans la scène de la fin la passion de la vendetta. Toutefois rappelez-vous qu'à ses yeux le vieillard est le plus grand coupable, et il me semble qu'on ne pardonne guère chez vous. Je regrette bien d'avoir jeté au feu ma première fin, je vous l'aurais envoyée pour en avoir votre avis. »

Paru en revue, puis en livre l'année suivante, *Colomba* reçut des appréciations élogieuses et connut le succès. Sainte-Beuve en particulier fut enthousiaste. L'ouvrage est constitué d'une « mosaïque » d'histoires corses, d'une ébauche d'histoire de la Corse, avec ses traditions, ses légendes, dans un grand souci du détail des mœurs locales. L'unité du récit tient en Colomba. Pour ma part ce personnage fanatique me porte sur les nerfs, mais enfin on ne peut discuter un caractère si nettement tracé et son histoire est menée avec un goût parfait dans une écriture simple et élégante. La couleur locale, en la circonstance, est particulièrement vive, un fait qui sûrement ajouta au succès, et par lequel Mérimée se rattache encore et toujours au romantisme. Cependant, je souscrirais volontiers au jugement de Charles Du Bos : « Les personnages, dit-il, ont beau être aussi parfaitement articulés que possible, ils ne sont pas incarnés... [ils sont] d'une vérité pour ainsi dire abstraite. »

A peine *Colomba* vient-il de paraître en revue que Mérimée part en tournée en Gascogne, le 5 juillet 1840. De Bordeaux où il a abouti il passe à Bayonne puis Madrid et va s'installer chez sa vieille amie Mme de Montijo à Carabanchel, non loin de la capitale. Là il est soigné, dorloté « comme un coq en pâte ». En Espagne la situation est tendue. La régente, Marie-Christine, est à Valence depuis le 24 août, une junte provisoire s'est installée à Madrid. Cependant la capitale est relativement calme. De Carabanchel, propriété de campagne située à six kilomètres seulement, Mérimée s'y rend tous les jours ou presque. S'il ne rentre pas le soir même il envoie de courts billets à Manuela où il lui donne des nouvelles fraîches des événements. Nous avons conservé ces billets. Aussi apprenons-nous que Espartero, nommé président du Conseil par la reine Isabelle II, est arrivé en triomphateur à Valence. Peu après Marie-Christine signe sa renonciation au gouvernement.

De cette révolution Mérimée paraît s'amuser. Elle ne l'empêche pas en tout cas d'aller applaudir aux exploits du torero Montes. Par Burgos et Bayonne il rentre en France en octobre. Là aussi la situation politique est agitée. Thiers a démissionné. Un troisième ministère Soult est constitué avec Guizot et Duchâtel. De tous ces événements qui agitent le clan Delessert, Mérimée entretient Mme de Montijo dans une correspondance de plus en plus fréquente. De plus en plus le voici partisan de l'ordre, il appartient de près au clan de la monarchie de Juillet. Ses ambitions se font jour. Il s'est fixé pour but l'Institut et l'Académie. Il s'occupe de sa réussite matérielle. Est-ce seulement pour paraître fièrement aux yeux de Valentine ? Ce n'est pas sûr.

VII

Les deux académies

Dès avril 1839, Mérimée avait déclaré à Félicien de Saulcy son intention de se présenter aux Inscriptions et Belles-Lettres. Devant ses correspondants de province, à l'intérieur même de la Commission des Monuments historiques, cela lui donnerait un supplément d'autorité. En réalité, c'est l'Académie française qu'il visait. Il pensait y parvenir plus tard, grâce aux travaux d'érudition qu'il avait entrepris à propos de Jules César et dont finalement ne sortiront que l'*Essai sur la guerre sociale* et *La Conjuration de Catilina.* « Que voulez-vous ? Je suis cuistre par profession et commence à le devenir par goût. » C'est justement cette cuistrerie et ces ambitions plus ou moins avouées qui ont agacé Stendhal au cours de leur voyage en Italie. Assez curieusement Mérimée prend ses travaux historiques plus au sérieux que ses travaux proprement littéraires. Ces derniers, semble-t-il penser, sont œuvre d'amateur, les autres étant œuvres de professionnel. La chose est amusante si l'on pense à la désinvolture avec laquelle il a traité l'histoire dans *La Jacquerie* ou *La Chronique du temps de Charles IX.* Quelque chose a changé en lui. Il approche de la quarantaine. l'ambition lui est venue et peut-être en effet Valentine n'y est-elle pas pour rien. Remarquons que sur l'œuvre soi-disant sérieuse, l'Histoire avec un grand H, comme sur l'œuvre d'amateur, « les contes à dormir debout », il porte le même regard serein, dépourvu de vanité, avec cependant une appréciation mesurée et juste de sa propre valeur mais toujours dans l'ironie, le sourire.

En 1842, il écrira à Mme de Boigne à propos de l'*Essai sur la guerre sociale :* « C'est vous qui me donnerez de l'orgueil en me disant que la Guerre sociale ne vous a pas paru ennuyeuse. Je vous assure avec la plus parfaite *franchise* que je la croyais telle, excepté pour une douzaine de personnes qui ont comme moi le goût des vieilleries romaines. En outre lorsque je faisais ce livre, je ne pensais qu'à être agréable à Messieurs de l'Académie des Inscriptions et l'on m'avait dit que pour leur plaire, il fallait être ennuyeux. Cela n'était pas trop difficile, mais encore il y a tant de manières d'être ennuyeux. Celle qu'ils préfèrent en matière d'histoire, c'est qu'on glisse sur tout ce qui tient aux mœurs, aux caractères, au cœur humain, par contre que l'on approfondisse les petits faits indifférents, qu'on discute les textes obscurs et inconnus, etc. » « Le mérite de mon livre c'est d'avoir recousu une phrase d'Appien à un fragment de Dion Cassius, un mot d'Orose à une ligne de Diodore de Sicile. Mais qui lit ces gens-là ? C'est parce que ce mérite ne peut être compris que par bien peu de bouquinistes que j'étais si avare de mon livre. Maintenant je me demande si je dois vous le donner ? Oui je pense, à condition que vous le donnerez à quelque savant en us. »

Dans une telle lettre se lisent plusieurs arrière-pensées : fierté de l'érudition, modestie plus ou moins feinte, mépris certain de l'éventuel lecteur, arrivisme avoué.

Le livre est paru en mai 1841, tiré à 150 exemplaires. Il n'est pas destiné au public mais aux « heureux mortels ». Mérimée a soumis d'abord son texte à l'approbation de Charles Lenormant, membre de l'Institut, conservateur au Cabinet des Médailles, qui lui a conseillé d'y joindre un appendice sur les médailles italiotes. L'étude est fort bien documentée et agréablement structurée. Il y décrit une histoire de Rome, sanglante et cruelle, selon son habitude. On est frappé par la cruauté d'ensemble de l'œuvre de Mérimée, mais ce parti pris de violence signale la part romantique de sa nature. Le travail est aussi fort érudit et précis. Ce n'est pas en vain que l'auteur déclare avoir fait « au moins trois lieues par jour entre ma table et ma bibliothèque, afin de vérifier et de collationner des textes ». On peut reprocher à l'essai un ton un peu scolaire. Il y échappe cependant en ceci que, portant des jugements sur des caractères, il s'appuie sur l'hypothétique. C'est la tendance Mérimée. C'est là qu'apparaît au milieu d'un travail sérieux sur les documents, son esprit essentiellement romanesque. A cela il ne peut rien. Peut-être aurait-il souhaité faire plus gris, plus impersonnel pour acquérir les suffrages académiques. N'oublions pas qu'en un sens c'est une œuvre de circonstance. En un autre sens, pour l'auteur lui-même il ne s'agit que d'un travail préparatoire à la grande ambition d'écrire cette vie de César dont il rêve parce qu'il porte à ce personnage une grande admiration. N'empêche, il faut maintenant faire parvenir l'ouvrage aux intéressés, c'est-à-dire rédiger autant de lettres qu'il y a de membres à l'Académie des Inscriptions et Belles-Lettres. « Quarante lettres sont pour rendre un homme fou » (lettre à Lenormant).

En juin, l'inspecteur reprend la route pour la Normandie, la Bretagne et la Creuse. Il se dirige d'abord sur Caen et Bayeux puis sur Coutances, voit le Mont-Saint-Michel, visite Le Mans, Tours, redescend par Châteauroux sur Issoudun et Bourges, rentre à Paris par Blois et Orléans le 24 juillet. Il rend compte de ses observations à Vitet dans une série de longues lettres pleines de détails architecturaux avec force croquis, selon son habitude. A Bayeux, il étudiera les plans et dessins du meuble conçu pour contenir l'immense tapisserie de la reine Mathilde.

En réalité, il ne rentre à Paris que pour en repartir dès le mois d'août pour un voyage en Orient préparé depuis longtemps avec Lenormant, lequel a été chargé par Guizot d'une mission à Athènes. Mérimée retrouve Lenormant à Naples avec un érudit belge, le baron de Witte qui va étudier la céramique et la numismatique grecque. Par Malte, les trois hommes gagnent Athènes le 12 septembre. Là Mérimée eut l'honneur d'être présenté au roi Othon. A Athènes les attendait Jean-Jacques Ampère, devenu professeur au Collège de France. Lenormant présenta Mérimée à Théodose de Lagrené, chargé d'affaires par intérim. Celui-ci était marié à une Russe qui lui donna cinq enfants. Ce fut tout de suite entre les Lagrené et Mérimée le début d'une solide amitié. Avec Lagrené, le groupe visita Athènes qui enthousiasma Mérimée. Mais l'amateur de femmes en lui fut déçu. Les Athéniennes étaient vertueuses. « Un garçon très habile, après s'être donné beaucoup de peine, m'a procuré la connaissance d'une Hydriote si crasseuse, si pouilleuse et si puante que j'en frémis encore d'horreur. Voilà tout ce que j'ai vu du beau sexe d'Athènes. »

Le 24, le groupe quitte Athènes pour Corinthe et Delphes, mais par suite d'un vent contraire le bateau qui les emmenait reste quatre jours à errer dans le golfe de Lépante. La seule distraction était les crises de colique qui avaient saisi le baron de Witte. Delphes les intéressa beaucoup, mais sur la route qui les conduisait aux Thermopyles à dos de mulet, Lenormant, tombant de sa monture, se luxa l'épaule. On regagna Athènes. Là, les touristes se séparèrent. Mérimée avec Ampère et l'historien Buchon embarquèrent à bord du cutter *Lyons*, qui appartenait au roi Othon, pour l'Asie Mineure. Ensemble les trois hommes visitèrent Sardes, Magnésie, Ephèse. Ils allaient à cheval, sabre au côté et pistolet à la ceinture, comme Mérimée le déclare et comme l'atteste une caricature due à l'archéologue Longpérier. Mérimée écrit à Lenormant resté à Smyrne : « Nous commençons à être tout à fait blasés en matière de chameaux, de Turcomans et de minarets. Mais hier nous avons fait connaissance avec des Tartares nomades fort aimables, mais très jaloux. Ils n'ont pas voulu nous donner à coucher sous leurs tentes, histoire de leurs femmes ; ce n'était guère la peine. Nous avons vu les femelles ce matin, les mâles s'étaient éloignés, et ce n'était guère ragoûtant. »

Soucieux de flatter ses futurs électeurs, Mérimée, collectionnait pour Lenormant les inscriptions sur les monuments qu'il rencontrait et cherchait des monnaies pour Saulcy. Avec Ampère, toujours d'aimable compagnie, il fit le voyage de Magnésie à Sardes. Il écrit dans une longue lettre pittoresque à Saulcy :

« Nous allâmes coucher à Berghir ce qui ne fut pas facile, car on nous offrit d'abord un chenil à chien, puis une échoppe sur la place publique. Enfin après avoir mis un gendarme dans nos intérêts nous fûmes logés chez le Bourgeois. Ce fut chez un Grec qui avait des femmes très jolies qui se voilaient en notre présence mais qui s'apprivoisèrent, et qui se seraient humanisées beaucoup plus si nous n'eussions pas été des gens moraux. Le lendemain il fallut traverser le Bozdag, et faire un développement de muscles extraordinaire. Nous avions une escorte de soldats qui nous fut très utile car nous la précédions toujours d'une lieue à peu près. Après 10 heures de marche, nous nous trouvâmes de l'autre côté de Tmolus, séparés de notre escorte, de notre bagage et de notre fricot, en vue d'une plaine immense où brillaient çà et là les feux des bivouacs des Turcomans. Notre guide était un Turc qui ne savait pas un mot d'une autre langue. Il n'avait jamais entendu parler de Sardes, et tout ce qu'il put parvenir à nous faire comprendre, ce fut que si nous continuions à marcher les chiens nous prendraient aux jambes. Nous nous assîmes donc le ventre vide, et très mélancoliques, syllogisant sur les moyens de souper et les probabilités contraires. Nous avions épuisé tous nos cigares lorsque nous entendîmes nos chevaux qui arrivaient, et une demi-heure après nous étions au milieu des ruines de Sardes. La population est clairsemée en ce pays. Les maisons y sont au nombre d'une, et le propriétaire fit des difficultés pour nous recevoir. Ce n'était qu'un raya et nous avions deux soldats albanais qui lui proposèrent de lui casser les reins ce qui le rendit fort leste à nous servir et à vider les lieux, la maison ne pouvant contenir que nos deux seigneuries. Le lendemain nous montâmes à l'acropole de Sardes, ascension assez dure je vous en réponds. Figurez-vous un immense pâté de foie gras, dont la croûte a été entamée dans un déjeuner de sous-lieutenants. »

A Smyrne nos deux voyageurs retrouvèrent Lenormant et Witte avec qui ils visitèrent un tumulus appelé tombeau de Tantale. Le 27 octobre, le groupe arriva à Constantinople. « Que vous dirai-je de Constantinople ? Que c'est une grande mystification, qu'il n'y a pas de monument, que Ste Sophie n'est pas grand-chose ; tout cela vous a sans doute été dit et ne vous dispensera pas de voir par les yeux de votre tête ce qu'il en est. La procession de Baïram m'a assez amusé, bien qu'à tout prendre cela ressemble à Robert le diable joué à Carpentras. Le directeur n'a pas les moyens de suffire à la mise en scène et c'est un mélange assez pitoyable de misère et de clinquant. J'y attrapai un fameux coup de poing d'une turquesse que je pressais involontairement dans la foule. »

Ils restèrent à Constantinople jusqu'au 17 novembre. Repartant pour Civitavecchia, ils furent mis en quarantaine à Malte et enfermés au lazaret d'où Mérimée écrivit de longues lettres, à Saulcy, comme je l'ai rapporté ci-dessus, à Vitet également à qui il propose de ramener en France une frise vue à Magnésie, fragment d'un temple détruit par un tremblement de terre. L'affaire se réalisa et les bas-reliefs signalés siègent aujourd'hui au Musée du Louvre. Libérés enfin, ils repartirent pour Civitavecchia que venait de quitter Stendhal et furent à Paris à la fin de décembre.

Que leur restera-t-il de ce voyage ? Outre des impressions multiples qui vont du bouffon au sublime, l'Orient opposant ses guenilles à sa splendeur antique, Mérimée en rapporte un grand dégoût des monuments romains et un enthousiasme tout aussi intense pour le dorique ancien. Il avait contracté aussi la passion de la mythologie grecque. Il s'est mis dès son retour au grec moderne, se fait initier par Lenormant à une culture qu'il admire sans réserve.

Le début de l'année 1842 est occupé par les nombreuses séances de la Commission des Monuments historiques et du Comité des Arts et Monuments. Suite au voyage du Proche-Orient, J.-J. Ampère fait paraître en janvier dans *La Revue des Deux-Mondes*, « Une course en Asie Mineure ». Quant à Mérimée, ce même mois, il se rend en compagnie de Vitet auprès de l'amiral Duperré pour faire enlever les bas-reliefs du temple d'Artémis à Magnésie.

Le 23 mars 1842 mourut Stendhal d'une brutale attaque d'apoplexie, la troisième à mon avis, sa perte de connaissance de janvier 1840 avec chute dans le feu étant vraisemblablement la première. Immédiatement Mérimée dit à Romain Colomb, exécuteur testamentaire, son intention de faire quelques lignes pour *La Revue des Deux-Mondes* afin de donner quelques éléments à la biographie du défunt. Colomb étant occupé à rédiger précisément une note biographique semblable refusa. Il confiait à Mérimée le soin de traiter de l'œuvre littéraire, l'invitant à laisser de côté ce qui concernait la vie du défunt. Mérimée s'en plaint à Mareste. Il a pris connaissance du « factum » de Colomb, le trouve médiocre, il suggère de confier le travail à Sainte-Beuve qui s'aiderait pour cela de ce qui est déchiffrable dans la *Vie de Henri Brulard* et demande à son correspondant d'intervenir dans ce sens. La notice biographique de Colomb sur Beyle parut chez Hetzel en 1846 en tête de *La Chartreuse de Parme.* Elle fut fort utile aux stendhaliens. L'incident avait refroidi les rapports entre Colomb et Mérimée. Cela n'empêcha pas ce dernier d'intervenir plus tard pour faire acheter par la Bibliothèque impériale les registres où Stendhal avait fait copier les chroniques italiennes. Il souhaita aussi publier dans la même *Revue des Deux-Mondes* la correspondance de Beyle. Buloz refusa.

Mérimée n'en avait pas fini pour autant avec Stendhal. Huit ans après la mort de son ami, en 1850, il fait éditer par Firmin Didot 25 exemplaires d'une mince plaquette intitulée *H. B.*, dont 17 exemplaires seulement furent distribués à des amis triés sur le volet. C'était un hommage à l'écrivain défunt, et plus encore à l'homme peint sur le vif et auquel étaient prêtées, au dire de Mareste « des anecdotes passablement scabreuses sur Dieu le Père, sur Jésus-Christ ». Il y eut des indiscrétions. La presse bien-pensante réagit avec violence. Des contrefaçons de la plaquette allaient bientôt paraître, aggravant le scandale. Pendant des années les admirateurs inconditionnels de Stendhal seraient choqués par ce singulier hommage. L'effet nocif fut encore grossi, lorsque Romain Colomb ayant réussi à convaincre Michel Lévy de faire paraître les *Œuvres complètes de Stendhal*, Mérimée, sollicité par l'éditeur, reprit en 1855 en « l'émasculant » le texte de *H. B.* pour servir de préface à la « Correspondance », sous le titre *Notes et souvenirs*. Dans l'esprit de l'auteur il s'agit pourtant bien d'un hommage où il est dit : « Je m'imagine que quelque critique du XXe siècle découvrira les livres de Beyle dans le fatras de la littérature du XIXe et qu'il leur rendra la justice qu'ils n'ont pas trouvée auprès des contemporains. »

Alors, que signifie ce tapage ? Concluons avec le stendhalien Del Litto : « *H. B.* est réellement le portrait le plus *fidèle* qui nous ait été conservé non pas de Stendhal mais du *masque* d'Henry Beyle. »

Quels étaient en réalité les rapports entre les deux écrivains ? Malgré les quelques disputes qui avaient assombri leurs dernières rencontres, pour Mérimée le regret est certain. Dix ans après la disparition de son ami il écrira à Jenny Dacquin : « Je passe tout mon temps à lire la correspondance de Beyle. Cela me rajeunit de vingt ans au moins. C'est comme si je faisais l'autopsie des pensées d'un homme que j'ai intimement connu et dont les idées des choses et des hommes ont singulièrement déteint sur les miennes. Cela me rend triste et gai vingt fois tour à tour dans une heure et me fait bien regretter d'avoir brûlé les lettres que Beyle m'écrivait. »

Dans *Portraits historiques et littéraires* on relève ceci : « Peu d'hommes m'ont plu davantage ; il n'y en a point dont l'amitié m'ait été plus précieuse. » Il est certain que la disparition de son ami l'a attristé comme l'affligera peu après celle de Sutton Sharpe. On a discuté de l'influence de Stendhal sur Mérimée. Elle me paraît moins importante qu'on ne le dit. Dès sa jeunesse, Mérimée manifeste à l'égard de son ami une totale indépendance d'esprit. A peine pourrait-on faire remarquer que les attitudes de Beyle ont accentué le caractère aristocratique et assez méprisant du jeune Mérimée.

En juin 1842, Mérimée part pour une tournée qui doit le conduire dans le Morvan, la Saône, le Rhône, la Provence, le Comtat, le Forez et le Bourbonnais. Il s'est dirigé d'abord sur

Vézelay. De Lyon, il écrit à Vitet : « J'ai passé une journée à Vézelay et j'ai vu avec grande joie que maintenant notre belle église est hors d'affaire. » Cependant un peu plus loin il reproche à Viollet-le-Duc d'avoir fait peindre grossièrement certaines pierres. Et plus encore : « Il a fait exécuter tout autour de l'église une espèce de frise très compliquée et d'un caractère singulier : il est certain qu'il a trouvé des modèles encore très reconnaissables de cette disposition, mais seulement dans une portion des murs extérieurs. Il me semble que dans beaucoup d'autres parties, ou il n'y avait rien, ou il y avait autre chose. D'ailleurs une pareille uniformité n'est guère dans les pratiques byzantines. Je soupçonne même le fragment d'après lequel on a refait cette ornementation, de ne pas appartenir à la construction primitive. Enfin, cela a dû coûter beaucoup et n'ajoute rien au mérite de la restauration. »

Cependant, malgré ses déplacements, et vivant toujours chez sa mère, il poursuit ses travaux historiques. Après l'*Essai sur la guerre sociale* il s'est attaqué à *La Conjuration de Catilina.* Dans son bureau du ministère de l'Intérieur, il rédige ses rapports, commence son *Architecture militaire au Moyen Age*, multiplie ses lettres innombrables de caractère professionnel, prépare ses tournées. Si l'on songe aux séances de commissions auxquelles il doit assister, on peut considérer qu'il s'agit là d'un homme surmené.

« Une tristesse noire » s'est emparée de lui à la nouvelle de la mort accidentelle du duc d'Orléans. Cette seconde partie de l'année 1842 est d'ailleurs marquée par des disparitions nombreuses qui vont accentuer le caractère finalement sombre de Mérimée. Le Dr Edwards meurt le 23 juillet, Alexandre de Laborde le 20 octobre. Sutton Sharpe, qui est frappé de paralysie le 31 décembre, s'éteindra trois mois plus tard. Les bonnes nouvelles sont celles des fiançailles de Paca, l'aînée des filles Montijo au duc d'Albe, les élections successives de Léon de Laborde et de J.-J. Ampère à l'Académie des Inscriptions et Belles-Lettres ; Edouard Bocher, le beau-frère de Valentine, a été nommé préfet du Calvados. Des événements qui l'attristent ou le réjouissent Mérimée parle à Jenny Dacquin avec qui il entretient une correspondance plus que jamais assidue. Elle s'est établie à Paris, avec sa mère, rue de l'Oratoire.

En mai 1843, le duc d'Aumale enlève la smalah d'Abd-El-Kader, en juin Mérimée prend l'engagement de faire bientôt une tournée d'inspection en Algérie. En août il parcourt la Bourgogne, la Franche-Comté et la Champagne, bien que la comtesse de Montijo soit arrivée avec ses filles à Paris pour un séjour qui va durer de juin à octobre.

Enfin, c'est en novembre 1843, que Mérimée est élu à l'Académie des Inscriptions et Belles-Lettres.

Mais essayons de survoler cette période sans nous soucier d'un quotidien extrêmement chargé. Ses travaux aux Monuments historiques sont pour Mérimée un constant tracas. Hors les tournées assez fréquentes, c'est souvent que des cas d'urgence exigent de lui de nouveaux déplacements. C'est à Provins, à Strasbourg, à Colmar, à Tours qu'il doit se rendre sans délai. A Paris même, il est harcelé par la restauration de Saint-Denis, de Notre-Dame, du Palais de Justice et de la Sainte Chapelle, du musée de Cluny. Fonctionnaire, historien, il trouve encore le moyen d'assurer les fonctions d'ami (Mme de Montijo) et d'amant (Valentine), aussi d'ami-amant (Jenny Dacquin).

La correspondance avec cette dernière est en réalité bien étrange. Si Jenny a pu supprimer certains passages des lettres de Mérimée, il est peu probable qu'elle en ait rajouté d'autres. Car il y a un ton de liberté dans ces lettres qui me fait douter de tout. Parlant de son dernier séjour en Espagne ne dit-il pas : « Je demeurais chez une amie intime, qui est pour moi une sœur dévouée ; j'allais le matin à Madrid et je revenais dîner à la campagne avec six femmes, dont la plus âgée avait trente-six ans. Par suite de la révolution, j'étais le seul homme qui pût aller et venir librement, en sorte que ces six infortunées n'avaient pas d'autre *cortejo.* Elles m'ont prodigieusement gâté. Je n'étais amoureux d'aucune et j'ai peut-être eu tort. » Est-ce ainsi qu'on parle à une maîtresse ? Peut-être, en effet, la vraie liaison est-elle plus tardive ? Nous en sommes dans ce premier semestre

1842 aux coquetteries. J'ai beau lire et relire ces lettres, je n'y vois rien d'autre qu'un marivaudage, des reproches sur l'hypocrisie, et la trop grande rareté des réponses aux lettres. (En réalité ce reproche me paraît de mauvaise foi. C'est une sorte de provocation.) Luppé nous dit que les deux correspondants se sont vus six ou sept fois en dix ans. C'est le 24 octobre 1842 que surgit la fameuse phrase : « Nous avons commencé à nous écrire en faisant de l'esprit, puis nous avons fait quoi ? Je ne vous le rappellerai pas. » En replaçant cette phrase dans le contexte de l'ensemble de cette correspondance telle que nous la présente Maurice Parturier, elle me paraît vraiment peu signifiante. On nous dit pourtant que, passée cette date, les deux amis vont se rencontrer plus souvent : chez Jenny, au théâtre, au Louvre, au Jardin des plantes. Le plus souvent Jenny, qui me paraît à la fois coquette et bas-bleu n'accepte de rendez-vous qu'en présence de témoins. Je ne trouve nullement, comme Luppé, que le secret de Jenny soit transparent dans cette correspondance défigurée par ses soins. Mérimée lui parle un peu de tout, voyages, amis, chagrins, littérature. Jamais ne cesse un ton un peu factice qui est celui d'une cour discrète envers une femme qui se dérobe.

Je ne serais pas surpris qu'il y ait eu un jour accident, et aussitôt ressaisissement d'une coquette plus ou moins frigide. C'est cette « faute » que Jenny, en faisant paraître *Lettres à une inconnue* aurait voulu nous cacher. Mais autant renoncer tout de suite à éclaircir ce petit mystère. Le fait demeure que, Mérimée le vaurien, est le plus souvent dépité, mais il est du genre d'hommes qui s'entêtent, puis s'attachent. Il restera attaché à Jenny jusqu'à sa mort.

En réalité, comme il voit rarement Jenny, ce que son métier et ses travaux littéraires lui laissent de temps, il le passe dans le salon de Valentine Delessert. On se doute que c'est un salon couru que celui de la femme du préfet de Police ; il reçoit les mondains, les politiques et les quémandeurs. Mérimée s'y trouve fort à son aise. Le mari s'effaçant, ou ignorant la liaison, le laisse en paix. Il doit se sentir le maître de maison. Un peu de vanité l'agite. Il ambitionne l'habit vert, pour lui-même, pour satisfaire sa maîtresse également, et celle-ci peut l'aider à parvenir à ses fins. Un exemple de sa hauteur nouvelle. Il cesse de fréquenter chez la duchesse Decazes qui dès lors va dire de lui pis que pendre : « Lors de nos rapports, il était non seulement fort mince personnage, mais tout à fait dans la gêne ainsi que sa famille, et je crois qu'il est blessé que je sache si bien tous les détails de sa vie. »

Mérimée sort plus rarement qu'autrefois. Il est trop occupé, le malheureux. Il pénètre surtout dans des milieux nouveaux, plus mondains, ce qui correspond à sa réussite grandissante. En fait, en qualité d'ancien « vaurien » et d'homme typique du XIXe siècle, il regrette le débraillé de sa jeunesse. Je pourrais dire tout court qu'il regrette sa jeunesse, car il se sentira vieux de bonne heure. Il se plaît moralement, mais il ne se plaît pas matériellement dans son rôle d'homme du grand monde. Il écrit à Mme de Montijo en date du 12 mars 1841 : « Samedi dernier par extraordinaire, je suis allé à un grand raout. Il m'a semblé que j'étais débarqué dans une île inconnue. Les femmes sont décolletées de telle sorte que si on marche sur le bas de leur robe on les déshabille. La mode est de crier très haut en parlant et je me croyais dans une réunion de perroquets. » Cependant il ne fuit pas le monde, puisqu'il rencontre presque toujours Valentine. Et puis il y a ces histoires d'Académie, ces ambitions qui méritent bien quelques sacrifices. On a vu que depuis 1839 il y songe. Attentif aux changements, aux décès parmi les membres des deux académies, il manœuvre. Dans la longue lettre qu'il adresse à Saulcy en 1841 pendant son internement à Malte, après maints détails sur son voyage il termine sur ce mot drôle : « Y a-t-il quelque académicien qui soit las de cracher et de tousser ? » En août 1843, il interroge sérieusement Vitet. « On m'écrit de Paris la mort de Mr Fortia d'Urban et on me conseille d'intriguer pour sa succession. Je voudrais bien que vous me donnassiez un conseil.

« Vous savez que bien que je ne me sois pas mis officiellement sur les rangs des candidats pour l'Académie française, je fais antichambre avec une espérance éloignée. Je ne puis ni ne voudrais quitter cette situation. La question est donc celle-ci : chercher à être académicien libre aux Inscriptions me nuira-t-il ou non ? Veuillez me répondre un mot à Epinal. J'écris dans le même sens à Lenormant et à Saulcy qui tous les deux vous parleront sans doute de cette grave affaire. » Cette lettre est postée à Dijon. Mérimée est en tournée en Bourgogne et dans le Jura. Son éventuelle élection aux Inscriptions le préoccupe. « Dois-je ou non écrire au Président pour faire acte de candidat ? » demande-t-il à Saulcy. Puis à nouveau, de Besançon, il écrit à Vitet : « Je crains fort l'homme aux truffes. » Il s'agit de Ternaux-Compans qui se présentait contre Mérimée et faisait campagne en offrant des dîners succulents. En septembre, dans une lettre à Léon de Laborde, il fait le compte de ses voix avec le plus grand soin. Malgré tout il confie avec lassitude à Jenny Dacquin : « Je fais en ce moment le métier le plus bas et le plus ennuyeux : je sollicite pour l'Académie des Inscriptions. Il m'arrive les scènes les plus ridicules, et souvent il me prend des envies de rire de moi-même, que je comprime pour ne pas choquer la gravité des académiciens que je vais voir. C'est un peu à l'aveugle que je me suis embarqué, ou plutôt qu'on m'a embarqué dans cette affaire. Mes chances ne sont point mauvaises, mais le métier est des plus rudes, et le pire de tout, c'est que le dénouement se fera longtemps attendre »... « Mais quel vilain métier que celui de solliciteur ! Avez-vous jamais vu des chiens entrer dans le terrier d'un blaireau ? Quand ils ont quelque expérience, ils font une mine effroyable en y entrant, et souvent ils en sortent plus vite qu'ils n'y sont entrés, car c'est une vilaine bête à visiter que le blaireau. Je pense toujours au blaireau en tenant le cordon de la sonnette d'un académicien, et je me vois *In the mind's eye* tout à fait semblable au chien que je vous disais. Je n'ai pas encore été mordu cependant. Mais j'ai fait de drôles de rencontres. »

Mérimée est élu aux Inscriptions et Belles-Lettres le 17 novembre 1843 par 25 voix contre 11 à Ternaux-Compans. Selon son habitude il accueille le succès en plaisantant, mais il est évident que, malgré ce ton railleur, il a pris la chose au sérieux et s'est donné beaucoup de mal. Il écrit cependant à Manuela de Montijo : « J'ai fait hier mon entrée triomphale à l'Académie. Le secrétaire perpétuel ayant mis des gants, dont il n'use je crois qu'à cette occasion, m'a conduit par la main comme sa danseuse au milieu de l'auguste assemblée qui s'est levée en pieds comme un seul homme. J'ai fait quarante saluts, un pour chaque membre, je me suis assis et tout a été dit. Heureusement qu'à cet établissement il n'y a pas de discours comme à l'Académie française. »

Il n'en continue pas moins à penser à son *Jules César* et complète sa documentation, tout en rédigeant dans le même style que l'*Essai sur la guerre sociale* qu'on réédite en 1844, *La Conjuration de Catilina.* Avant même son succès aux Inscriptions, il pensait à l'Académie française. Dès septembre 1843, il avait écrit longuement à Thiers pour lui parler de ses chances aux deux Académies, et spécialement à la seconde, à la grande : « Tout ce bavardage, monsieur, c'est pour vous demander si vous me permettez encore de compter sur votre protection, l'occasion s'en présentant dans des futurs plus ou moins éloignés ? Si vous me dites allez au diable, cuistre, veuillez croire que je ne vous en aimerais pas moins. Je voudrais savoir de vous seulement si je puis encore *rêver* le bâton de maréchal d'homme de lettres, c. à d. un fauteuil à l'Académie française. Ce qui serait très piquant, c'est si je n'étais pas reçu à l'Académie des Inscriptions. Malgré toutes les promesses qu'on m'a faites j'ai une peur affreuse, et si vous connaissez quelque érudit dans ce docte corps, je me recommande à vous très humblement. »

Le 3 février 1844 il confie à la comtesse de Montijo : « La mortalité s'est répandue dans l'Académie française. En voilà trois qui attendent leur oraison funèbre. (*Campenon, Casimir Delavigne et Charles Nodier.*) On me dit de me présenter pour succéder au troisième, c'est M. Nodier. Je vais donc commencer le métier de solliciteur, sans beaucoup d'espoir, car c'est contre un ami de S. M. (*Vatout, secrétaire du roi*) que je vais combattre. » Le voici donc à nouveau en campagne. Il commence les mortelles visites à ses futurs confrères. Ses lettres de février à Royer-Collard, à

Sainte-Beuve, à Requien sont pleines de ce continuel souci. A Jenny Dacquin : « Depuis que je ne vous ai vue, j'ai beaucoup couru le monde, et fait quantité de bassesses académiques. J'en avais perdu l'habitude, et cela m'a fort coûté, mais je crois que je m'y referai assez vite. Aujourd'hui, j'ai vu cinq illustres poètes ou prosateurs, et, si la nuit ne m'eût surpris, je ne sais si je n'aurais pas achevé tout d'un trait mes trente-six visites. Le drôle, c'est quand on rencontre des rivaux. Plusieurs vous font des yeux à vous manger tout cru. Je suis, au fond, excédé de toutes ces corvées et je serais heureux de tout oublier pendant une heure avec vous. » Et encore à la même : « Le raisonnement me dit d'espérer, mais je ne sais quel sentiment de seconde vue me dit tout le contraire. — En attendant, je fais des visites fort consciencieusement. Je trouve des gens fort polis, fort accoutumés à leurs rôles et les prenant très au sérieux ; je fais de mon mieux pour prendre le mien aussi gravement, mais cela m'est difficile. Ne trouvez-vous pas drôle qu'on dise à un homme : " Monsieur, je me crois un des quarante hommes de France les plus spirituels, je vous vaux bien ", et d'autres facéties ? Il faut traduire cela en termes honnêtes et variés, suivant les personnes. Voilà le métier que je fais et qui m'ennuierait fort s'il se prolongeait. » A Mme de Montijo : « L'élection de l'Académie française aura lieu le 14 de ce mois. S'il y a dans votre martyrologue quelques saintes qui soient bonnes à prier pour ces sortes d'accidents, veuillez leur offrir une chandelle à mon intention. » Il accable de courts billets Victor Cousin, Sainte-Beuve, Royer-Collard. Enfin, le 14 mars, il est élu au fauteuil de Charles Nodier, en même temps que Sainte-Beuve à celui de Casimir Delavigne. Les cabales n'ont pas manqué. On lui reproche son anticléricalisme, ses propos salaces, (et il est vrai qu'il ne s'en fait pas défaut), ses intrigues féminines. Il doit affronter l'hostilité de Mme de Castellane, personne fort bien introduite, de sa fille, Mme de Contades, qui lui en veut d'une courte aventure qu'ils auraient eue ensemble en 1840 et dont il s'était confié à Mme de Montijo : « Je vous ai parlé d'une femme qui m'avait forcé à certaines choses contre la morale. Vous n'avez peut-être pas oublié comment je m'en tirai en ne faisant pas semblant de me souvenir de ma bonne fortune. Nous sommes restés très bon amis en apparence, si ce n'est que sa mère me laisse voir souvent tout le plaisir qu'elle aurait à me voir pendu. La fille, fort bel esprit et jouant la magnanimité après une scène de fureur, a paru tout oublier. Je vois maintenant qu'elle travaille de son mieux contre moi dans cette affaire académique. Au fond, je l'ai bien gagné ; mais cela m'a étonné un peu et puis cela me donne plutôt envie de rire. »

Toujours est-il qu'élu au septième tour par 19 voix contre 13 à Bonjour et 4 à Alfred de Vigny, il lui fallait maintenant préparer l'éloge de Charles Nodier qu'il ne prisait pas beaucoup : « Il m'a fallu lire les œuvres complètes de Nodier, y compris *Jean Sbogar.* C'était un gaillard très taré qui faisait le bonhomme et avait toujours la larme à l'œil. Je suis obligé de dire dès mon exorde que c'était un infâme menteur. Cela m'a fort coûté à dire en style académique. Enfin, vous entendrez ce morceau si je ne crève pas de peur en le lisant. » Partant en août pour sa tournée d'inspection dans le Sud-Ouest il emporte son discours qu'il retouche sans cesse : « Je me suis exterminé pour finir mon malheureux discours avant ma tournée, écrit-il à Mme de Boigne. Hier j'ai fait la dernière phrase. Cette diable de prose toute nouvelle pour moi m'a tellement absorbé que j'ai vécu comme un ermite depuis trois semaines sans rien lire que le dictionnaire de l'Académie. J'espère le long de ma route raboter force aspérités qui me chiffonnent. D'ailleurs Madame, je m'empresse de vous dire qu'il n'y a pas dans mon discours un seul mot contre le gouvernement, la religion et je crois les bonnes mœurs. Je ne réponds pas entièrement du dernier point toutefois, car je ne sais pas ce qu'elles seront à la fin de l'automne. J'ai raconté en style à 12 sous la page, les faits et gestes de mon prédécesseur. J'ai conclu qu'il avait toutes les vertus. J'espère qu'on ne m'en demandera pas davantage. »

La cérémonie de réception se fait attendre. Etienne qui doit lui répondre n'est pas prêt, puis il est malade (il mourra le mois suivant), enfin il fait lire son discours le 6 février 1845 par

Viennet, devant une gracieuse assemblée féminine où figurait Jenny Dacquin qui n'en avait rien dit à Mérimée. Lui, le héros, avec à son côté l'épée offerte par Mme de Montijo n'était pas fier. Finalement, il se raffermit au fil de son discours et se déclara par la suite très content de sa fermeté.

Entre son élection et sa réception le clan Delessert avait été comblé par l'accession de Gabriel au titre de pair de France. Mais au lendemain même de son élection, Mérimée scandalisait bon nombre de ses partisans en publiant *Arsène Guillot* dans *La Revue des Deux-Mondes*.

VIII

Carmen

Mérimée pensait depuis longtemps à l'idée principale qui allait dicter sa nouvelle, *Arsène Guillot.* Dès 1842 il écrivait à Jenny Dacquin : « J'ai été à un bal donné par des jeunes gens de mes amis, où étaient invitées toutes les figurantes de l'Opéra. Ces femmes sont bêtes pour la plupart ; mais j'ai remarqué combien elles sont supérieures en délicatesse morale aux hommes de leur classe. Il n'y a qu'un seul vice qui les sépare des autres femmes : c'est la pauvreté. »

Nous avons dit comme Mérimée s'est plu dans la compagnie des « rats d'opéra », des demi-mondaines. On sait combien a été durable, et sentimentale un peu, sa liaison avec Céline Cayot, quoiqu'il n'hésitât pas à faire profiter ses amis des faveurs de sa maîtresse. Cette petite comédienne, figurante à l'Opéra puis engagée aux Variétés était « une personne très singulière ayant de la vertu à sa façon ». Elle était attachée à Mérimée, à peu près dans la mesure où lui-même tenait à elle. Désordonnée et dépensière, elle avait besoin d'argent et le prenait là où il se trouvait, sans vergogne, ce que Mérimée qui payait lui aussi un peu, n'ignorait pas. « Céline m'a écrit longuement, tendrement, et sérieusement. Sa lettre est une espèce de chef-d'œuvre par la manière naturelle dont elle parle de l'obligation où elle peut être d'entrer en arrangement avec le comte de Celles, toujours me restant fidèle *in petto.* Il est fâcheux qu'elle ne soit pas née grande dame, elle aurait changé la destinée des Empires.

Veuillez lui dire que j'ai une lettre commencée pour elle, et que pour la lui envoyer j'attends de Mâcon un costume de paysanne que je lui destine. J'ai écrit à Allart de chauffer Scribe pour ses débuts au Gymnase. » On le voit, il s'occupe d'elle, il lui fait des cadeaux, il l'aime d'une certaine façon. Va-t-elle à Londres poussée par on ne sait quel caprice ? Il recommande à Sutton Sharpe de s'occuper d'elle et même, comme une fois de plus elle manque d'argent, il demande à son ami de lui en avancer : « Cette nom de Dieu de Cayot ne m'a pas donné son adresse. Ce billet est pour vous dire que la susdite m'écrit qu'elle est assez mal en fonds, et pour vous prier de lui donner quelque argent, non pas assez pour qu'elle rapporte tous les magasins de Londres, mais ce qu'en votre qualité de gentleman marlou vous jugerez nécessaire. Vous lui aurez donné déjà, ou à Chavigny, de quoi avoir des bas et un manteau : ce que j'estime à environ deux cents francs, donnez-lui encore trois cents francs, de manière à faire un compte rond de cinq cents francs et ne dépassez ce crédit que dans le cas de circonstances *très aggravantes.* Je vous donne le maximum dont il est inutile de lui parler si elle vous demande moins. Vous me ferez encore plus de plaisir en allant la voir et en lui donnant des conseils vertueux. » Quand elle rejoint son amant, son émotion est extrême : « Mlle Cayot s'est trouvée mal en me voyant, ses règles qui commençaient se sont arrêtées. » Diable ! Quelle passion ! et quelle passion étrange ! Mérimée l'a compris. Il écrit en 1835, peu avant leur séparation, « cette fille m'aime trop et il m'en vient des remords de temps en temps ».

Il est bien évident que Céline Cayot a servi de modèle à Mérimée pour *Arsène Guillot.* Du moins pense-t-il à elle en écrivant son texte qu'il enjolive de thèmes à la mode du temps. Arsène Guillot, la pauvre, vient de perdre sa mère. Elle est évidemment « tubarde », comme Marguerite, « La Dame aux Camélias ». En face d'elle, il convient de camper une belle figure de dévote, ce sera Mme de Piennes. On connaît l'anticléricalisme de notre auteur. La dévotion bourgeoise l'agace à l'extrême. De sa correspondance de 1843 avec Mme de Montijo, on peut extraire les trois passages suivants : « Lundi dernier, dans une maison où j'étais, on prenait du thé, mais il n'y avait pas de gâteau ni de brioche, à cause du jeûne. Trois femmes, flanquées chacune de son amant, prenant ainsi ce thé maigre, s'entretenaient du dernier sermon du vénérable abbé Ravignan. » « Nos femmes à la mode, lionnes et autres, ne manquent pas un sermon. Les lions communient en moustaches et gants jaunes. Cinq ou six femmes du monde ont imprimé de petits traités mystiques, et le nombre de celles qui en ont en manuscrit est trop grand pour le compter. Le diable au fond n'y perd rien, car il a l'art d'arranger la galanterie avec la dévotion. » Mme de Ludre « a fait deux volumes sur le dogme, où l'on remarque cet axiome : que l'on a tort de se damner pour un plaisir qui ne dure que *seize minutes* ». Mme de Piennes dans la nouvelle de Mérimée n'a point tant de ridicule. Elle est traitée avec indulgence. C'est sa condition de fortune qui est critiquée plus qu'elle-même, assez bonne personne, sincère en réalité. Mais voyons l'anecdote.

La riche Mme de Piennes, entrée à Saint-Roch pour prier, rencontre par hasard la jeune Arsène Guillot venue pour brûler un cierge et demander au ciel de lui fournir un amant fortuné. Elle est tuberculeuse. Ancienne figurante de l'Opéra, jadis entretenue et désormais dans la misère, elle est remarquée par la riche paroissienne, qui à plusieurs reprises l'aperçoit, car toutes deux habitent le même quartier. A quelque temps de là, Arsène voit mourir sa mère. Sans ressources, désespérée, elle se jette par la fenêtre. Mme de Piennes qui a appris ce geste fait secourir Arsène, va la visiter, car la malheureuse s'est seulement cassé une jambe. La jeune femme raconte sa vie à sa bienfaitrice : elle a eu bien des amants dont elle a vécu, comme sa mère avait fait avant elle. « J'aurais été honnête si j'en avais eu les moyens. » Elle n'a aimé vraiment qu'un seul homme, le dernier, celui qui l'a quittée et donc désespérée. Il s'agit en réalité de Max de Salligny qui justement rentre d'un long voyage et va rendre visite à Mme de Piennes qui a failli l'épouser autrefois, mais qui s'est finalement mariée à un autre homme, toujours absent, qu'elle n'aime pas. Max se rendant chez Arsène Guillot dont il a appris les malheurs y fait la rencontre fâcheuse de la dévote. Celle-ci comprend tout et, devant le triste état de la malade plus que jamais tuberculeuse, prend la résolution singulière de ramener au bien les deux anciens amants, en leur permettant de se voir en sa seule présence. Cependant nous comprenons bien que Mme de Piennes et Max ont un penchant réciproque et que la mort, vite expédiée, d'Arsène Guillot, va les jeter dans les bras l'un de l'autre.

Cette apologie de la courtisane, l'hypocrisie sous-jacente de la femme du monde dévote firent scandale en une époque surtout soucieuse de sauver les apparences. J'avoue que, ne les voulant pas sauver, je suis moi-même choqué par cette conclusion bâclée en faveur des nantis. Mérimée a beau avoir l'air de condamner la piété forcée de Mme de Piennes (ce qui lui est facile car il est assez bêtement anticlérical), on sent que l'arrange trop bien une conclusion qui va dans les intérêts de sa classe. La leçon qu'il semble vouloir nous donner se retournerait plutôt contre lui.

Arsène Guillot avait été soumis à l'appréciation de Mme Delessert qui ne parut pas en avoir été troublée. Le récit en réalité s'adresse à elle, en prenant quelquefois à témoin un lecteur éventuel et anonyme. Mérimée semble vouloir justifier à ses yeux la liaison avec Céline Cayot. Le récit avait été également lu chez Mme Lenormant en présence de Mme de Boigne et de Vitet. Tout ce beau monde ne s'en formalisa pas et sans doute même approuva la décision de remettre sans tarder ce texte à Buloz. Ce n'est qu'un peu plus tard que, dans le monde, on se fâcha. Mérimée écrit à Mme de Montijo : « Trois ou quatre femmes, adultères émérites, ont poussé des cris de fureur que leurs anciens amants ont répétés en chœur. C'est à qui me jettera la pierre... Mme de Castellane, comme vous pouvez penser, n'est pas la dernière à dire son mot, M. Molé, qui a voté pour moi, dit qu'il le regrette, et le plus violent c'est M. de Salvandy, qui arrange fort bien dans la pratique le libertinage et la religion, mais qui, en théorie, est le plus moral et le plus pieux des mortels. Tout ce déchaînement de cagotisme m'a mis d'abord en colère, maintenant cela m'amuse. » Et à une correspondante inconnue : « Il y a contre Mlle Arsène, un tollé général. Il paraît que cela réunit toutes les conditions d'impiété et d'immoralité nécessaires pour faire brûler le livre et même l'auteur. Mme de Boigne est près de me désavouer. Le chancelier faiblit. M. Molé, M. de Barante, M. Ballanche sentent leurs faux toupets se hérisser et déclarent qu'ils ne voteraient plus pour moi, si c'était à recommencer. » Mérimée ne s'attendait pas à un pareil scandale. Voici qu'au lendemain de son élection à l'Académie, il est désavoué par ses électeurs. Il dit à Requien : « Je persiste à trouver qu'il n'y a pas de quoi fouetter un chat dans ma nouvelle. »

Le tapage que fait cet écrit du point de vue de la morale est plus mondain que littéraire. Il montre l'ambiguïté de la situation de Mérimée dans le milieu qu'il fréquente. Par la suite « le monde » pardonnera à l'académicien son petit écart de conduite. Quant à la presse, elle fut inégale, plutôt favorable. Pour ma part, je ne trouve pas du meilleur goût cette nouvelle larmoyante. Elle choque les lecteurs de son époque, en paraissant prendre à contre-pied la morale d'alors. Aujourd'hui il nous semble qu'elle approuve au contraire tout un esprit du temps que nous n'apprécions guère. Littérairement, je n'aime pas trop dans l'œuvre de Mérimée ce qui se rapporte au milieu où il a vécu. *La Double Méprise*, *Le Vase étrusque*, que je préfère de beaucoup à *Arsène Guillot*, font néanmoins partie de ce lot. Je n'aime Mérimée que sec, il est ici pleurnicheur, misérabiliste, avec en contrepoint un esprit de caste assez déplaisant.

La société pardonna assez rapidement son incartade à un Mérimée de quarante ans parvenu au sommet de sa carrière. Il est intéressant d'essayer de voir l'homme en cet instant précis de sa vie. C'est un haut fonctionnaire, un écrivain doublement académicien, introduit par une maîtresse aimée à la faveur d'une liaison quasi officielle dans les plus importants salons de son temps. Il serait étonnant qu'il ne tirât pas d'une telle situation une certaine morgue. Son tempérament froid et distant l'y portait, comme on l'a vu. De plus en plus il exerce sur ses nerfs toujours à vif une constante maîtrise. Plus que jamais il apparaîtra comme ce cynique aux allures indifférentes, parlant peu, écoutant à peine, coupant soudain la parole aux autres pour raconter une anecdote personnelle dont tout le monde n'apprécie pas le goût. Pontmartin nous le montre disant « des obscénités grossières avec un flegme britannique ». Sans doute cette opinion est-elle exagérée. Mérimée n'a pas que des amis. Mais il faut tenir pour probable, quand on connaît bien sa correspondance, qu'il a son franc-parler et que, dans certaines circonstances, il a pu lui échapper des propos rappelant le côté « vaurien » de sa jeunesse. Il n'a pas oublié ces fastes débraillés. Il a un goût certain pour les vulgarités « naturalistes ». Il se pourrait même qu'il ait éprouvé quelque plaisir de temps à autre à scandaliser. Cela n'en fait pas pour autant un esprit vulgaire.

Quant à son aspect physique, il agace les uns, fait l'admiration des autres, ce qui tend à prouver que ce n'est pas un aspect ordinaire. Cet homme assez grand, droit, mince s'habille dans Saville Row à Londres, avec un raffinement extrême. C'est le genre de caractéristique qui agace certains. Alors les opinions divergent. Devant cette recherche attentive, les uns voient un plébéien masqué, une sorte de singe habillé. Les autres parlent d'un parfait gentleman, tels David d'Angers, Edouard Grenier, Taine. En réalité un individu quel qu'il soit n'est pas le même en toutes circonstances et peut apparaître selon les jours sous des aspects fort différents. L'abbé Brenand appelle ce galant homme un « commis voyageur » et ce « faux dandy, un bourgeois ». Ce que nous savons de plus sûr, c'est que Mérimée est fort intelligent et que, toujours sur ses gardes, il sait comment se comporter à chaque fois. Il y a en lui un côté bon garçon et aussi un peu un côté parvenu. L'un et l'autre ressortent selon les instants. Luppé nous fait remarquer que, dans *La Double Méprise,* Mme de Chaverny s'écrie : « Bon Dieu ! » à un certain moment et que Balzac n'aurait pas fait parler ainsi une de ses femmes du monde. C'est vrai. Sans doute quelquefois un mot échappe à notre auteur qui s'est mal contrôlé. Pourquoi pas ? Il y a en lui comme en tous une double nature : une profonde, pas mauvaise dans son cas, et une autre surajoutée représentant ce qu'il voudrait être dans l'idéal.

Ce qui est sûr c'est que Mérimée est un « bon vivant », grand amateur de femmes mais aussi de nourritures épaisses. Nous le voyons souvent engagé à Paris ou à Marseille dans des folies de mangeaille. Dans *Le Mangeur du XIXe siècle,* Jean-Paul Aron nous a dit les extravagants excès qui se pratiquaient dans ce même milieu que justement fréquentait Mérimée. A la veille de la première élection aux Inscriptions, Saulcy écrit à La Saussaye : « Mérimée est de retour. Hier, nous avons dîné, flûté, fumé à mort chez lui avec Sharpe et Royer-Collard. Nous nous sommes flanqué une foule de bosses de tous genres. A minuit, nous avions encore tous la pipe à la gueule, et Dieu sait ce qu'il a été dit de turpitudes dans ce sanhédrin de cochons ! » De ces abus Sutton Sharpe est mort prématurément, et pour les mêmes causes bon nombre de ses contemporains bourgeois. Il ne semble pas que Mérimée ait été affecté dans sa santé par les mœurs assez relâchées de son époque en milieu bourgeois. Il est vrai que, dès la quarantaine, cet homme « parvenu » de bonne heure met un frein à ses abus pour maintenir un extérieur convenable et que, passée la cinquantaine, des troubles respiratoires dus à une sclérose pulmonaire vont l'obliger à quelques précautions.

Carmen qui paraît dans *La Revue des Deux-Mondes* le 1er octobre 1845 a été écrit cette même année. Mais sa genèse remonte plus loin. On se rappelle le premier voyage de Mérimée en Espagne en 1830, ses découvertes, sa curiosité, les récits qu'il demandait à Mme de Montijo. A cette dernière il écrit le 16 mai 1845 : « Je viens de passer huit jours enfermé à écrire, non point les faits et gestes de feu Don Pedro, mais une histoire que vous m'avez racontée il y a quinze ans, et que je crains d'avoir gâtée. Il s'agissait d'un Jaque de Malaga qui avait tué sa maîtresse, laquelle se consacrait exclusivement au public. Après *Arsène Guillot,* je n'ai rien trouvé de plus moral à offrir à nos belles dames. Comme j'étudie les bohémiens depuis quelque temps avec beaucoup de soin, j'ai fait mon héroïne bohémienne. » On peut remarquer que huit jours pour rédiger *Carmen* c'est peu, mais il est rare en fait qu'une œuvre ait été si longuement méditée. Quinze ans se sont écoulés depuis le choc que fut pour lui la découverte de l'Espagne. Il a eu le temps d'y réfléchir. On se rappelle qu'il souhaitait lors de son premier séjour rencontrer un de ces bandits de grands chemins dont il entendait parler. Il n'en avait pas trouvé, mais se remémorant les récits qu'on lui avait faits, il avait longuement parlé du fameux José Maria dans sa troisième *Lettre d'Espagne.* C'est certainement à ce personnage qu'il pense lorsqu'il crée Don José, à qui il prête à peu près le même itinéraire que lui-même avait suivi lors de son voyage de 1830 : Séville, Grenade, Cordoue. Quant à Carmen, nul doute qu'il ne se rappelle la bohémienne qu'il avait rencontrée près de Valence. Elle s'appelait Carmencita, vendait ses charmes et disait la bonne aventure. Il en avait esquissé le portrait dans son album de croquis. Jean Mallion et Pierre Salomon disent justement qu'à beaucoup d'égards « *Carmen* est le développement romanesque des *Lettres d'Espagne* ». En lisant *Carmen* en effet on trouvera nombre d'allusions aux épisodes du premier voyage espagnol, concernant l'inconfort des trajets et des haltes, les personnages rencontrés, les anecdotes contées par des tiers.

Il ne semble pas à première vue que le voyage de 1840 ait beaucoup influencé l'auteur dans la composition de son ouvrage. Nous avons parlé de ce séjour à Carabanchel chez Mme de Montijo, des déplacements vers Madrid, des troubles qui alors agitaient l'Espagne. Mérimée y paraît fort loin de ce qui l'intéressait dix ans plus tôt. En réalité, indirectement il poursuit son idée : il cherche toujours à se renseigner sur les gitans, leur langue et leurs mœurs. On sait qu'en 1840 Mérimée a le projet d'écrire une *Histoire de Don Pedre Ier* (qui paraîtra à partir de décembre 1847 dans *La Revue des Deux-Mondes*) et dont il a parlé alors à Manuela de Montijo puisqu'il lui écrit à deux reprises en novembre 1843 au sujet d'une documentation qu'elle lui a promise : « Je vous rappellerai votre promesse d'un manuscrit sur le roi D. Pedro. J'y pense toujours fort sérieusement, et plus je vais avant dans cette histoire plus je tiens à ma première idée sur ce pauvre diable de roi, qui n'a eu d'autre tort que de naître un siècle trop tard. » « Vous me demandez de quels livres j'ai besoin pour le D. Pedro. En vérité je n'en sais rien. Mais vous m'avez promis un manuscrit sur cette époque et un livre apologétique d'un auteur dont vous n'avez pu vous rappeler le nom. » Or il existe un lien entre les affaires bohémiennes et Don Pedro. Ce dernier, selon la légende, aurait eu pour maîtresse une reine des bohémiens. Il faut citer ce passage de Pierre Trahard, extrait de *Prosper Mérimée de 1834 à 1853 :* « Si, dans *Carmen,* Mérimée évoque l'ombre de Don Pedro, dans l'*Histoire de don Pedre,* il retrouve les bohémiens de Séville. Ici, comme là, l'action se déroule partiellement en Andalousie. Séville est la cité de Don Pedro comme elle est celle de Carmen. Don Pedro y est né ; au milieu des orages de sa vie, il y revient toujours. Séville est peuplée de ses souvenirs, hantée par son ombre... Dès 1830, Mérimée parcourant les vieilles rues de Séville et le palais mauresque, respire cette atmosphère historique ; Cordoue lui a révélé Carmen, Séville Don Pedro. Entre la nouvelle et le livre d'histoire, la parenté n'est pas douteuse, et la petite lampe qui donna son nom à la rue tragique de *Candilejo* éclaire pareillement l'une et l'autre de sa lueur funèbre. »

Que Mérimée se soit intéressé à la question bohémienne entre 1840 et 1845, date de la parution de l'œuvre en revue, une série de lettres de ces années-là le prouve. Jusqu'en 1844, Mérimée est pris par son élection à l'Académie et par ses travaux historiques. Mais il est élu à l'Académie le 14 mars 1844 et publie le 21 mars de la même année *Etudes sur l'histoire romaine* dont seul le second tome est inédit, le premier n'étant autre que l'*Essai sur la guerre sociale.* Le voici donc libre et les extraits de lettres que nous allons citer sont tous postérieurs à ces deux dates. A Edouard Grasset, août 1844 : « A propos de linguistique j'ai étudié pendant quelques jours le jargon des bohémiens

(Zingari). Probablement vous devez en avoir en Albanie comme dans toutes les provinces turques. Pourriez-vous répondre à ces 2 questions : Ont-ils une langue particulière, ou seulement un patois ? Savent-ils, sait-on l'époque de leur arrivée en Albanie, et de quels côtés ils sont venus ? Il y a un Allemand qui écrit en ce moment leur histoire, et qui me paraît faire une espèce de roman. Un Anglais missionnaire ou espion a fait sur les Gitanos d'Espagne un livre très amusant. C'est un M. Borrow. Il ment effroyablement mais parfois dit des choses vraies et excellentes. » A Mme de Montijo, novembre 1844 à mai 1845 : « Avez-vous connu un M. George Borrow, missionnaire de la Société biblique de Londres qui a écrit deux ouvrages assez intéressants : “ Gypsies in Spain ” et “ Bible in Spain ”. Il a traduit en chipi cali, c'est la gerigonza des gitanos, l'évangile de saint Luc. Cela s'appelle *Embeo e Majaro Lucas.* Si le hasard vous faisait rencontrer ce petit volume, tâchez de mettre la main dessus. »... « Savez-vous s'il existe encore à Madrid un livre publié par un M. Borrow en *chipe calli* ou langue des Gitanos intitulé *Embeo e majaro Lucas ?* C'est l'évangile de saint Luc. Ce Borrow a fait un livre très amusant intitulé *Bible in Spain.* C'est dommage qu'il mente comme un arracheur de dents et qu'il soit protestant à outrance. Par exemple, il dit qu'il existe encore des musulmans déguisés en Espagne, et qu'il y a eu dernièrement un archevêque de Tolède qui était de cette religion. Sur les bohémiens il dit des choses très curieuses, mais en sa qualité d'Anglais et de saint il n'a pas vu ou n'a pas voulu dire plusieurs traits qui valaient la peine qu'on en parlât. Il prétend que les bohémiennes sont très chastes et qu'un Busno, c'est-à-dire un homme qui n'est pas de leur race, n'en peut tirer pied ni aile. Or à Séville, à Cadiz et à Grenade, il y avait de mon temps des bohémiennes dont la vertu ne résistait pas à un *duro.* »

On voit que ces gitans sont l'objet d'une préoccupation constante. Il n'y a pas lieu de s'étonner dès lors que l'édition du livre de *Carmen* de 1847 comporte un chapitre IV, sorte de dissertation sur les gitans qui n'ajoute vraiment rien au charme de l'ouvrage, mais bien au contraire en détruit l'unité. Nous ne pensons pas que cette étude ethnologique, qui d'ailleurs pourrait être mise en doute par les spécialistes sur des points importants, soit indispensable à la compréhension de l'œuvre. Tout le travail préalable de Mérimée n'aura finalement servi qu'à donner une « couleur locale » vraie, un caractère véritablement espagnol, aux trois premières parties qui constituent un des chefs-d'œuvre de Mérimée. En définitive c'est bien ce qui a été acquis dès 1830, lors du premier voyage en Espagne, qui est cause directe de cette réussite, les commentaires et sorties avec Calderon, les récits de Mme de Montijo, le voyage difficile dans le sud.

Calderon de passage à Paris en 1843 rencontre Mérimée. L'auteur espagnol venait de collaborer à un collectif *Les Espagnols peints par eux-mêmes,* livre dont les deux écrivains parlèrent certainement. Dans ce collectif on relève des articles de différents auteurs concernant « La Gitana », « El Contrebandista », « El Bandolero » (le bandit), « La Cigarrera », en somme bien des éléments qu'on retrouve dans la *Carmen* de Mérimée. Le phénomène est très frappant. On peut dédaigner, étant donné l'importance de ce document, les autres sources possibles de *Carmen.* L'ouvrage auquel a collaboré Calderon (en espagnol *Los españoles pintados par su mismos*), Mérimée n'y fait allusion nulle part. Peut-être justement parce qu'il *ordonne* sur le tard les éléments recueillis en 1830.

Carmen, en tant que personnage, est une femme plutôt « sulfureuse ». Soulignons qu'à quelques exceptions près dans l'œuvre entier de Mérimée « la femme est un diable ». Mais nulle part elle ne l'est plus que dans *Carmen,* véritable sorcière ensorcelante, « une servante de Satan » disent Mallion et Salomon.

Il est dommage que le succès d'abord tiède puis triomphal de la *Carmen* de Bizet ait comme éclipsé à partir de sa première représentation de 1875 l'œuvre de Mérimée. Le livret de Meilhac et Halévy est relativement fidèle à la nouvelle. Il n'empêche. C'est à lui que l'on pense d'abord, de lui qu'on se souvient. Dans la nouvelle, le narrateur avec son guide rencontre au cours d'un voyage le célèbre bandit José Navarro. Il sympathise avec lui, mais le guide prend peur, part pour dénoncer le criminel. Le narrateur prévient José et le fait s'échapper. Un peu plus tard, à Cordoue, il noue connaissance avec la Carmencita, diseuse de bonne aventure, et se fait lire l'avenir par elle, lorsque José pénètre dans la chambre et fait une scène à Carmen. Quelques jours plus tard, repartant pour Cordoue, notre voyageur apprend que José a été pris et doit être « garotté ». Il va visiter José dans sa prison. Celui-ci lui raconte son histoire. Il est d'origine basque. Ce qu'il raconte est à peu de choses près ce qui est narré dans l'opéra comique. José déserte l'armée pour la cigarière qu'il doit emprisonner et qu'il fait évader. Il devient avec elle, grâce à elle, contrebandier puis voleur. Elle a un mari qu'elle a fait s'échapper du bagne, Garcia. José le tue, propose à Carmen de partir avec lui en Amérique. Elle refuse, elle s'est éprise d'un picador, Lucas. José tue Carmen à coups de couteau.

La publication de la nouvelle dans *La Revue des Deux-Mondes*, puis deux ans plus tard chez Michel Lévy, ne fit pas sensation. On commença à en parler lors de la réédition de 1852, mais encore sans beaucoup d'entrain. Cette œuvre fera beaucoup pour Mérimée, mais plus tard, et en somme par l'intermédiaire de l'opéra comique qui en a été tiré. Le nom de Mérimée, connu de quelques « *happy fews* », deviendra alors populaire.

Un mois après la parution de *Carmen* en revue, Mérimée repart pour l'Espagne. « Je compte rester quinze jours à Madrid à fureter dans la bibliothèque pour une histoire de Don Pedre le Cruel qui est mon héros maintenant. J'ai fait l'autre jour une nouvelle immorale dans la Revue [des Deux-Mondes] et je vais la manger de l'autre côté des Pyrénées. » Don Pedre en effet le préoccupe beaucoup. Avant même de partir il écrit à Calderon pour que ce dernier le présente à quelques savants susceptibles de le renseigner sur ce sujet. Son séjour dure un peu plus d'un mois. A en croire ce qu'il dit à Jenny Dacquin, il se plaît moins à Madrid en 1845 qu'en 1840. Il fait froid. Pas de courses de taureaux. Il trouve les Espagnols « insolents » et dénués de toute « galanterie ». Toujours intéressé par les femmes, il écrit à Saulcy : « J'ai vu danser l'autre soir l'innocente Isabelle (la reine d'Espagne) qui ne vaut pas la peine que l'on s'égorge pour savoir qui le lui mettra, mais elle a une sœur qui produit un mouvement convulsif dans tous les pantalons d'hommes. Je donnerais bien une once pour la tenir entre deux draps. »

Mérimée rentre en diligence accompagnant jusqu'à Bayonne la comtesse Merlin, dont il a souvent fréquenté le salon et qui ne cesse de se plaindre. L'année 1846 semble assez mal commencée pour lui. En décembre, il vient de donner sa *Notice sur les peintures de Saint-Savin*, montrant que dans son activité incessante il peut mêler érudition et littérature. Pourtant en ce début d'année, adressant ses vœux à Mme de Montijo, il commence à se plaindre : « Je suis tout malingre et horriblement triste. C'est toujours une chose pénible que ce changement de chiffre à chaque année nouvelle. Cela vous rappelle de la façon la plus disgracieuse que le temps passe vite et que l'on vieillit. » Aurait-il déjà, alors qu'il est au sommet de sa carrière, quelques soucis du côté de Valentine Delessert ? C'est possible. Les ennuis ne vont pas tarder. Mais il est vrai que Mérimée (qui d'ailleurs vieillit de bonne heure) supporte mal moralement de prendre de l'âge. N'écrit-il pas à Jenny Dacquin dès 1842, alors qu'il n'a que trente-neuf ans : « Au milieu de tout cela, je suis devenu bien vieux. Mon firman (mon passeport) me donne des cheveux de tourterelle ; c'est une métaphore orientale pour dire de vilaines choses. Représentez-vous votre ami tout gris. » En 1843 il a été affecté par la mort subite de Sutton Sharpe survenue peu de temps après celle de Stendhal. Le fait est qu'il pense à l'âge et à la mort. C'est dans son tempérament et, à l'apogée de son succès, peut-être à cause de ce succès même, littéraire et mondain, mesure-t-il l'inanité des choses. En ce mois d'avril 1846, il confie à Mme de Montijo : « Je suis très souffrant depuis près d'un mois. Le sang me monte à la tête et je crains fort qu'il ne m'arrive un de ces jours comme au pauvre Sharpe. » Quelques jours plus tard il récidive dans le pessimisme avec la même correspondante : « Je suis très souffrant depuis un mois. Je crains de crever un de ces jours comme Sharpe. Outre cela, je suis tourmenté par tous les *blues devils.* Si nous étions à Madrid, je vous conterais un tas de choses qui m'arrivent et vous me donneriez un bon conseil. » Et encore, le 18 avril : « Ne me parlez pas de Carabanchel. Quand on est dans l'enfer et qu'on n'en peut sortir, il ne faut pas penser au paradis, cela est un surcroît de douleur. Si je pouvais aller vous faire une visite, croyez-moi, je serais déjà en route, mais cela est impossible. Je suis un peu mieux depuis quelques jours. Mieux au physique, pis que jamais au moral. On dit que le travail est une grande distraction, je me distrais beaucoup, mais je ne fais rien qui vaille. N'importe, ne parlons plus de ces maux sans remède. » Que se passe-t-il exactement ? Valentine a-t-elle déjà montré quelque inclination pour Charles de Rémusat à qui elle préférera finalement Maxime Du Camp ?

En février 1846 il a publié dans *Le Constitutionnel,* sans signature, une brève nouvelle, *L'Abbé Aubain.* « Il suffit, dira-t-il à Mme de Montijo, que je parle de curé pour que les vieilles dévotes parlent d'irreligion. L'aventure est vraie et je pourrais nommer les personnages. »

Cette courte histoire est celle d'un curé de campagne qui laisse croire à une paroissienne, « une lionne », obligée par son manque d'argent à passer trois ans dans son château de Noirmoutier, qu'il est amoureux d'elle. Elle le croit et, craignant de partager ce sentiment, elle obtient de le faire nommer à la cure voisine que justement il ambitionnait d'obtenir. Ainsi l'abbé s'est-il servi de la femme du monde uniquement pour obtenir de l'avancement. A noter que la nouvelle est faite d'une correspondance comprenant en tout et pour tout six lettres où ne figurent que des initiales et des prénoms. Presque toujours c'est Mme de P. qui écrit à Mme de G. qu'elle appelle Sophie. Qui donc est cette Mme de P., l'héroïne ? D'après Maurice Parturier, elle aurait (comme d'ailleurs Mme de Piennes d'*Arsène Guillot*) des traits de Valentine Delessert. Il y aurait entre le personnage de la nouvelle et son modèle une certaine identité concernant la coquetterie, le contentement de soi, le désir de respectabilité. Mérimée a rajeuni Valentine de huit ans, ce qui est fort galant et qui éloigne le modèle d'une certaine critique sous-jacente. Car enfin l'auteur se moque, même s'il ne l'exprime pas clairement, de Mme de P.

Ceci renforce l'hypothèse que déjà à cette date, Mérimée aurait quelques reproches à faire à Valentine. En ce temps-là (fin 1845) Charles de Rémusat, personnage important, ancien ministre, tourne autour d'elle. Il est candidat à l'Académie et Mérimée, probablement à la demande de Mme Delessert, cherche à l'aider. Rémusat sera d'ailleurs élu en janvier 1846. L'appui qu'il donne au candidat n'empêche pas Mérimée d'être jaloux. Il a cherché à l'emmener en Espagne dans son voyage de 1845. « Si par aventure vous étiez d'humeur de passer les monts et que vous voulussiez de moi pour trucheman, écrivez-moi un mot à Bayonne et dites-moi où je dois vous attendre. » Il n'a pas réussi à convaincre son correspondant. Dommage, du moins aurait-il été plus tranquille durant son voyage. A la fin de *L'Abbé Aubain* dans la sixième lettre, Mérimée ne peut s'empêcher de manifester le dépit qu'il éprouve. Il y est dit que Mme de P., soit Valentine Delessert, a été « transportée » par l'*Abélard* de Rémusat et « qu'elle rendrait des points à Héloïse pour l'exaltation ». Charles de Rémusat a en effet publié un *Abélard* en deux volumes respectivement en mai et juillet 1845. Mme de P. n'aurait donc pas pu avoir connaissance du second volume à la date de mai 1845, comme le laisse entendre la lettre VI du roman. Mais, par l'intermédiaire de Valentine, Mérimée l'a lu et il a dû lui en coûter d'écrire à Rémusat une lettre flatteuse : « Votre Abélard me paraît excellent. Vous avez été juste pour votre héros et cependant vous le faites aimer. Je n'ai rien lu depuis longtemps qui m'ait autant intéressé. Voilà mon jugement en toute franchise. » Voilà qui contraste avec le méchant mot sur « l'exaltation » de Mme de P. On peut aussi remarquer que l'abbé Aubain se sert, pour obtenir la cure convoitée, de Mme de P., comme, pour se faire élire à l'Académie, Rémusat se sert de Valentine, en laissant croire qu'il est amoureux. *L'Abbé Aubain* ne serait-il donc qu'une mise en garde générale et allusive qu'adresserait Mérimée à sa maîtresse ? Ce n'est pas impossible. N'oublions pas que *L'Abbé Aubain* n'est pas signé. Il serait assez dans l'esprit de Mérimée de jouer ainsi prudemment avec une coquette qu'il n'ose pas aborder de front. Cette intention expliquerait en partie le caractère plutôt insignifiant de la nouvelle. Celle-ci parut en feuilleton dans *Le Constitutionnel* entre un feuilleton d'Eugène Sue et un autre de Louis Reybaud. Voici Mérimée auteur populaire anonyme. En 1847, l'œuvre fut reprise en volume avec *Carmen* et *Arsène Guillot*. Les trois écrits constituèrent l'essentiel du volume *Nouvelles* paru en 1852 et souvent réédité.

Luppé fait remarquer le caractère d' « achèvement » de ces trois œuvres et en profite pour confronter l'art de Mérimée aux critiques dont il fit l'objet. De son vivant, Mérimée passe grosso modo pour le conteur parfait, sans défauts. Sa netteté de style contraste avec l'apport romantique. Barbey d'Aurevilly dit que Mérimée « fut peut-être le seul sobre dans cette littérature enivrée ». Daudon parle de « simplicité chirurgicale ». Louis de Cormenin appelle drôlement notre auteur « L'illustre chef de l'école des décharnés ». Sainte-Beuve, parlant de *Carmen* disait : « Le style de Mérimée a un truc qui n'est qu'à lui ; mais cela n'est pas du grand art, ni du vrai naturel. » Dans des temps plus proches, Trahard qui ne l'aime pas, qualifierait plutôt de pauvreté la sobriété de Mérimée. André Gide ne se montre pas plus indulgent. L'abbé Bremond n'a pas de mots pour qualifier ce pitoyable style et il est vrai que Mérimée mêle un impardonnable négligé à une indiscutable élégance. C'est qu'il y a écrire et écrire. Mérimée suit son idée au plus court, au plus simple et de cela tire sa force sans nous laisser le temps d'interroger le détail. Stendhal disait de lui « qu'il ne touche que huit notes de son piano ». Et qu'importe, si avec ses huit notes il est un écrivain ne ressemblant à aucun autre. Si à une nature, au fond un peu plébéienne, il apporte une exceptionnelle distinction puisée on ne sait où, dans le mystère de l'Art.

Désormais, Mérimée va manquer de temps pour poursuivre vraiment son œuvre littéraire, et pendant bien des années. En 1846 il a écrit *Il Viccolo di Madama Lucrezia* qui ne paraîtra qu'après sa mort. Puis c'est un long silence, du moins pour ce qui concerne ce genre de travaux, car notre homme est plongé dans son œuvre historique. Il semble avoir renoncé à César. Dès 1843 il s'est tourné vers l'*Histoire de Don Pedre Ier*, roi de Castille. On a vu que pour sa documentation il a accablé de lettres Mme de Montijo, qu'il est revenu à Madrid en 1845 pour fouiller les bibliothèques sur ce sujet. En novembre 1846, il repart pour Barcelone. Il écrit à Mme de Montijo : « Depuis quelques jours, je suis enseveli dans les archives et admirablement bien avec mon *tocayo* M. Bofarull, qui est un excellent vieillard, amoureux de ses vieux parchemins, comme un amant de sa maîtresse. Il m'a reçu on ne peut mieux, bien qu'il ait été indignement volé par des Français. C'est à vos bonnes recommandations et à celles de M. de Lesseps, que je dois cet accueil. Il m'a tout montré avec la plus grande courtoisie. Malheureusement, bien que ses paperasses soient arrangées très exactement par ordre de date et un peu par ordre de matière, il s'en faut que les recherches soient faciles. Personne ne sait au juste ce que contiennent les in-folio, et deux ou trois découvertes, que le hasard m'a fait faire, me prouvent qu'avec du temps et de la patience on pourrait en faire bien d'autres. Je travaille comme un enragé et je me crève les yeux à déchiffrer des écritures toutes nouvelles pour moi, et à lire du catalan qui m'embarrasse fort souvent. » Il écrit aussi à Vitet : « Je me suis enfoncé jusqu'aux oreilles inclusivement dans les archives d'Aragon qui valaient bien la peine d'être vues. Le conservateur m'a reçu à merveille parce que je porte le même nom de baptême que lui, et ce rapport établit entre nous une espèce de confraternité. Nous nous appelons *tocayo* ce qui ne peut se traduire en français que par cette périphrase : Ô toi, qui as le même patron que moi. »... « Donc mon tocayo m'a mis en face de 350 volumes, gros in-quarto reliés en parchemin. Ils contiennent la correspondance, décrets, etc. de Don Pedro le cérémonieux rival de Don Pedre le cruel, mon héros. » Cette longue étude aboutira à la publication de *Don Pedre Ier* par *La Revue des Deux-Mondes* à partir de décembre 1847. Ce travail a été constamment interrompu par les incessants voyages de l'auteur, déplacements que son métier lui impose. En mai 1845, Tours. En août, Dordogne, Languedoc, Provence. En septembre, Metz, Trèves, Cologne. En juillet 1846, Laon. En août, Provence. En juin 1847, Angers, Vézelay. Et j'en passe. Cette vie, quoique améliorée par les progrès du chemin de fer, lui est pesante. Il se plaint de la province « sotte et insupportable ».

A chacun de ses retours, il a le plaisir de retrouver, avec son appartement, sa mère, ses amis, son ministère. Il continue à mener une vie mondaine assez agitée, dîne en ville. Pourquoi diable se croit-il obligé de corriger les romans de la comtesse Merlin ? Il vit surtout dans l'entourage des Delessert. Mais il va aussi chez Mme de Boigne à Paris ou à Châtenay, chez la comtesse de Circourt, chez Molé et Mme de Castellane avec laquelle il s'est réconcilié après la brouille qui les avait séparés lors de son élection à l'Académie. A ce sujet il conviendrait peut-être de citer ce propos amusant de Victor Hugo dans *Choses vues :* « Philémon et Baucis ne sont plus une rareté. Le vieux couple se multiplie parmi nous à beaucoup d'exemplaires, au mariage près. Il y a la duchesse de Vienne et le baron de Vitrolles, Mme de Castellane et M. Molé, M. de Chateaubriand et Mme Récamier, M. Guizot et la princesse de Liéven, le chancelier Pasquier et Mme de Boigne... » Peut-être aurait-il fallu un temps ajouter parmi ces couples illégitimes et reconnus Valentine Delessert et Mérimée.

Avec Jenny Dacquin, la correspondance de Mérimée se poursuit, toujours au fond aussi mystérieuse, faite de disputes et de coquetteries, d'agaceries, de reproches, de réconciliations à propos de choses insignifiantes toujours traitées avec une certaine affectation. Oui, curieuse correspondance, dont on ne parvient pas à deviner quels sentiments réels l'inspirent.

IX

1848 et 1851 : Mérimée partisan de l'ordre

C'est en 1845 ou 46 que Valentine Delessert se donne à Charles de Rémusat. Il est évident que dès lors les signes de cet abandon vont se faire de plus en plus nombreux aux yeux de Mérimée. Sans doute se doute-t-il de ce qui se passe réellement, mais il se cramponne à sa passion, souffre, et feint de ne pas savoir. En mars 1846, pendant le discours de réception à l'Académie de Ludovic Vitet, qu'il a contribué à faire élire, il adresse de sa place un baiser à Jenny Dacquin qui assiste à la cérémonie. Au milieu de ses tracas intimes, cet académicien de quarante-trois ans s'efforce de ne rien prendre au sérieux. Il applique à son chagrin, comme à sa haute situation, une ironie qui en principe devrait remettre toutes choses en place. Du moins s'y efforce-t-il, car on devine qu'à cette époque il n'a pas le cœur en fête. D'abord ne pas se prendre pour plus que ce qu'on est, ne figurer en aucun cas parmi les « cuistres ». Pendant les séances de l'Académie il crayonne des portraits-charges de ses confrères qu'on se dispute car ils amusent. Encore l'Académie est-elle un lieu de bon aloi où règne une apparente courtoisie. Mais aux Inscriptions, où les « Cuistrius », sont plus nombreux, il s'en donne à cœur joie. Il écrit à Francisque-Michel : « On a nommé aujourd'hui M. Rossignol en remplacement de Burnouf. Je crains que ce ne soit pas un remplaçant dans toute la force du terme. On dit que cette nomination coule à tout jamais votre ami Egger. Votre autre ami M. Fortoul a pris malencontreusement pour ambassadeur le bon Guérard qui a fait le *speech* le plus ridicule pour déclarer que S. Ex. ne se présentait pas. Là-dessus Beugnot et Villemain lui ont prodigué les coups de griffe, comme ils savent faire, si bien que c'est une candidature à peu près démolie. Il est bien agréable de recevoir six francs pour assister à ces séances-là ; on les payerait volontiers pour entendre toutes les méchancetés qui s'y disent. Depuis qu'il n'y a plus de clubs, c'est à l'Académie des Inscriptions qu'il faut aller pour entendre l'engueulage dans toute son énergie. » Mérimée a l'irrespect facile et dans sa correspondance se laisse aller à une verve comique non dépourvue de grossièreté. Au même Francisque-Michel il dira, par exemple : « Vous êtes impitoyable pour ce pauvre Génin. Je vous pardonne de tirer de ses ouvrages des torche-culs pour votre fils, mais si vous aviez vu comme moi avant-hier le nez de l'auteur, vous n'auriez pas plus voulu le mettre dans votre boyau culier que l'épée de Roland conservée à Rocamadour. Cela ressemblait au cône d'un cratère en éruption. Il n'y a de plus effrayant que le visage de notre ami His de Buttenval qui fait bouillir l'eau de sa cuvette quand il se débarbouille. »

Il avait « canevassé », selon son expression, pour faire élire Vitet à l'Académie. Il va récidiver en faveur de Rémusat son rival auprès de Valentine Delessert. Il le fait probablement sans beaucoup d'entrain et à la demande de l'infidèle qui me paraît montrer en la circonstance peu de délicatesse et beaucoup de vanité. Il a quelque mérite à exercer un parrainage qui sûrement lui coûte. Nous en avons parlé plus haut à propos de *L'Abbé Aubain.* Mais il me paraît utile d'insister sur un épisode si douloureux pour Mérimée qu'il influencera jusqu'à la mort un esprit désormais franchement porté au pessimisme. A Mme de Montijo, il dit en juillet 1848, avant de partir pour une tournée qui va le mener en Bourgogne puis en Auvergne : « Je suis horriblement triste quand je pars pour mes tournées, et cette fois plus que jamais. Cependant, il fait un temps superbe et j'ai mangé du *haschisch* pour me donner de la gaieté, mais fort inutilement. On m'avait dit que j'allais voir le paradis et les houris du Vieux de la montagne ; mais je n'ai rien vu du tout.

Vous savez que le *haschisch* est un extrait d'une drogue enivrante avec laquelle les Orientaux se rendent pour quelques heures les gens les plus heureux de la terre. Il faut croire que cette drogue-là n'est pas à notre usage. » Il souffre donc, mais il accepte la situation détestable qui lui est faite. Il va jusqu'à s'inscrire à la suite de Valentine à la Société de Bibliographie française. De même il continue à se montrer aimable envers Rémusat. Qu'espère-t-il de cette mondaine ambitieuse qu'est Valentine Delessert ? Y a-t-il là manque de caractère, lâcheté ? Sans doute un peu. Mérimée se résigne mal à abandonner ses illusions. Il est de ces natures pessimistes qui ont besoin du réconfort des apparences. C'est volontiers qu'il fera fi de son amour-propre en faveur de son amour tout court. Derrière son ironie, son scepticisme, son habituelle désinvolture, sa sécheresse de manière, il cache la plus vive sensibilité. Et ses amis le disent qui le jugent bon, fidèle. « Nul n'a été plus loyal, plus sûr en amitié, écrira Taine ; quand il avait une fois donné sa main il ne la retirait plus. » Et Renan : « Mérimée eût été un homme de premier ordre s'il n'eût pas eu d'ami, ses amis se l'approprièrent. » Les témoignages d'estime affluent. On n'en est pas étonné quand on connaît son abondante correspondance où l'on voit peu à peu des inconnus prendre dans son esprit la première place parce qu'il a reconnu leur valeur et leur honnêteté. On cite comme preuve de cette fidélité Joly-Leterme, architecte de Saumur, un de ses correspondants, qu'il soutiendra envers et contre tout, en toutes circonstances. Mais presque tous ceux qui l'ont bien connu commencent par s'étonner du masque sous lequel il cache sa vraie nature. Il le sait bien. Il écrira plus tard à Mme de la Rochejaquelein (1855) : « Un des malheurs de ma vie, c'est qu'on me croit moqueur », et aussi à cette même personne qui s'est mis en tête de le convertir à la religion : « Votre lettre, madame, m'a fait grand plaisir et grand bien. Elle m'a trouvé dans une attaque des *blue devils* qu'elle a conjurés. Depuis mon retour en France, je suis fort triste. Tant que je voyage je ne pense guère qu'à la vie matérielle, et je me fatigue tant que je ne pense plus. Il faut que vous sachiez, madame, que vers 1852, j'ai perdu mon grand intérêt à cette vie. Condamné à une solitude croissante, et désespérant de retrouver cet intérêt, je suis hors d'état de travailler et de m'occuper à d'autre chose qu'à courir, voir des tableaux, entendre de la musique, regarder des paysages ou observer dans des pays étrangers les variétés du bipède nommé homme. Je n'ai rien fait jusqu'à présent pour moi, et je n'ai plus personne pour qui travailler. Voilà qui me met beaucoup de nuages noirs à mon horizon. Je suis bien touché de la bonne opinion que vous avez de moi. A certains égards elle n'est pas trop exagérée. J'ai le malheur d'être sceptique, mais ce n'est pas ma faute. J'ai tâché de croire, mais je n'ai pas la foi. Bien que je ne sois pas insensible à la poésie, je n'ai jamais pu faire de vers. Je suis trop *a matter of fact man.* Cela ne tient pas à mon éducation, mais à mon organisation. » Plus tard encore, Baudelaire écrivant sur Delacroix dit ceci : « Un homme à qui on pourrait... le comparer pour la tenue extérieure et pour les manières serait M. Mérimée. C'était la même froideur apparente, légèrement affectée, le même manteau de glace recouvrant une pudique sensibilité et une ardente passion pour le bien et le beau, c'était sous la même hypocrisie d'égoïsme, le même dévouement aux amis secrets et aux idées de prédilection. »

« Il affecte, écrit David d'Angers, toute la manière d'un être blasé qui ne croit à rien. » En réalité ce faux cynique, véritable écorché est de bonne heure porté à une misanthropie que l'âge et les événements malheureux ne vont qu'exaspérer. Il juge sévèrement la société dans laquelle il se plonge. Il confie à sa grande amie Manuela des déceptions mineures qui le mettent en réalité en état de détresse : « Après tous les bals masqués et autres viennent les sermons. On s'y jette avec une recrudescence de dévotion tout à fait édifiante. Mercredi dernier, nous étions invités une demi-douzaine de païens chez une femme orthodoxe qui ne nous a donné que du poisson à l'huile. C'était assurément une embuscade préparée pour que la maîtresse de la maison gagnât le ciel à nos dépens. Il a été convenu dans le faubourg Saint-Germain qu'on ne parlerait pas de bal sur les billets d'invitation, et que lorsqu'on danserait, ce serait par surprise. On n'ira pas au théâtre de tout le carême, seulement à l'opéra italien, qui est comme un couvent, suivant le vénérable abbé Dupanloup. L'hypocrisie générale me fait mal au cœur. On la rencontre partout et vous ne faites pas d'idée combien elle ajoute à l'ennui d'une société déjà guindée et prétentieuse comme la nôtre. Jusqu'à quand refera-t-on toujours les mêmes bêtises sans en inventer de nouvelles ? »

Ce misanthrope est dans les actes capable d'oublier en faveur de ceux qu'il aime ce mépris général qu'il porte au genre humain et qui le fait souffrir. Pessimiste, méprisant, narquois, loyal, sensible, tel il apparaît dans son âge mûr. Il ne changera guère, sinon que ces tendances iront s'exagérant comme il est naturel.

C'est surtout avec Mme de Montijo qu'il aborde les problèmes politiques. L'amitié qu'il éprouve pour cette personne l'incite à suivre de près le cours des événements toujours fort agités qui se déroulent en Espagne. Pendant quarante ans il assistera, toujours inquiet, à la régence de Marie-Christine, à celle d'Espartero, au règne d'Isabelle, à la domination de Narvaez, à l'abdication d'Isabelle. Trois ans après son premier voyage en Espagne, la mort de Ferdinand VII a ouvert la crise. Isabelle II, âgée de trois ans est proclamée reine sous la régence de sa mère Marie-Christine, tandis que son oncle, Don Carlos prétend au trône en vertu de la loi salique. Alors commence une lutte incessante entre royalistes et carlistes.

Mérimée écrit à Saint-Priest : « L'Espagne est en feu et la lutte durera longtemps. La Reine n'a que quarante mille hommes de troupe. Don Carlos peut opposer deux moines à chaque soldat. Je ne sais qui l'emportera. La Reine est menacée des deux côtés, d'une part par les carlistes, d'autre part par sa propre armée dont l'esprit la fait trembler, une armée qui chante *La Marseillaise.* Quelle que soit l'issue de la querelle, la civilisation qui faisait des progrès alarmants dans la Péninsule va faire une halte et nous laissera quelque chose à faire à nous autres romantiques. »

Pendant son séjour de 1840, il se trouve témoin de la révolution qui entraîne l'abdication de Marie-Christine et le triomphe de son adversaire Espartero. Nouvelle angoisse. Il écrira un peu plus tard à Mme de Montijo : « Il me semble que vous avez pris goût aux révolutions. Prenez-y garde. Le *pronunciamiento* a été une petite drôlerie très amusante. Vous n'y avez perdu que trois pouces de votre taille que vous avez repris encore quelques jours après, mais si les *descalzos* font quelque farce, croyez-vous que tout se terminera si doucement ? Une révolution commencée par l'armée conduit au despotisme d'un général, et je vous le souhaite, ou à une république où les généraux de division pilleront tour à tour, comme cela se pratique dans les Etats de l'Amérique du Sud. Espartero n'a-t-il pas évité le pire ? »

Mais les dictatures se succèdent. Après Espartero, c'est Narvaez qui gouverne de 1847 à 1851. « Depuis que j'étudie votre histoire, je trouve qu'il y a chez vous une espèce de fatalité qui pousse à l'extrême tous vos hommes d'Etat. Voilà Narvaez qui court sur la même pente où a trébuché Espartero. » Plus tard c'est la guerre insensée déclarée par O'Donnel au Maroc qui lui donnera des inquiétudes. A vrai dire, la situation ne cesse de se dégrader en Espagne au fil des années, tandis que Mérimée vieillit. Enfin, le 29 septembre 1868, la reine Isabelle est détrônée par le général Prim, héros de la guerre du Maroc, au cours d'une révolution sanglante. « Tout cela finira par un 18 Brumaire. Je presse Mme de Montijo de venir à Paris. Sa maison commande deux places et une des principales rues de Madrid. Les jours d'émeute on se bat dans son salon. »

Encore Mérimée ne se doutait-il pas que la succession d'Isabelle pour laquelle un Hohenzollern fut d'abord pressenti servirait de prétexte à la guerre franco-allemande.

Un œil braqué sur la politique espagnole, Mérimée n'en tient pas moins au courant son amie Manuela des événements qui se déroulent en France, de ce qu'il apprend dans le salon du préfet de Police. Il est bien placé pour savoir par l'intermédiaire de Valentine, de ses amis et parents, ce qui se passe dans les allées du pouvoir. Dès le début de février 1848 il confie à son amie ses appréhensions. Il y a de la révolution dans l'air. Il craint particulièrement le banquet monstre du XIIe arrondissement organisé par l'opposition. « Tout le monde, dit-il, meurt de peur. » Il ne se trompait guère. L'interdiction du banquet par Guizot mit le feu aux poudres, mouvement que n'arrêta pas le renvoi du ministre. Louis-Philippe fait appel à Thiers, puis abdique en faveur de son petit-fils, le comte de Paris. Ce qui n'empêche pas que le Palais-Bourbon soit envahi et que soit constitué le gouvernement provisoire qui proclame la République le 25 février. A Mme de Montijo : « Il y a dans ce peuple si terrible une singulière disposition à la grandeur dans de tels moments. Des ouvriers ont rapporté au Musée des camées pris aux Tuileries et valant plus de cent mille francs. Valentine et son mari sont partis. J'espère qu'ils arriveront à bon port. » A Jenny Dacquin (traduit de l'anglais, 26 février 1848) : « Il y a maintenant une violente tendance à l'ordre. Si cela continue je deviendrai un républicain décidé. » Le propos est amusant sous la plume de ce défenseur de l'ordre qui, bientôt, confondra république et désordre.

Le 24 février, le préfet de Police s'était réfugié chez son beau-frère Léon de Laborde, puis chez Mérimée, 18 rue Jacob. L'hôte poussa le dévouement, pour protéger le mari de son infidèle maîtresse, jusqu'à coucher tout habillé en travers de la porte. Le lendemain il alla chercher Valentine quai Malaquais et lui fit traverser la place de la Concorde où on tiraillait. Toute la famille se trouva réunie à l'hôtel Bedford, rue de l'Arcade. Rémusat était là. Mérimée pleurait à chaudes larmes. Le même soir les Delessert, avec des passeports au nom de Mr. et Mrs Dawkins, prenaient avec leurs enfants le chemin de l'exil.

Tandis que Valentine gagnait ainsi Londres, Mérimée et Léon de Laborde, directeur des Antiquités du Louvre, étaient chargés par le gouvernement provisoire de veiller sur les dépôts d'objets « qui auraient été égarés dans la confusion des événements », ces objets mêmes qu'au grand étonnement de Mérimée les ouvriers rapportaient. Gardes nationaux dans le même bataillon, Laborde et Mérimée défilent dans les rues que parcourent des cortèges de manifestants. Notre écrivain est heureusement surpris par une révolution qui n'a fait jusqu'ici que quatre-vingts victimes environ et qui semble vouloir s'en tenir à des opérations modérées. Il en veut à Louis-Philippe qui a perdu la monarchie par ses fautes. C'est alors qu'il se déclare républicain ou presque à Jenny Dacquin. Mais très bientôt il déchantera. Il craint pour son propre emploi. Tout est désorganisé, les crédits sont coupés. Vitet lui-même est exclu de la Commission des Monuments historiques. Il sera d'ailleurs réintégré sur protestation de Mérimée aux yeux de qui le gouvernement provisoire paraît incapable. Les Ateliers nationaux qu'il a fondés offrent un triste spectacle, avec leurs ouvriers enrégimentés : « On leur donne trente sous par jour ; ils les jouent au petit palet pendant les dix heures que le gouvernement leur permet de consacrer à la patrie. Le reste du temps, ils le passent à perfectionner leur intelligence. » Cette lettre est adressée à Alexis de Valon. A la comtesse de Montijo, il écrit : « Je ne saurais vous dire tout ce que je souffre au milieu du désordre où ce pauvre pays est livré. J'aimerais, je crois, me cacher pour quelques années dans un cloître, ne fût-ce que pour échapper à cette continuelle tension d'esprit sur le même sujet. Qu'arrivera-t-il demain ? C'est ce que chacun se demande toute la journée, bien sûr de n'avoir pas de réponse, car pour en faire une, il faudrait être prophète. Tout est possible, même le bien, disait l'autre jour un de mes amis. Voilà notre situation. Quand on rassemble toutes ses forces pour l'examiner avec un peu de sang-froid, on est frappé de l'absence complète de plans et d'idées. Ça été une surprise pour tout le monde. Chacun n'a eu et n'a encore le temps que de penser à ce qu'il fera dans le moment. D'un côté, il y a des gens étonnés de leur victoire et ne sachant trop qu'en faire, de l'autre, une masse immense de poltrons, tantôt se rassurant, tantôt s'abandonnant au plus complet découragement, prêts à tout céder peut-être, jusqu'à leur tête qu'on ne leur demande pas. »

Peu à peu il vire au conservatisme. Les journées sanglantes de juin achèveront de faire du libéral qu'il avait été en sa jeunesse un conservateur à tout crin, aisément rallié à l'Empire quand l'heure en sera venue. Il n'a jamais eu beaucoup d'estime pour la monarchie de Juillet. Du moins assurait-elle l'ordre que son bourgeoisisme profond préfère à la liberté et, dans ce régime sans éclat, les gens de son milieu tout au moins pouvaient vivre et prospérer. Tandis qu'aujourd'hui avec cette Seconde République..., où allons-nous ?

Le nouveau régime avait en outre l'inconvénient de l'éloigner de Valentine. Celle-ci revint à Paris le 12 avril pour trois ou quatre jours. Elle espérait rentrer bientôt définitivement. Elle reviendra en effet en juin au plus fort des émeutes. Le 16 avril une manifestation est réprimée par la garde nationale. Mérimée avec son bataillon reste cinq heures devant l'Hôtel-de-Ville, sans rien comprendre à ce qui se passe. Le jour où l'émeute envahit l'Assemblée dans la faillite de Louis Blanc désavoué par ses collègues, c'est encore le bataillon de Mérimée qui est entré le premier à la Chambre. Les émeutiers prennent la fuite. Ils sont donc plus poltrons que ces gens de la Chambre qui ont plus ou moins perdu la tête. Tout cela raffermit notre écrivain dans ses positions réactionnaires.

Cependant la machine administrative, comme toujours en pareil cas, continue à tourner avec quelques ratés. La vie se poursuit et même une sorte de vie mondaine. Mérimée, avec Laborde et Lenormant, continue à rédiger des rapports, en particulier sur le musée de Cluny. Le 5 mai, Mérimée dînant chez un ami anglais, Monckton Milnes, se trouve nez à nez avec George Sand qu'il n'a pas vu depuis quinze ans. Il dîne à Saint-Germain avec les sœurs de Valentine, Mme Odier et Mme Bocher. Le 18 mai il doit recevoir Ampère, son vieil ami, sous la coupole académique. Il a recommandé à Jenny Dacquin d'assister à la séance avec un chapeau neuf. Devant un auditoire restreint, la cérémonie se déroule sans grand incident : « Tout s'est assez bien passé. Point de pommes cuites. Un auditoire choisi, beaucoup de femmes, surtout de celles qui suivent les cours du Collège de France et qu'on nomme des Madame Potasse... Elles avaient mis leurs plus beaux chapeaux qui nous rappelaient les jours heureux de l'année dernière. Ampère a parlé pendant 40 minutes, et moi pendant 15, total 55 minutes. Personne n'a réclamé son argent à la porte. Pendant le discours du récipiendaire, j'ai entendu battre le tambour et j'ai cru d'abord que c'était le rappel. J'ai été sur le point de congédier l'assemblée, mais ce n'était qu'une marche de mobiles. Enfin, quoique vous en disiez, tout s'est passé fort littérairement. »

Le 11 juin, le bataillon de Mérimée doit intervenir à nouveau à la Chambre. Il y avait foule autour du Palais. On espérait voir Louis Bonaparte qui ne vint pas. Des incidents graves éclatèrent. On tira sur le général Clément Thomas. C'est le moment que choisit Valentine Delessert pour réapparaître à Paris. Devant coucher dans la rue, Mérimée resta cinq jours hors de chez lui. Il vit le général Négrier mourir sous ses yeux. Les émeutiers massacraient leurs prisonniers, leur coupaient les mains, les empalaient. Tel est le récit que Mérimée fait à Mme de Montijo le 28 juin 1848 : « Voilà cinq jours que je vis et couche sur le pavé des rues avec tout ce qu'il y a d'honnêtes gens à Paris. Je rentre enfin chez moi et ne perds pas un moment pour vous écrire. Nous l'avons échappé belle. Toute cette armée révolutionnaire organisée par Lamartine et Ledru-Rollin et prêchée par Louis Blanc, s'est enfin mise en mouvement, et peu s'en est fallu qu'elle ne triomphât. Heureusement, telle était leur folie qu'ils ont mis sur leur drapeau la devise du communisme, qui devait soulever contre eux toute la saine population. Au milieu de cette bataille acharnée de quatre jours, pas un cri ne s'est fait entendre en faveur d'un prétendant quelconque, et à vrai dire on ne s'est battu que pour prendre ou pour conserver. Pour les insurgés, il s'agissait de piller Paris et d'y établir un gouvernement de guillotine ; pour nous, de défendre notre peau. Les insurgés étaient nombreux, parfaitement organisés et bien pourvus d'armes et de munitions. En quelques heures, ils ont été maîtres d'un tiers de la ville, et s'y sont fortifiés par des barricades admirablement construites, quelques-unes s'élevant à la hauteur des premiers étages. La garde nationale a donné d'abord, et a perdu beaucoup de monde, mais elle a entraîné les soldats et la garde mobile sur la fidélité de laquelle on avait de sérieuses inquiétudes. Ce corps, composé de gamins de Paris, exercé depuis quatre mois et devenu très militaire par la facilité qu'a le Parisien à devenir soldat, se composait de quinze à dix-huit mille hommes. Il s'est admirablement comporté et a fait merveille. Nous avons eu dans ces cruelles journées tous les traits d'héroïsme et de férocité que l'imagination puisse concevoir. Les insurgés massacraient leurs prisonniers, leur coupaient les pieds et les mains. Parmi un convoi de prisonniers que ma compagnie a conduits à l'Abbaye, il y avait une femme qui avait coupé la gorge à un officier avec un couteau de cuisine, et un homme qui avait les deux bras rougis jusqu'au coude pour s'être lavé les mains dans le ventre ouvert d'un garde mobile blessé. Sur leurs barricades, on voyait à côté d'un drapeau rouge, des têtes et des bras coupés. A côté de toutes ces horreurs, j'ai vu des choses bien étranges. Dimanche, n'ayant rien à faire au poste où j'étais, je suis allé avec quelques-uns de mes camarades voir l'affaire de plus près. Nous sommes entrés dans des maisons de la rue Saint-Antoine d'où les insurgés venaient d'être délogés. Les habitants nous ont dit qu'on ne leur avait rien volé. Sur les boutiques, on voyait écrit à la craie par les insurgés : “ Mort aux voleurs. ” Pendant trente-six heures, ils ont été les maîtres du quartier où est la prison de la Force, qui n'était occupée que par un faible poste de garde nationale. Ils leur ont dit de ne se mêler de rien que de garder les prisonniers, promettant de ne pas les attaquer. Cependant, il y avait là sept à huit cents voleurs qui leur auraient été des auxiliaires utiles. Explique qui pourra ces anomalies d'héroïsme, de férocité, de générosité et de barbarie. Le peuple se fait ici des sentiments avec la littérature de mélodrame et les infâmes journaux qui le corrompent à l'envi. Sera-t-il jamais possible de faire quelque chose d'un peuple pour qui un jour d'émeute est un jour de fête, toujours prêt à tuer et à se faire tuer pour un mot vide de sens ? La dernière bataille a été pour les insurgés une leçon sévère, mais on ne peut espérer que le danger soit définitivement conjuré. Le gouvernement n'a ni énergie ni intelligence. Il sent qu'il est abhorré par la France, et pour ne pas reconnaître ses fautes, ou plutôt ses crimes passés, il en fait et en fera chaque jour de nouveaux. On ne vit jamais une ville si consternée que Paris. Une invasion de cosaques y aurait laissé des traces moins horribles. »

Ces scènes devaient laisser dans l'esprit du témoin une trace ineffaçable. Elles fixèrent définitivement ses idées politiques, lui donnant comme une appréhension, comme le pressentiment de ce que sa mort lui évita de voir : la Commune, l'incendie de sa propre maison.

Les mois qui suivirent les tristes journées de juin ne furent pas plus heureux pour lui. La liaison de Valentine et de Rémusat le torturait. En décembre, à Mme de Montijo, il écrit : « Voici une triste année qui va finir. Elle a été pire pour moi et pour bien d'autres, non que j'y aie perdu beaucoup matériellement ; mais je me sens découragé, sans espoir pour l'avenir. J'ai éprouvé dans ces derniers mois toutes les misères de cœur qu'il est donné à un être humain de souffrir. Que je voudrais être auprès de vous, mon amie, et vous conter toutes mes douleurs. Il n'y a que vous au monde à qui je puisse dire tout cela. Il n'y a que vous qui puissiez me donner quelque consolation, car vous avez du cœur et de la tête, et de ce côté-ci des Pyrénées, je ne sache personne qui ait l'un ou l'autre. Pourquoi faut-il qu'il y ait cinq cents lieues entre nous ? » C'est de Mme Delessert certainement qu'il souhaiterait parler. Cependant qu'il souffre à cause d'elle, il se garde bien de s'en détacher. Au contraire il multiplie les liens avec sa famille, s'intéresse au mariage et plus tard au veuvage de sa fille Cécile, traite son fils Edouard comme son propre enfant, le morigène selon les conseils de la mère.

L'élection du Prince-Président, accueillie avec enthousiasme, le surprit comme elle surprit tout le monde, ce 10 décembre 1848. Sans doute s'en réjouit-il. Le parti de l'ordre triomphait. Les Delessert étaient rentrés dès le début de 1849 et avaient repris leurs réceptions. Ils regroupèrent autour d'eux Thiers, Delacroix, Alexis de Valon, Rémusat et l'indéracinable Mérimée. Cette même année, Mme de Montijo dont la fille aînée, Paca, allait bientôt devenir mère, s'était installée à l'*Hôtel du Rhin,* place Vendôme. En 1850 elle loue une maison à Versailles, rue de l'Orangerie. Eugénie vit ainsi passer Louis Bonaparte se rendant à la revue de Satory. Il l'aperçut et fut frappé par sa beauté.

Il ne paraît pas inutile d'insister sur les liens que Mérimée maintint contre vents et marées avec la famille Delessert. C'est un côté étrange mais important de son caractère et qui montre surtout la profondeur de son attachement. J'ai dit brièvement tout à l'heure combien il s'était intéressé au sort de Cécile Delessert. Quand celle-ci se maria en 1847 avec Alexis de Valon, fils d'un député de la Corrèze, il se lia avec ce jeune homme, l'introduisit auprès de Mme de Montijo qui le reçut en Espagne. « M. de Valon me plaît assez, c'est un homme comme il faut, qui a du caractère, qualité qui est toujours très utile en ménage. » Cet Alexis se présentait un peu comme le disciple littéraire de Mérimée. Il avait publié, dans *La Revue des Deux-Mondes* et en librairie, une nouvelle et un roman, *Le Châle vert* et *Le Châle noir* qui avaient fait quelque scandale. En 1851 Alexis se noya au cours d'une promenade en barque sur le lac de sa propriété. Sa femme avait réussi à gagner le bord à la nage. Mme Odier sa tante fut sauvée par un certain M. de Nadaillac qui était de la partie et que Cécile épousa plus tard en secondes noces. Mérimée fut très affecté par ce drame qu'il rapporta dans *La Revue des Deux-Mondes.*

De même notre écrivain s'intéressa passionnément au fils Delessert, Edouard, né en 1828. Remarquons au passage qu'au pire moment de la crise entre Mérimée et Valentine, cette dernière a un fils de vingt ans. Mérimée lui donnait des leçons de latin comme d'ailleurs à ses deux tantes, Mme Odier et Mme Bocher. A en juger par sa correspondance avec le jeune homme, il aurait même songé à un certain moment à lui faire épouser Eugénie de Montijo : « Mad. de Montijo m'écrit pour me demander quand vous viendrez la voir. Eugénie se fait peindre en pied par le premier peintre de l'endroit. Je ne sais si ce portrait est destiné à être envoyé à toutes les cours de l'Europe, jusqu'à ce que quelque prince tombe amoureux de l'original. On me dit qu'elle conduit une calèche avec des poneys méchants comme le diable et qu'elle verse tout ce qu'elle mène. Voyez si vous n'êtes pas tenté de verser dans un fossé avec elle. A votre âge, il me semble que cette perspective ne m'eût pas trop effrayé. » Et encore ceci qui date d'août 1847 : « A propos d'eaux à prendre, allez piquer une tête à Biarritz, département des Basses-Pyrénées. Vous y trouverez une Néréïde des plus blanches dans la personne d'Eugénie qui embellit en ce moment ce port de mer de sa présence. Il y a fort près de Biarritz des rochers qui restent à sec à la marée basse. Dans ces rochers il y a des grottes, et dans ces grottes il y en a une qu'on appelle la grotte des amants. » On a vu plus haut comment Mérimée prodiguait à son protégé les conseils sur les dangers que présentent les conquêtes féminines trop nombreuses.

Mérimée, à quarante-sept ans, prend son grand âge très au sérieux. Même en tenant compte de son époque où la longévité est inférieure à celle de nos jours, je trouve que précocement cet homme s'assombrit en considération de son âge. Voilà qui ne va pas l'aider dans ses entreprises.

On ne sait quel ami de Mérimée suggéra que fût porté à la scène *Le Carrosse du Saint-Sacrement*. Il se trouva qu'Augustine Brohan, qui triomphait dans Molière et Marivaux, s'enthousiasma pour le rôle de la Périchole. Elle écrivit à l'auteur qui avait du goût pour elle et lui rendit même visite pour le convaincre. Il y fit de sérieuses objections : « Premièrement cela a été écrit à une époque où il y avait un peu de courage à se moquer des vice-rois et des évêques ; maintenant ces pauvres gens sont si bas que je me ferais scrupule de faire rire à leurs dépens. En second lieu, la pièce, si pièce il y a, a obtenu il y a vingt ans tout le succès auquel elle pouvait prétendre. Je me souviens qu'elle obligea Mme la duchesse de Berry à se désabonner à *La Revue de Paris*.

Remettre en lumière quelque chose de si léger me semble un peu dangereux. Troisième objection, je viens de relire *Le Carrosse du Saint-Sacrement*, et je trouve, malgré mes entrailles paternelles, que cela ne ressemble aucunement à une comédie. Les scènes sont cousues à la diable les unes au bout des autres et mille défauts qui passent à la lecture deviendraient énormes à la représentation. »

Ce ne fut donc pas sans mal que cette représentation eut lieu, Mérimée se montrant hésitant. Après conseils de Bixio, président de la Commission des Théâtres, et de son vieil ami Ampère, l'auteur fit à Houssaye, chargé d'adapter à la scène une comédie écrite seulement pour être lue, les recommandations suivantes : « Je viens de parler à quelques-uns de mes amis de la petite pièce que vous vous proposez de jouer aux Français, comme tirée du théâtre de Clara Gazul. Ils ont été unanimes pour blâmer ce titre sur l'affiche ; d'abord parce que c'est un voile trop transparent, puis parce que cela me donne deux torts au lieu d'un, celui de présenter au public une vieillerie et celui de n'avoir pas le courage de l'avouer. Je reconnais la justesse de ces observations et je dois m'y conformer. Veuillez donc, Monsieur, si vous persistez à donner mon proverbe, vous en tenir aux termes de ma convention avec Mme Brohan, c'est-à-dire, que la pièce sera *arrangée* et ne portera pas mon nom, mais celui de l'*arrangeur.* » Ce fut un échec. Quatre représentations seulement. Théophile Gauthier loua la pièce pour son « style sobre et ferme » et son interprétation. Jules Janin dans *Les Débats* nous montre la réaction bourgeoise à la représentation : « A l'aspect de l'évêque ramenant la Périchole et aux premiers mots de son récit de Théramène suivi de l'invitation à souper (sur l'air de l'invitation à la valse), vous eussiez vu les hommes et les femmes, tristes spectateurs de cette malséante gaîté, se lever d'un commun accord et se fâcher, non pas comme on se fâche au théâtre, mais comme on se fâcherait dans un salon de gens bien élevés qui ne veulent pas devenir les complices de l'incartade de quelque poète malencontreux. » Par un mot à Bixio, Mérimée met fin à l'affaire : contrairement aux conventions la pièce n'a pas été

« adaptée », il donne sa démission de la Commission des Théâtres. En lui-même il est persuadé (l'avenir montrera qu'il a tort) que la pièce n'est pas faite pour le théâtre.

Le 1er juillet 1850, *La Revue des Deux-Mondes* publie *Les Deux Héritages de Don Quichotte,* qu'il appelle une « moralité ». L'argument en est mince. Egalement éconduits, un oncle et un neveu réagissent, le premier en déshéritant son neveu, le second en épousant un « rat d'Opéra » qui vient d'hériter de 35 000 livres sterling. On retrouve ici le souvenir de Céline Cayot. Cette « moralité », que Mérimée appelle « ma petite drôlerie » dans une lettre à Adolphe de Circourt, n'est pas précisément drôle et manque d'élégance. Divisée en tableaux, l'œuvre fut un instant considérée comme représentable à la scène. L'auteur la lut chez Mme Bocher. Mais Mérimée ne pensait pas être un homme de théâtre. Il l'écrivait à Tourguéniev : « Il faut pour réussir dans une pareille entreprise deux conditions ; 1° deviner le goût et les susceptibilités du public, les effets de théâtre comme on dit ; 2° avoir une patience, une fermeté et une résignation à toute épreuve pour faire marcher les acteurs. Eussé-je le n° 1 qui me fait complètement défaut, je me sens incapable de supporter l'ennui d'une répétition... » Cependant *Les Deux Héritages* paraîtront en 1853 en livre avec *L'Inspecteur général,* nouvelle de Gogol que Mérimée a traduite.

Autre preuve de son inlassable curiosité et activité intellectuelle, depuis 1848, sous la férule de Mme de Lagrené née Varinka Doubensky, il s'est mis à apprendre le russe. Il n'arrivera jamais à maîtriser cette langue difficile, cependant il donnera des traductions, en général peu estimées. En 1849, il traduit *La Dame de pique.* Après un an d'études seulement ce n'est pas mal ! En 1852 il publie une étude sur Gogol, avec qui il correspond par l'intermédiaire d'Adolphe de Circourt, lui aussi marié à une Russe. Le même Circourt lui fournit des renseignements bibliographiques pour une étude qu'il entame avec le plus grand sérieux sur *Le faux Démétrius, scènes dramatiques* qui paraîtra en décembre 1852 dans *La Revue des Deux-Mondes,* suivie de la publication un peu plus tard de l'essai historique intitulé *Episode de l'histoire de Russie. Les faux Démétrius* chez Michel Lévy. Cette histoire lui a redonné le goût du roman. Il repique le même récit sous forme d'un drame qui ne vaut pas l'essai, *Les Débuts d'un Aventurier* qui paraîtra en 1853 dans le même volume que *Les Deux Héritages* et *L'Inspecteur général.*

Au milieu de tous ses travaux et de tous ses tracas, Mérimée poursuit son métier aux Monuments historiques. Les tournées continuent. En septembre 1848, avec Boeswillwald, il a visité la Lorraine, l'Alsace, Bâle et Fribourg. Est-ce par contraste avec ce qui l'a tant choqué en juin précédent, lui, que la nature a rarement inspiré, il en vante les charmes à Jenny Dacquin : « Le temps, qui avait été très mauvais à mon départ, s'est mis au beau pour mon excursion d'Alsace et j'ai joui très complètement des montagnes, des bois et d'un air que la fumée de charbon de terre n'a jamais vicié et qui n'a jamais vibré aux accents du chœur des *Girondins.* J'éprouvais un vif plaisir au milieu de ces lieux sauvages et je me demandais comment on pouvait vivre ailleurs. Les bois sont encore tout verts et ont des odeurs délicieuses qui me rappellent nos promenades. »

En septembre il repart pour la Touraine, les Charentes, le Limousin, le Berry, le Nivernais. Il apporte comme toujours ses soins à Saint-Savin. Au printemps 1850, c'est l'Angleterre. Il part pour Londres avec Viollet-le-Duc sous prétexte de tournée archéologique passant entre autres lieux par Salisbury, Oxford et Cambridge. De là il écrit à Jenny Dacquin de longues lettres où il critique l'Angleterre : « Je ne vous dirai pas grand-chose de mes impressions de voyage, si ce n'est que décidément les Anglais sont individuellement bêtes et en masse un peuple admirable. Tout ce qui peut se faire avec de l'argent, du bon sens et de la patience, ils le font ; mais ils se doutent des arts comme mon chat. »... « Toutes les femmes me paraissent faites en cire. Elles mettent des *bustles* (tournures) si considérables, qu'il ne tient qu'une femme sur le trottoir de Regent's street. J'ai passé ma matinée hier dans la nouvelle chambre des Communes, qui est une affreuse monstruosité. Nous n'avions pas encore d'idée de ce qu'on peut faire avec un manque de goût complet et deux millions de livres sterling. Je crains de devenir tout à fait socialiste en mangeant de trop bons dîners dans de la vaisselle plate en vermeil, et en voyant des gens qui gagnent quatorze mille livres sterling aux courses d'Epsom. Mais il n'y a pas encore de probabilités qu'une révolution éclate ici. La servilité des pauvres gens est étrange pour nos idées démocratiques. Chaque jour, nous en voyons quelque nouvel exemple. La grande question est de savoir s'ils ne sont pas plus heureux. »

Un mois de ce séjour suffit à dégoûter Mérimée de ce qu'il appelle « l'architecture perpendiculaire ». Et pour finir il préfère les capucins aux révérends d'Oxford et de Cambridge. Il rentre à Paris vers le 21 juin pour redevenir « le médecin des cathédrales ».

Au début de septembre il séjourne quelque temps chez la comtesse de Boigne à Trouville, dans une grande propriété située en bordure de plage. Aussitôt après il repart en tournée pour l'Auvergne, la Provence et le Languedoc. C'est au cours de ce voyage que passant au Puy il découvre, dans une salle attenante à la cathédrale, la fameuse fresque du XVIe siècle représentant les Arts libéraux.

Le mois de juillet de 1851 le voit à nouveau en Angleterre où il retrouve Léon de Laborde qui le mène dîner au cottage de Lady Ashburton. Il ne restera d'ailleurs que quelques jours dans ce pays. Son travail l'attend. Il repart pour Sens et Auxerre. On le revoit bientôt à Vézelay puis au Puy où il a la déception de constater que sont à moitié effacées les fresques découvertes l'année d'avant.

Cependant que Mérimée se passionne pour son métier, par goût sans doute, mais aussi par réaction contre des soucis plus intimes, la politique prend à nouveau un cours très vif qui annonce les violences. « Les populations en France, écrit Viel-Castel, attendent l'année 1851 comme on attendait l'an 1000. Ce qu'on souhaite de part et d'autre, c'est de faire cette fois l'économie d'une révolution. » Le même souhait, soyons-en sûrs, est celui de Mérimée. Il suit avec anxiété l'évolution de la situation. Ses lettres à Mme de Montijo, à Requien, à Jenny Dacquin le montrent.

L'élection triomphale du 10 décembre 1848 de Louis Bonaparte à la présidence de la République avait provoqué quelques appréhensions et fait rechercher quelques répliques à la tentation du pouvoir personnel. Le Président n'était pas rééligible. Mais, paradoxalement, on avait abrogé la loi de 1832 qui bannissait les Bonaparte, ce qui permettait toutes les ambitions personnelles. Le Prince devait aussi prêter serment. On avait en somme institué une dualité entre des pouvoirs opposés, ce qui ne manquerait pas de provoquer un conflit un jour ou l'autre.

Aux élections partielles du 13 mars 1850, Paris élit trois candidats socialistes : Flotte, Vidal, Carnot. Mérimée écrit à Requien : « Que vous dirais-je de Paris ? On y est toujours bête et poltron. On passe de la peur à la confiance et *vice versa* tous les quinze jours. Les modérés et les socialistes se disputent la palme de la bêtise et de la poltronnerie. Tantôt j'opine pour ceux-ci, tantôt pour ceux-là. Le plus sûr c'est de dire comme le soldat de Frédéric : l'un et l'autre bien exactement. » La presse s'exalte. il faut en finir avec les socialistes. Le 30 mai la Chambre vote une loi subordonnant le droit de vote à la possession d'un certificat de trois ans de domicile. Hugo s'en indigne. Thiers s'en félicite. La loi touche une population nomade qui vient à chaque vote grossir le nombre de voix socialistes.

On suit tous les mouvements du Prince-Président. En août 1850 il a entrepris une tournée en province. Mérimée en parle à Mme de Montijo : « Notre pauvre président est en voyage. Il paraît qu'il a été indignement reçu à Dijon. Je crains qu'il ne le soit plus mal encore à Strasbourg, sans parler de la chance possible d'un coup de pistolet. Avant de partir il a fait une assez étrange démonstration : c'est de donner à dîner à des officiers et des sous-officiers *pêle-mêle.* La discipline ne gagne guère à des réunions *fraternelles* et cela irrite fort Changarnier. Chose étrange, les soldats grisés ont beaucoup plus crié vive Changarnier que vive Napoléon. Les deux héros de la fête se détestent bien cordialement et se donnent tous les témoignages d'estime et d'amitié possibles. Quand un conflit arrivera, ce qu'il faut attendre, nous verrons sans doute de vilaines choses. »... « Le président, assez médiocrement reçu dans quelques villes, très bien dans d'autres, me paraît après tout mener sa barque assez habilement. Ses voyages, malgré quelques avanies qu'on lui a faites, lui font du bien et il a de grandes chances pour être réélu. Les républicains à bout de ressources en sont à vouloir lui opposer le prince de Joinville pour l'élection de 1852, désespérant de faire passer un particulier. Il n'est plus question de Cavaignac, bien entendu. Le prince de Joinville n'est pas impossible, mais je ne sais s'il accepterait la candidature. Le roi en mourant a recommandé à ses enfants de rester unis. Ces sortes de recommandations sont toujours observées pendant les trois premiers mois, ensuite viennent les ambitions personnelles et les divisions. Comme la famille d'Orléans n'a jamais été remarquable par la dignité, je ne serais pas très surpris que le prince de Joinville acceptât. Le roi est mort en homme du XVIIIe siècle. Après avoir communié, il dit à la reine : "Eh bien ! Amélie, tu dois être contente ? " Nous sommes d'ailleurs parfaitement tranquilles moyennant Changarnier et ses soixante mille hommes. »

En fait c'est sur Changarnier que l'attention se porte. Commandant l'armée de Paris, il assure la sécurité de l'Assemblée. Modeste politique, il déclare qu'il s'emparera du pouvoir pour le donner à qui il voudra. De vifs incidents à l'assemblée entre Hugo et Montalembert, puis un violent discours de Thiers émeuvent Mérimée. Il se confie à Mme de Montijo : « Nul doute que l'on ne soit mangé. Mais à quelle sauce ? Serons-nous pillés par les rouges ? Attraperons-nous des éclaboussures des obus de Changarnier ? Observez deux chiens dans la rue : ils hérissent le poil, montrent les dents, prêts à se dévorer. Si l'un gronde plus haut, l'autre baisse la queue et se sauve. Changarnier a paru si résolu à tout tuer que l'autre a renoncé. Jolie vie que la nôtre !

Nous allons à tous les diables. » Il lui dit encore en novembre : « Le Président et Changarnier se sont embrassés. Cela ne veut pas dire qu'ils ne se haïssent mortellement et ne cherchent à se jouer les plus mauvais tours. Des deux côtés on temporise, la poire n'est pas mûre. C'est le refrain de tous les partis. Personne n'est prêt et la division est si profonde qu'il n'y a de chance que pour le *statu quo.* Mais comment peut-il exister ? Nous sommes comme un bâtiment en ruines qu'on pousse de tous les côtés. On dit bien que les forces contraires s'annulent, mais l'expérience avertit que les ruines qu'on ne répare pas finissent par tomber. »

Sur un ordre du jour imprudent de Changarnier, le « général de l'Assemblée » est révoqué, ce qui fait sensation. Thiers s'écrie : « Il y a aujourd'hui deux pouvoirs, législatif, exécutif. Si l'Assemblée cède, il n'y en aura plus qu'un. La forme du Gouvernement sera changée. Le mot viendra quand il pourra. L'Empire est fait. » Se voyant refuser les crédits qu'il demande, le Président devine qu'il est temps d'en finir. L'Assemblée se sentant à la merci d'un coup de force essaie de ressusciter un décret ancien donnant à son président le droit de requérir la force armée. Les républicains repoussent cette proposition. Mérimée s'inquiète de cette situation tendue et écrit à Mme de Montijo au début de 1851 : « Une révolution est toujours ce qui coûte le plus cher, nous en avons l'expérience la plus complète. Cela ne nous empêche pas de recommencer exactement les bêtises qui ont amené le 24 février. Vous ne pouvez vous faire une idée de la violence des partis. Heureusement que toute cette fureur jusqu'à présent est concentrée dans la classe élevée. Le peuple se soucie aussi peu du Président que de la Chambre et peut-être encore moins de la Chambre. Si la crise se prolonge, il est bien à craindre que les rouges ne se faufilent entre les parlementaires et le Président comme ils ont fait déjà entre Louis-Philippe et le tiers parti. Changarnier, qui était l'épouvantail des rouges, a été remplacé par une espèce de brutal (*le général Baraguey d'Illiers*) assez bon contre une émeute mais dépourvu de sang-froid et de sens commun. Je crains qu'en le destituant, le Président n'ait coupé sa main droite avec sa main gauche. Que voulez-vous, nous sommes incorrigibles. La noblesse française a fait tant de sottises que la bourgeoisie l'a mise à la porte. A présent, la bourgeoisie est encore plus extravagante. Il est impossible de parler politique à présent à Paris. Vous n'avez vu que trois ou quatre partis. Il y en a vingt maintenant et pas un seul n'a de plan ni de système arrêté. Pas un seul ne sait ce qu'il veut, les rouges exceptés, qui veulent prendre l'argent des autres. Comme ils sont les seuls qui agissent conformément à leur doctrine, je crains bien qu'ils ne réussissent un jour. »

Le 2 décembre pour le partisan de l'ordre sera un soulagement. Il écrit à Jenny Dacquin : « Il me semble qu'on livre la dernière bataille, mais qui la gagnera ? Si le Président la perd, il me semble que les héroïques députés devront céder la place à Ledru-Rollin... » « Il est certain que les soldats ont l'air farouche et font cette fois peur aux bourgeois. Quoi qu'il en soit, nous venons de tourner un récif et nous voguons vers l'inconnu. » A Francisque Michel, le 9 décembre : « En ce qui concerne l'état de Paris, sauf qu'on n'y lit plus *Le Siècle*, on y vit comme à l'ordinaire, très tranquillement. Les émeutiers et les curieux ont eu une assez bonne leçon l'autre jour. Souvorov disait : La balle est une sotte, la baïonnette une gaillarde. Mais la balle n'est point tant sotte, si elle fait tenir les badauds tranquilles. On reçoit de partout des nouvelles rassurantes, si ce n'est de Digne, où il y a eu un essai de jacquerie, pillage, assassinat, viol et le reste. Il me semble que si l'on avait laissé grandir cet enfant, il en aurait fait de belles en 1852. » A Mallay, 10 décembre : « Nous sommes tous sains et gaillards. Je suis enchanté d'apprendre qu'il en est de même chez vous. Nos rouges ont reçu une raclée solide et les badauds quelques éclaboussures qui les obligeront à l'avenir à se tenir tranquilles chez eux. » A Joly-Leterme, le 15 décembre : « Nous n'avons eu ni balles ni éclaboussures comme des gens qui ne font pas de barricades et qui les ont en horreur. La raclée a d'ailleurs été vigoureuse et peut compter comme une revanche de 1848. Il faut espérer qu'on s'en souviendra. Je suis content d'apprendre que vous soyez demeurés calmes au milieu de ce tapage. Je ne connais rien de plus affligeant que ce pauvre pays si fier de sa civilisation, et dans lequel on brûle à petit feu des gendarmes, on viole des religieuses, et on tue des gens qui ont des redingotes noires, le tout sous prétexte de politique. Un de mes amis, homme mal embouché, disait qu'il était affligé de voir tant de morceaux de merde habillés en hommes se promener dans les rues de son pays. »

Dans une longue lettre du 20 décembre à Auguste Le Prévost, il décrit l'arrestation des représentants du peuple, conduits de la mairie du Xe arrondissement à la caserne du quai d'Orsay, l'arrestation également de Thiers, l'humiliation que cause à certains une mansuétude qu'ils n'attendaient pas : « De brutalités il n'y en a pas eu. De part et d'autre on a joué la comédie. *All the world's a stage* a dit Shakespeare. C'est surtout vrai en France. L'un a fait le simulacre de découvrir sa poitrine et de l'offrir aux poignards, l'autre a joué pour 48 heures le rôle de prieur du Moyen Age. Personne ne s'est attrapé. Notre ex-président (*Ludovic Vitet*) conduisait la bande. Il était fort simple et fort calme. Il avait bon air, l'air d'un auteur estimable, mais un peu froid. D'autres suivaient se drapant plus ou moins dans leurs paletots. Quelques-uns fumaient, ce qui manquait de dignité. Berryer a commencé par crier vive la République, ce qui a fait rire. Le respectable public assistant à la procession était fort partagé d'avis. Les uns trouvaient la chose comique, d'autres tragique, quelques autres très mal élevés disaient dans un style aussi peu parlementaire qu'académique : enfoncé les 25 francs. La bataille fut peu de chose. En voyant passer les soldats on comprenait que la résistance ne serait pas longue, car ils n'avaient pas l'air de plaisanter... » « Ce que vous ne vous figurez pas aisément c'est la rage des prisonniers délivrés. Des Français à qui on a pris leur *sérieux* (dont ils abusaient) outre les 25 francs ! Il y a de quoi être de mauvaise humeur, c'est vrai ; mais les gens les plus philosophes et les plus étrangers autrefois à toute exagération tombent aujourd'hui dans le ton déclamatoire sans s'en apercevoir. C'est le cas pour un très spirituel de nos amis, biographe d'un grand eunuque et devenu politiquement eunuque lui-même (*Charles de Rémusat*). Le mal c'est qu'on n'a pas eu peur comme en 1848. La peur de 1848 a fait trouver que les coups de pieds au cul étaient peu de chose en comparaison de la guillotine que l'on craignait. En 1851, les coups de pied au cul ont paru plus mortifiants. On conte de deux façons le voyage de notre confrère, l'enfant terrible (*Thiers*). Sur la montagne qu'il habitait, on dit qu'on a employé contre lui tous les raffinements de barbarie. Dans le voisinage de notre commission au contraire, on prétend qu'il y a eu convention et que le voyage s'est fait à la satisfaction des parties contractantes. Il y a ici un grand empressement à retirer les cartes. Chacun l'explique. Nos amis rageurs espèrent une grande quantité de négations. La chose n'est pas impossible à Paris ; cependant il serait singulier qu'on n'eût pas pris quelques précautions à cet égard. En Province autant que j'en puisse juger, il y aura majorité affirmative considérable. Les pillages et les viols de quelques sous-préfectures ont rallié quantité d'incertains. Nous sommes un drôle de peuple, il faut en convenir, et il me semble que l'opinion que les étrangers peuvent avoir de nous doit être médiocre. Les parlementaires disent qu'on n'a ni pillé ni violé. Il est vrai que quelques sous-préfettes ont trouvé que la répression a été trop prompte mais elle était bien nécessaire. J'ai vu des lettres de témoins oculaires qui citent des faits qu'on croirait pris au XIVe siècle.

« Adieu mon cher Maître, je ferai vos compliments à Passy. La colonie est fort diminuée. La cadette (*Mme Bocher*) est à Madrid. La puinée (*Mme Odier*) à Paris est en fureur de l'illégalité, la troisième (*Mme Delessert*) assez sérieuse à son ordinaire. J'oubliais de vous dire que notre Président avait un des premiers repris sa sérénité et son sang-froid normand. Le Benjamin (*probablement Benjamin Delessert*) n'a pu se faire mettre en prison, il en est de même de votre ami Hugo, à qui un commissaire a dit qu'il n'arrêtait que les gens sérieux. »

De telles vues sont évidemment très bornées. Paul Léon dit à ce propos : « Mérimée a identifié République et Révolution. » C'est, hélas, vrai.

Quant au nouveau régime, marqué par la tache initiale qui a présidé à son établissement, il restera toujours instable et menacé. Avec lui la France n'acquiert pas une position solide, mais connaît au contraire une aventure. C'est une péripétie pleine de risques.

X

Peines de cœur d'un nouveau sénateur

Pour Mérimée la bataille des rues avait été « peu de chose ». Sans doute estimait-il qu'on avait rétabli l'ordre à bon marché. André Billy dans son *Mérimée* fait un bilan : « Vingt-sept tués pour la troupe, plus de quatre cents pour les insurgés et les passants ; en province, les républicains traités en bandits de droit commun : plus de 6 000 placés en résidence au lieu de leur domicile, 2 700 astreints à la résidence dans une autre commune, 1 545 bannis, 9 530 transportés en Algérie, la plupart dans un camp ou dans une forteresse, 240 en Guyane ; Thiers, Rémusat, Girardin, Quinet, les généraux Changarnier, Lamoricière, Bedeau et Le Flô, et 71 représentants exilés ; un d'entre eux, Miot, déporté. Parmi les exilés, il faut, en raison de son ancienne amitié avec Mérimée, nommer Duvergier de Hauranne. »

« Voilà une grande révolution faite presque sans effusion de sang », écrit Mérimée à Francisque Michel. Et il ajoute comme pour rire : « Mais il y a eu effusion d'autre chose à Clamecy. La nièce d'un ami à moi a été violée treize fois ou par treize démocrates, on ne sait pas au juste lequel des deux. » A cette réflexion il faut joindre un passage des *Mémoires* de Viel-Castel : « A Clamecy, les bandes socialistes, maîtresses de la ville, se sont fait servir à dîner et elles ont contraint trente-huit des plus jolies et des plus jeunes femmes ou filles de la localité à les servir dans un complet état de nudité. Ces malheureuses ont été violées *coram populo*. Les prêtres, liés à des poteaux, assistaient à ces saturnales ; les insurgés se relayaient pour violer et chaque femme a été la proie de plusieurs bandits ; à la fin, on cherchait ceux qui pouvaient justifier d'une maladie vénérienne pour qu'ils la communiquassent aux victimes de leur brutalité. » Non, décidément, les choses ne se sont pas passées aussi plaisamment qu'a l'air de le dire Mérimée.

Le 21 janvier 1852, notre écrivain est promu officier de la Légion d'honneur. Il sera nommé sénateur l'année suivante. Quoi qu'il en pense, orléaniste ou bonapartiste, il fait dans le nouveau régime une entrée triomphale. Mais dans un bref intervalle de temps surviennent trois malheurs, la mort de Mme Léonor Mérimée, l'affaire Libri, la rupture vraie avec Valentine Delessert.

C'est le 30 avril 1852 dans l'appartement qu'elle occupe avec son fils rue Jacob depuis 1847 que Mme Mérimée s'éteint. Cette pittoresque vieille dame, Mérimée l'adorait. De sa disparition il éprouve donc un immense chagrin. Il écrit à Mme de Boigne : « Si quelque chose pouvait me consoler de la perte que j'ai faite, c'est la sympathie qu'on me montre dans ce moment. Vous parlez de ma mère, Madame, comme si vous l'aviez connue. Pendant toute sa vie elle n'a jamais pensé à elle-même. J'étais habitué à compter sur elle pour tout, et je me reproche bien amèrement aujourd'hui de l'avoir associée à toutes mes peines seulement. Je voudrais pouvoir recommencer ma vie avec elle. » A Albert Stapfer : « Vous avez connu ma mère, et vous savez tout ce que j'ai perdu. Je suis encore dans l'étourdissement. Mais je sens que chaque jour me montrera davantage l'étendue de la perte que je viens de faire. Ma pauvre mère a peu souffert, du moins son médecin me le dit, et je crois qu'il dit vrai. Elle a succombé à une fluxion de poitrine. Les huit jours de sa maladie ont été une alternative incessante de lueurs d'espérance sans cesse trompées. Quand la maladie inflammatoire a été vaincue, la nature était épuisée et n'avait plus de force pour une réaction. Elle s'est éteinte doucement et sans avoir conscience de son état, chose étrange, car souvent dans des maladies bien moins graves, elle se préoccupait beaucoup plus, et prenait ses mesures pour la mort avec le calme et le courage que vous lui connaissiez. »

A cette douleur vient se joindre le souci pour un célibataire endurci de s'occuper de sa maison. Il va déménager. Son cousin Fresnel lui offre un étage de la maison qui lui appartient 52 rue de Lille. Il s'organise. Vont veiller sur son ménage, Fanny Lagden et sa sœur Emma Ewer devenue veuve de bonne heure. Mérimée avait connu ces personnes, élèves de sa mère, quand il avait dix-neuf ans, et elles un peu plus. Fanny, qui partage aujourd'hui sa tombe, sera son « bâton de vieillesse ». On a dit qu'elle fut en son jeune âge maîtresse de Mérimée. Cette affirmation se base sur l'existence présumée d'un billet rédigé en anglais que Mrs Ewer aurait brûlé mais dont le Dr Hannequin aurait gardé la traduction. Rien de probant en réalité.

Pour l'instant, Mérimée organise sa nouvelle existence. Du chagrin que lui cause la disparition de sa mère, viennent le distraire, très nettement si on en juge par sa correspondance, les tracas que lui suscitent cette malheureuse affaire Libri. En résumé, Libri, ami de l'écrivain, membre de l'Académie des Sciences, professeur à la Sorbonne et au Collège de France, inspecteur général des Bibliothèques, était soupçonné depuis 1846 d'avoir détourné et vendu des manuscrits et livres rares. Avec les années les preuves s'étaient accumulées sans trop nuire à sa réputation ni à ses amitiés, jusqu'au jour où en juin 1850 il fut condamné par contumace (il s'était réfugié en Angleterre) à dix ans de réclusion, à la dégradation, à la perte de ses emplois publics. Mérimée, contre toute évidence, prit tout de suite sa défense. Il mit un exceptionnel entêtement à soutenir la thèse de l'innocence. Le coup d'Etat de décembre, le nouveau régime, la rosette de la Légion d'honneur renforçant son assurance, il publia dans *La Revue des Deux-Mondes* du 15 avril 1852 une longue lettre prenant à parti les accusateurs de Libri. Il reçut le 27 avril, trois jours avant le décès de sa mère, un mandat de comparution devant le tribunal de première instance, sous l'inculpation d'outrages publics envers des fonctionnaires de l'ordre judiciaire. Dans *Les Débats*, dans la revue de Buloz, il baissa le ton, comme d'ailleurs au cours de son interrogatoire. Il n'en fut pas moins condamné le 26 mai 1852 à quinze jours de prison ferme et mille francs d'amende. Il présenta sa démission aux Monuments historiques, celle-ci fut refusée. Il paya son amende, se fit écrouer à la Conciergerie où, par un été chaud, il passa quinze jours à l'ombre pendant lesquels les visites, dont celles de plusieurs jolies femmes, ne lui manquèrent pas, ni les provisions ni les cadeaux. A peine sorti de prison, par dérision du sort, il se trouva désigné comme juré aux Assises de la Seine.

Si on veut bien se souvenir qu'il avait été amoureux de Mélanie Double, et qu'un projet de mariage raté était sans doute à l'origine de son premier voyage en Espagne, on comprend mieux les préjugés de Mérimée en faveur du second mari de sa presque fiancée de 1830. La culpabilité de Libri aujourd'hui n'est absolument pas douteuse. Cependant, fort amer, Mérimée reviendra souvent sur ce sujet et s'entêtera sur la thèse de l'innocence.

Sa nomination comme sénateur en juin 1853 lui fut peut-être un apaisement, encore qu'il n'ait pas accepté cet honneur sans quelques grimaces. Cette nomination survenait six mois environ après le mariage de Napoléon III avec Eugénie de Montijo. Aussi faut-il revenir sur les circonstances de ce mariage.

J'ai dit plus haut que le prince avait été frappé par la beauté d'Eugénie aperçue à Versailles en revenant de Satory. Sur ce point des premiers rapports entre Louis-Napoléon et Eugénie les versions diffèrent. Voici celle, très vraisemblable, que fournit Paul Léon. Eugénie aurait rencontré entre 1846 et 1848 à Madrid celui qui allait devenir son époux. Elle aurait fait sur lui une forte impression. En 1849 elle vient à Paris avec sa mère. Elle est présentée au Prince-Président l'année suivante chez la princesse Mathilde. L'été 1851 elle est invitée avec sa mère à Saint-Cloud. Mme de Montijo aurait alors engagé la partie. Eugénie a déjà 25 ans. Elle est d'un caractère passionné. Elle a aimé le duc d'Albe qui en fin de compte lui a préféré sa sœur, Paca, puis le duc de Sesto qui sera l'ami de son grand âge. Elle a refusé divers partis, en particulier Edouard Delessert que Mérimée poussait en avant. Mérimée s'inquiétait en effet de son caractère imaginatif et rêveur : « Je crains pour Eugénie les sous-lieutenants de hussards sans un sou vaillant, mais pourvus de belles moustaches et d'un brillant uniforme. Voilà ce qui me fait désirer la voir pourvue pas trop tard, c'est-à-dire avant qu'elle ait commencé le premier chapitre d'un roman. »

La correspondance de Mérimée nous dit peu de choses sur les péripéties qui se succédèrent dans ce cœur trop sensible. Mais il est certain qu'il s'en occupa.

Il y a à partir de 1851 échange de correspondance entre Eugénie et Louis-Napoléon. D'après Arsène Houssaye, dont les témoignages sont souvent douteux, Mérimée aurait rédigé les lettres d'Eugénie. Il aurait joué un rôle d'intermédiaire peu reluisant. Tout me paraît prouver au contraire que vis-à-vis de ce mariage il se montrait fort circonspect. On ne le sent pas en confiance. Il n'a pas l'assurance que le mariage envisagé soit un mariage heureux, étant bien entendu que le futur n'apparaît pas comme un modèle de fidélité. Il n'empêche que, après un bref séjour d'Eugénie à Fontainebleau en novembre 1852, après que l'empire eut été proclamé puis plébiscité, le nouvel empereur fit sa demande en mariage le 15 janvier 1853 et que ce mariage fut célébré le 30. Bien qu'il ne s'agisse que d'un mot d'esprit assez plat, celui adressé par Mérimée à Francisque Michel en ce mois de janvier est éloquent : « L'empereur est le résultat d'une élection et l'impératrice d'une érection. »

L'affaire ne s'est pas réglée simplement. Le sexe a eu son mot à dire avec Miss Howard, maîtresse en titre de l'empereur. Elle se mariera et cèdera la place en 1854. La politique parle aussi. Il est question d'un mariage avec Adélaïde de Hohenlohe, nièce de la reine Victoria. La réponse négative de cette cour est déterminante dans le choix que l'empereur fait d'Eugénie.

Quant à Mérimée il n'est nullement attiré par l'empereur et continue d'exercer son métier comme si de rien n'était, comme si, vingt ans plus tôt, il n'avait pas fait sauter sur ses genoux celle qui est devenue son impératrice. Il s'est contenté d'établir avec Viollet-le-Duc, en vue du mariage, les armes complètes d'Eugénie, son blason faisant ressortir les « trois grandesses » de son origine. Puis il est revenu à ses chers monuments. L'empereur sent de sa part une résistance. Il veut la vaincre. Il lui fait offrir le secrétariat des commandements de l'impératrice. Mérimée refuse. Veut-il du moins accepter la direction des Archives ? Pas davantage. Il écrit à Aimond Mallay [1] : « L'Empereur a eu la bonté de m'offrir une très belle place. Mais je lui ai répondu que je tenais à mes vieux monuments et aux vauriens d'architectes qui les réparent et que, s'il voulait bien le permettre, je resterais gros Jean comme devant. Voilà l'exacte vérité. J'ai essayé de lui extirper quelques millions pour activer la chose, mais il ne m'a pas paru trop mordre à l'hameçon de mes arguments. Roulons en attendant notre brouette. » L'impératrice eut alors l'idée de le faire nommer sénateur et, pour le décider à accepter, fit intervenir sa mère. Il résista un moment. Voici ce qu'il dit de l'affaire à Francisque Michel : « Assurément, si j'avais à me faire un lit, j'en prendrais un autre. Vous comprenez que je suis en ce moment aussi content qu'un chat sur la glace, les pattes dans des coquilles de noix. J'avais à choisir entre un refus ridicule dans son obscurité et les charmes de l'avenir. Sa mère est la meilleure amie que j'aie depuis tantôt 23 ans. Son dernier mot fut : Soyez notre ennemi ou laissez-vous faire. Le bon côté de la médaille est que j'ai plus de liberté et d'autorité pour parler aux gens des arts et des églises qui dégringolent ; et si je prends aujourd'hui la défense d'un pauvre diable qu'on assomme, on ne me mettra plus en prison sans que mes 149 collègues soient consultés. A propos, n'est-ce pas drôle ? Cela m'est venu l'anniversaire de ma condamnation de l'année passée. Je vous avoue que je ne sais si je n'ai pas été plus sensible aux marques d'intérêt que mes amis m'ont données dans cette occasion. » A Mme de Montijo : « Vous avez fait un sénateur, il y a deux ou trois heures. J'en suis un peu étourdi. M. Fould me dit que l'Impératrice a embrassé avec effusion son mari lorsqu'il lui a annoncé la chose. Ce petit détail m'a fait autant de plaisir que la chose elle-même. Il est difficile

1. Architecte de Clermont-Ferrand.

de faire sortir de son trou un vieux rat qui s'est retiré du monde », et à Th. de Lagrené : « La tuile m'est tombée il y a une heure. M. Fould toujours très galant pour votre serviteur m'a demandé de conserver ma place. J'ai consenti, mais sans appointements. Vous dire que je suis fâché ce serait mentir. Content ? non. J'ai déjà vu tant de vilains côtés de la nature humaine que je n'avais ni besoin ni envie d'entrer aux premières loges pour en voir davantage. »

Mérimée ne jouera au sénat qu'un rôle des plus discrets. En dix-sept ans il n'y prit la parole que trois fois. Mais en ce mois de juillet 1853, son nouveau titre lui donne l'occasion d'approcher les époux impériaux et de se réjouir de leur entente au moins apparente. Il dit à Mme de Boigne : « J'ai demandé à faire mon remerciement de vive voix. On m'a répondu par une invitation à dîner — un dîner en province, chez un riche propriétaire qui admettrait à sa table les gens de son village. Ils mangeaient sans rien dire. On m'a interpellé et j'ai jasé comme une pie borgne. Nous avons ri comme dans une *tertulia* d'autrefois. Deux personnes parfaitement naturelles, lui autant et plus qu'elle. Bien que n'ayant pas trois idées communes sur cent le naturel est si belle chose que je n'étais ni contraint ni ennuyé. C'est le secret de son succès et ce qui met les gens à l'aise avec lui. Il m'a semblé amoureux d'elle plus que jamais. Quand ils s'adressent la parole, ils se disent toujours " tu " sans aucune réserve comme s'ils étaient des domestiques. » Il écrit aussi à Lagrené : « J'ai passé ma journée à une commission chez le souverain et la souveraine. J'ai remarqué chez lui l'expression de vif plaisir d'amour-propre. Je la crois heureuse et transformée. Pendant deux grandes heures qu'a duré cette conférence ils étaient assis comme des tourterelles dans leur nid. Je les ai observés. Pendant deux heures, elle a continuellement gardé la main de son mari dans la sienne, sous la table. Paca dit qu'on a ensorcelé sa sœur. »

On a expédié Mme de Montijo. Peut-être s'est-elle montrée trop intrigante. En tout cas elle reprend sans tarder le chemin de l'Espagne. Mérimée en est gêné. Il accompagnera son amie jusqu'à Poitiers. A partir de là, sa correspondance avec elle va s'accélérer. Il la tiendra au courant de tous les faits survenus à la cour. Et le plus souvent il atténuera ce qui pourrait la contrarier. « A mon retour j'ai trouvé que Don Luis prétendait qu'il vous avait accompagnée à la gare avec sa femme ; d'où je conclus qu'après réflexion il a trouvé qu'il eût mieux fait de vous dire adieu un peu plus tard. Il faut lui savoir gré de ce repentir quelque tardif qu'il soit. »... « Vous avez dû vous trouver bien seule dans votre grande maison. C'est une terrible chose que d'avoir des filles et de les marier. Que voulez-vous ? L'Ecriture dit que la femme quittera ses parents pour suivre son mari. Maintenant que tous vos devoirs de mère sont remplis — et personne ne vous contestera d'avoir fort bien marié vos filles — il faut que vous songiez à vivre pour vous-même et à vous donner du bon temps. »

Pour ma part, je n'ai pas l'impression que Mme de Montijo ait consenti tant de sacrifices. Elle a en effet bien marié ses deux filles et tiré du tout le meilleur qu'il était possible, sans beaucoup s'affliger. Mais la correspondance continue : l'impératrice était jolie, elle avait l'air heureux, sa fausse-couche récente est sans conséquences, elle accomplit son rôle en conscience. Cette dernière proposition est juste. Eugénie prend son rôle d'impératrice au sérieux. Elle a voué un culte à Marie-Antoinette, ce qui se lit partout sur les murs de sa chambre à coucher sous forme de gravures. Malheureusement le ménage va désormais cahin-caha. L'empereur a repris ses relations avec Miss Howard. Il les interrompra l'année suivante en mariant sa maîtresse munie d'une reconnaissance de dette. Eugénie n'aime pas l'empereur. Elle l'admire et en même temps appréhende l'avenir. Elle n'a pas été heureuse jusqu'ici, sa mère lui préférait sa sœur aînée. Elle a renoncé au duc d'Albe, au duc de Sesto, à d'autres encore. Sensible aux récits napoléoniens que lui fit Stendhal dans son enfance, elle reporte sur le neveu le prestige de l'oncle. Pourtant les infidélités de l'époux seront nombreuses et souvent basses quand elles ne seront pas éclatantes et humiliantes comme ce fut le cas avec la Castiglione. On est sensible au destin singulier et malheureux de cette Eugénie qui, née en 1828, mourra en 1920, cinquante ans après la chute de l'empire.

Mérimée quant à lui n'est guère plus heureux. A Rémusat qui a dû prendre le chemin de l'exil après le 2 décembre, Maxime Du Camp a succédé dans le cœur de Valentine Delessert. La conquête n'était pas difficile. L'ancien amant avait cinquante ans, le nouveau trente. Loin de concilier amour et amitié, et peut-être poussée en ceci par Du Camp, Valentine exige une rupture complète, la cessation des visites, la remise des lettres et cadeaux. Mérimée lui écrit le 5 juillet 1854 : « J'ai cru remarquer que depuis quelque temps vous me traitiez avec une grande froideur pour ne pas dire plus. J'ai la conscience de n'avoir rien fait pour mériter cela. *Je crois* au contraire m'être appliqué depuis un an à éviter en tout ce qui pourrait vous déplaire. Si je me suis trompé, Madame, je vous serais on ne peut plus reconnaissant de me le dire. Je vais partir bientôt et probablement pour loin et longtemps. Je ne voudrais pas laisser derrière moi de mauvaises pensées. Un Grec a dit qu'il ne fallait pas laisser pousser de l'herbe sur le chemin de l'amitié. Il me semble y voir des ronces et si par quelque faute involontaire j'en étais la cause j'en serais aussi affligé que repentant. »

A Mme de Montijo : « Le moral est toujours au-dessous de zéro. Si un sorcier s'était avisé de me dire qu'en 1854 je serais libre comme l'air et me trouverais très malheureux, je l'aurais pris pour un grand sot. Le grand sot, c'est moi qui ai fait consister le bonheur à trouver un merle blanc, oiseau infiniment rare. » A son amie espagnole, il écrit à nouveau le 1er janvier 1855 : « J'ai reçu, il y a trois jours, de Valentine, un paquet contenant un certain nombre d'anciennes lettres et quelques petits objets que je lui avais donnés, le tout accompagné d'une lettre assez amicale quant à la forme, où elle disait qu'en prévision de la mort qui peut arriver d'un instant à l'autre, elle avait voulu mettre ordre à ses affaires, et ne rien laisser qui pût surprendre ses héritiers. Je vous avoue que cela m'a fort choqué. Je lui ai demandé par où j'avais mérité d'être traité avec cette méfiance. Si ces objets qui, au fond, ne sont nullement compromettants, lui semblaient tels, pourquoi ne pas les détruire au lieu de me les renvoyer ainsi ? J'ai pensé que c'était une manière détourné de me demander d'en agir de même avec elle. J'ai fait un paquet de lettres et de dessins et je vais lui rapporter tout cela. Je me creuse la tête pour comprendre ce qui la fait agir. Quelquefois, il me semble qu'elle m'a pris en haine, mais je ne puis deviner le pourquoi. Il n'y a pas de prêtre dans cette affaire. Bien que depuis plusieurs années j'ai eu beaucoup à m'endurcir de ce côté, je ne puis vous dire combien cela m'a fait de peine. Il n'y a rien de plus triste que de se trouver de plus en plus isolé à mesure que les années viennent et qu'on sent davantage le besoin de la confiance et de l'amitié ! », et le 17 janvier, à la même correspondante : « Il m'est très difficile de la trouver seule et elle met un grand art à m'ôter toute occasion de lui parler un peu longuement. Je lui ai offert de lui rapporter ce que j'avais. Elle a refusé. Dois-je le détruire ? Elle m'a répondu de ces choses qui ne signifient ni oui ni non. La dernière fois que je l'ai vue, je n'ai pu *absolument* lui parler. En attendant j'ai fait un paquet de lettres. J'ai cacheté quelques dessins et autres menus objets, et j'attends. Si je brûle tout cela, restera de sa part un sentiment de méfiance. D'un autre côté, je ne sais pas comment le lui apporter. Et puis, j'ai horreur des scènes, et arrivant avec les meilleures intentions pour n'en pas faire, il se pourrait fort bien que j'y fusse entraîné. Tout cela est un détail tracassant au milieu d'un grand fond de tristesse. Elle a redoublé en faisant le paquet de lettres. Naturellement, j'en ai lu un certain nombre, et j'ai vu combien le même cœur et le même caractère avaient été changés. Le comment et le pourquoi m'échappent. Le résultat d'une liaison de plus de vingt ans me désespère et j'en suis à m'attrister pour le passé et à penser que tout le bonheur que j'ai eu était faux. Mes souvenirs même ne me restent plus. » A Mme de la Rochejaquelein l'année suivante : « Je ne puis plus travailler parce qu'il n'y a plus personne pour prendre en considération mon travail. »... « J'ai eu pendant quinze ans un but qui était de plaire à quelqu'un. Je n'ai rien écrit dans ma vie pour le public, toujours pour quelqu'un. Il y a trois ans que je n'ai plus de but. »... « Il faut que je retranche quinze ans de ma vie, non seulement perdus, mais dont le souvenir même est empoisonné pour moi. Il y a des souvenirs qui étaient un monde surhumain pour moi et qui m'est fermé. »... « J'ai cru longtemps qu'on me haïssait. Maintenant je ne le crois plus. On ne me fait même pas cet honneur. C'est une lampe qui a brillé longtemps, puis qui s'est éteinte par je ne sais quel accident. Je ne me fais pas de reproche, on ne m'en a pas fait. J'imagine qu'on voudrait me voir en Chine, mais on ne m'y a pas envoyé. On ne peut pas ne pas me voir. Je ne peux pas m'en dispenser. Il y a un très beau vers de Pouchkine : " Le bonheur de donner à chacun tour à tour. " Quand on a eu sa part, c'est fini. » Et à nouveau à Mme de Montijo : « Je pars sans dire adieu à Valentine. Qui m'aurait prédit cela il y a six ans m'aurait bien étonné. Pour moi, j'ai le malheur de croire que quand il fait beau, il ne pleuvra jamais. Je suis toujours surpris du malheur qui arrive, surtout du côté par où il arrive, car je me sers assez souvent de mon imagination pour voir l'avenir en noir. Mes pressentiments se vérifient bien souvent, mais jamais de la façon que j'avais prévue. Ainsi j'avais pensé bien souvent que cette amitié finirait soit par sa mort soit par toute autre catastrophe. Je n'avais jamais supposé un instant que cela s'éteindrait comme une lampe faute d'huile. La puissance aimante est finie chez elle. Je vous ennuie avec mes rabâchages. Mais que voulez-vous ? Il n'y a que vous que je puisse ennuyer de cela. Je dois vous dire d'ailleurs que je suis bien mieux au moral que je n'étais. Je me sens un peu moins abruti, un peu moins dépourvu d'énergie que je n'ai été. L'amélioration n'est pas grande, mais il y a du mieux et je me trouve comme on est en se réveillant. Je ne dors plus, j'espère avoir la force de me lever bientôt. »

Nous sommes en août 1857. Une convalescence s'amorce. Mérimée ne va pas tarder à comprendre, à voir Maxime Du Camp à l'origine de ses mécomptes. Il s'en ouvrira à Mme de la Rochejaquelein : « Je vous ai parlé d'un grand chagrin que j'ai eu et que j'ai. Depuis quelque temps il a changé de forme. J'ai découvert, ou j'ai cru découvrir le mot d'une énigme qui m'était demeurée tout à fait obscure. Cela ne m'a pas consolé, mais cela a donné une nouvelle forme à mon chagrin. J'ai maintenant plus de pitié que de colère, et je trouve que j'ai été surtout bête. Comme je n'ai jamais eu trop d'amour-propre, *for a man of my weight*, je suis peut-être moins triste de cette découverte-là que ne le serait un autre. Cependant je voudrais bien recommencer ma vie à partir de vingt ans. »

Toutefois, il ne rompt pas totalement avec Valentine. Il continue à lui écrire, toujours de manière officielle, circonstancielle. Nous ne possédons aucune lettre qui soit d'un autre ton. Gabriel Delessert meurt en 1858. Les années passent. L'oubli vient. Maxime Du Camp s'est peut-être lassé. Mérimée étant malade, passant le plus clair de son temps à Cannes, Valentine est heureuse de retrouver l'amitié de Prosper. Moins sans doute que lui qui écrit : « Vous m'avez rendu une amitié qui m'était bien précieuse et dont j'ai douté quelquefois avec le plus grand chagrin. Il m'a semblé que vous m'ôtiez une épine du cœur. Ne parlons plus de cela. Permettez-moi seulement de vous en rendre grâce. » Mme Delessert survivra vingt-quatre ans à Mérimée. Elle mourut à l'âge de quatre-vingt-huit ans.

C'est le 23 juin 1853 que Mérimée a été nommé sénateur. Voulant présenter ses remerciements, il a été invité à dîner dans l'intimité à Saint-Cloud. Le Sénat représente pour lui non seulement les honneurs, mais encore une dotation de trente mille francs. Mérimée la touchera mais refusera de cumuler avec son traitement d'inspecteur des Monuments historiques. Il n'en continue pas moins à exercer ses fonctions. Les rapports des séances de la Commission font foi de la fréquence de ses interventions. Cependant il se décharge de partie de ses tournées sur son adjoint Courmont. Comme on l'a vu dans une lettre adressée à Francisque Michel son nouveau titre le laisse inquiet. Que va-t-on penser ? Il y a adhésion de fait au nouveau régime. Comme toujours en pareille circonstance ses amis, comme ses ennemis, vont renforcer leurs positions. Certains lui tourneront le dos. D'autres à qui il ne pensait pas viendront le chercher. Mais qu'en est-il au juste, en dehors de ces mouvements passionnels ? On ne pense pas généralement que notre auteur, jadis très orléaniste, soit devenu du jour au lendemain bonapartiste.

Histoire de faire oublier un peu les honneurs dont on vient de le combler, il va aller passer trois mois en Espagne. Il fait un bref séjour à Tolède, il est reçu à Carabanchel où il s'amuse. A Mme de Lagrené, il écrit : « Que dis-je un soleil ? J'en ai dix tous les jours, à savoir les yeux de cinq Andalouses d'un velours et d'un noir indicibles. Il y a ici neuf dames (dont cinq demoiselles) toutes de l'autre côté du Despeña-Perros et pour leur faire la chouette votre serviteur tout seul de son sexe. Aussi mes envieux m'appellent l'Apollon. Vous donner une description de mes cinq jeunes Muses est chose impossible. Sachez seulement qu'il serait difficile de trouver dans le harem de S. H. cinq odalisques aussi bien tournées. Figurez-vous un peu l'état de ce faible cœur. »

Donc on s'amuse, on joue la comédie. Mérimée se rend à Madrid où comme au temps de sa jeunesse il fréquente les courtisanes. Il écrit des polissonneries à Louis de la Saussaye : « Sérafin m'a fait faire la connaissance de deux rigolettes qui demeurent à un cinquième où elles ourlent des mouchoirs et brodent des écharpes. Il y a là beaucoup de poésie et pas mal de crasse, que l'on oublie en leur entendant conter comment elles ont perdu leur pucelage. La cadette qui est de la couleur d'une olive mûre le perdit dans le lit de sa sœur, non par le fait de cette dernière, ces vilenies saphiques sont ignorées ici, mais par son amant introduit par la sœur aînée qui avait pitié de leur martyre.

— Cela vous fit-il mal ? lui demandai-je. — Quand on aime quelqu'un, même s'il l'avait de fer chaud, on ne sent pas la douleur. Je trouve cette réponse très belle, et ce qui était encore plus beau c'est l'expression de férocité de la señorita en prononçant cet aphorisme. »

Il assiste aux courses de taureaux, observe la politique espagnole. Enfin, il rentre à Paris en décembre. Déjeuners et dîners aux Tuileries ou à Saint-Cloud. Qu'il le veuille ou non, il fait désormais partie de la cour impériale.

Il s'est inventé le devoir de veiller sur le bonheur d'Eugénie. Sans doute est-il sincère et a-t-il une vraie tendresse pour sa petite amie d'autrefois. Sans doute a-t-il quelques raisons de s'inquiéter. Il la guette et rend compte à Manuela des faits et gestes de sa fille, toujours dans le sens qui peut rassurer une mère. Avec Eugénie ses rapports sont familiers, rieurs. Avec l'empereur cela sera plus difficile. Ils ont l'un contre l'autre des préjugés. Cependant le charme bien connu de Napoléon III opère. Cet homme apparaît honnête, sincère. Il est la simplicité même. L'ancien libéral n'en revient pas. Et d'ailleurs est-il resté libéral au sens politique du terme ? Il a connu en 1848 et a pris en horreur les excès de la liberté. La démocratie pour lui se confond avec l'émeute populaire, du moins elle y tend. Le coup d'Etat, dans son esprit, ce n'est rien à côté des journées de juin 1848. Selon Luppé : « Mérimée est rallié au Second Empire, dévoué à l'Impératrice. On ne saurait dire qu'il est bonapartiste. »

Cette cour impériale d'ailleurs ne l'ennuie pas. Tous les contemporains sont d'accord : chez la brave Marie-Amélie, c'était « la barbe ». La vertu bien sûr, mais morne, assommante. A Saint-Cloud, à Compiègne, à Fontainebleau, aux Tuileries ou à Biarritz, on veut s'amuser. Certes les distractions n'y étaient pas toujours des plus distinguées. Du moins les femmes étaient-elles élégantes et jolies et l'on ne s'y prenait pas trop au sérieux. Le snobisme de Mérimée pouvait se satisfaire du fait qu'il apparaissait, lui académicien, comme l'intellectuel de la troupe, celui devant qui on se tait quand il parle. Sa curiosité des types humains peut s'y satisfaire aussi. Sa correspondance le montre l'oreille aux aguets, l'œil vif, toujours prêt à raconter à Manuela de Montijo, à ses nouveaux amis Panizzi, bientôt bibliothécaire au British Museum et Ellice, membre du Parlement anglais, les menus potins de la cour. Il demande à Mme de Montijo d'user de son rôle de mère et de belle-mère pour dire ceci, pour faire cela. Mais il n'a guère d'illusions ni sur son influence ni sur celle des autres. Personne n'est moins influençable que Napoléon III. A toute suggestion ce dernier répond par un « tortillement de moustache ».

Bien en cour et quoique nullement agissant d'un point de vue politique, Mérimée n'en est pas moins le point de mire de tous ceux, fort nombreux, qui n'ont pas pardonné le coup du 2 décembre. Victor Hugo de son exil traite Mérimée de « laquais ». Les Delessert — partie secrètement chérie de ses relations — se tiennent sur la plus grande réserve vis-à-vis de la cour. Autrefois Eugénie et sa mère fréquentaient le salon de la rue Basse. Aujourd'hui les Delessert se contentent d'entretenir des rapports polis avec le milieu de l'impératrice. Cela est pour Mérimée, pris entre deux affections réelles, un sujet d'amertume. Beaucoup d'autres honnêtes gens lui tournent le dos. Ainsi Vitet avec qui il entretint jadis une amitié loyale. De cet homme à succès — car enfin c'est de bonne heure que Mérimée a « réussi », que toutes choses ont bien tourné pour lui — on peut enfin se venger pour peu qu'on l'ait à un moment quelconque jalousé. Horace de Viel-Castel, un ancien ami lui aussi en parle comme d'une « ambitieuse taupe qui creuse son chemin sans bruit ». Son anticléricalisme, son esprit caustique, son ton sceptique fournissent autant d'armes contre lui que les trente mille francs qu'il gagne. Et puis on se souvient de sa sévérité envers les parvenus. N'est-il pas un parvenu lui-même ? Cette réputation dure encore aujourd'hui.

XI

Les voyages : l'Angleterre

Sa nouvelle fortune, ces trente mille francs procurés par la charge de sénateur ne changeront pas beaucoup la vie très simple de Mérimée. A la mort de sa mère en avril 1852, il avait décidé de changer d'appartement. Mais l'idée seule de déménagement l'effrayait. Comme nous l'avons dit, il s'installa pourtant 52, rue de Lille, au coin de la rue du Bac dans un immeuble appartenant au cousin Fresnel, alors inspecteur des Ponts et Chaussées. Il occupait partie du deuxième étage, et ne bénéficiait que de trois pièces principales. Il s'agrandit un peu aux dépens de sa voisine de palier qui quitta l'immeuble. Jouissant désormais de cinq pièces il se trouva dans un grand embarras. Ce vieux garçon ne s'était jamais occupé de ces questions matérielles. Il avait vendu ses vieux meubles. Il en attendait de nouveaux. Ses livres traînaient partout. Il réclamait de l'aide. A Mme de Circourt à qui il se plaint du bruit venu de la rue du Bac, il demande conseil pour son ameublement : « Dites-moi, de grâce, où l'on peut trouver des chaises de salle à manger et vaut-il mieux les acheter en cuir, cannées ou en tapisserie, et enfin combien cela coûtera-t-il ? » L'appartement est modeste. Le salon y sert de bureau, il comprend un important rayonnage chargé de livres. Un divan dans une alcôve, quelques fauteuils, un bureau Louis-XV en bois de rose complètent l'ameublement. C'est là que Mérimée, en robe de chambre à ramages, écrit, rédige sa correspondance une partie de la nuit. Il n'a ni voiture ni cocher et se déplace dans une voiture de remise et seulement quand cela est nécessaire. Ce n'est pas esprit d'économie, mais simplicité d'habitudes.

Qui recevait-il rue de Lille ? Vraisemblablement peu de monde. La mystérieuse Jenny Dacquin, il la voyait le plus souvent au-dehors. Son nouvel emménagement coïncide, ou à peu près, avec le début de sa brouille avec Valentine Delessert. En fait je vois assez dans le caractère de Mérimée le désir de se garder un coin à soi pour travailler, un lieu absolument privé. Ce n'est certes pas lui qui amènerait à domicile des gourgandines, des dames de passage qu'à cinquante ans il a gardé l'habitude de fréquenter. Donc il travaille rue de Lille. Il y conserve ses livres. Il en a d'assez beaux, autant qu'on a pu en juger par les achats connus et ce qu'il en est resté après l'incendie. On sait qu'il était entré à la Société des Bibliophiles français. Mais à vrai dire il s'intéressait plutôt au texte qu'à la rareté ou la beauté de l'ouvrage. Pierre Josserand dit de lui : « Mérimée était un bibliophile à qui son intelligence, sa culture et son goût ont suggéré entre plusieurs façons d'aimer les livres, la plus raisonnable et peut-être la plus consolante. »

Le personnel de Monsieur le Sénateur est également réduit : un valet de chambre, une cuisinière héritée de sa mère, Caroline, qui mourut chez lui en 1862, et qu'il remplaça par sa gouvernante Sophie qui ne la valait pas. En outre Fanny Lagden, que ne quittait guère sa sœur Mrs Ewer, veillait sur sa maison depuis la mort de la mère. Fanny remplit réellement les fonctions de gouvernante. Elle s'occupe des commandes, règle les frais, s'acquitte des commissions dont on la charge, trie le courrier. Les deux sœurs qui ne sont pas pauvres, habitent chez elles rue de Fleurus, mais sont souvent rue de Lille. Elles suivront Mérimée et habiteront avec lui seulement à Cannes à partir de 1856. Il écrit à Edward Ellice : « J'ai deux dames pour avoir soin de moi, à la vérité d'un âge trop respectable, mais elles ont une qualité inappréciable, c'est qu'elles aiment l'odeur du cigare et qu'elles ont une provision d'excellent thé et un samovar russe qui est bien la meilleure invention du monde pour qui en sait la manœuvre. »

Des animaux fréquentent la maison, des chats surtout, assez

nombreux. Nous connaissons le nom de l'un d'eux fort regretté de son maître quand il mourut : Matifas. Mérimée élèvera aussi à Cannes une chouette, une mante religieuse et un bernard-l'ermite qui l'amusera beaucoup.

Toujours dans le privé, Mérimée passait pour un gourmet plus que pour un gourmand. De toute évidence les plaisirs de la table ne lui étaient pas étrangers et il y fait souvent allusion dans sa correspondance. Cependant il s'était fait une règle de ne jamais récriminer, lorsque les circonstances étaient défavorables, ce qui fut souvent le cas au cours de ses inconfortables voyages. Nous l'avons vu dans sa jeunesse, attablé dans des restaurants fameux auprès de garçons plutôt noceurs. Le goût de la bonne chère, comme souvent, se renforça avec l'âge. Nous le voyons demandant à Saulcy la recette d'un certain salmis mangé dans leur jeunesse : « Nous avons dîné chez Véry où, par les soins de Lesauvage (Louis de la Saussaye), on nous a donné notre fameux salmis d'autrefois. Mais la tradition s'en est perdue et je ne saurais vous dire combien je me suis senti triste en me retrouvant dans ce salon où nous avons fait tant de joyeux dîners avec des amis qui sont maintenant sous terre. Il me semblait revenir d'une grande bataille où la moitié de mon régiment serait restée. »

Voici comment il faut acheter les melons : « L'intérêt du marchand consiste à écouler ses plus vieux pensionnaires, qui sont d'horribles concombres passés et trépassés ! Tu dois donc prévenir le bonhomme que tu pars pour la campagne et que le melon dont tu fais l'achat ne sera pas mangé avant trois jours. Le marchand te livre alors un sujet qui est à point. Bénis les dieux s'il n'est pas déjà trop mûr ! » A Francisque Michel il parle souvent du vin de Bordeaux. Il apprécie surtout le Larose, le Château-Margaux, le Haut-Brion, mais ne dédaigne pas le Romanée, le champagne rouge, le porto, etc. Bref, il aurait tenu une place fort honorable dans une académie de gastronomes.

Quant à ses goûts pour l'habillement, Billy nous fait justement remarquer qu'ils sont étranges par certains côtés. L'homme a une réputation de dandy et si l'on en juge par les photos et croquis que nous possédons de lui, la recherche vestimentaire est manifeste : faux cols à longues pointes, cravates à plusieurs tours, pantalons gris perle ou à carreaux. Tout de même il écrit à Léon de Laborde : « Vous seriez bien aimable d'écrire à mon cousin d'écrire à mon tailleur pour qu'il me fasse un habit noir, une redingote bleue, un pantalon noir et en outre un gris foncé. J'ai oublié de lui envoyer mes commissions à ce sujet et je crains à mon arrivée d'en être réduit à mettre mon habit d'Institut pour les visites du matin et celui de sénateur pour aller chez Mme de Boigne. » A Fanny Lagden : « A propos, il ne serait pas mauvais de commander à mon tailleur un vêtement bleu, pas un pardessus, mais une redingote : celle que j'ai n'aura pas gagné au voyage. Sophie sait où il habite et pourra aller le lui dire. » A Lagrené : « Voici un mot pour M. Poole. J'ai eu affaire ordinairement à son associé, un grand jeune homme qui est dans le salon à recevoir les gens. S'ils avaient perdu ma mesure, je m'imagine que vous pourriez lui dire de prendre la vôtre. J'ai l'honneur d'être presque aussi bel homme que vous. »

Que pour être bien habillé, on s'en remette à ses amis, quitte à pratiquer sur leurs personnes les indispensables mensurations, c'est étrange ! De même s'il achète ses tissus à Londres, à Saville Row, il semble qu'il en laisse le choix à son tailleur, Mr Poole. De plus en plus étrange. Quel peut être le résultat d'une telle pratique ? Sans aucun doute, dans l'ensemble Mérimée passe pour sourcilleux quant à la tenue vestimentaire et certains le trouvent bien habillé, telle par exemple Mme Adam : « Il aimait les pantalons gris, les gilets blancs, les cravates bleues larges et molles, dont le nœud était fait avec art. » Maxime Du Camp, qui manifestement le déteste, écrit tout au contraire : « Il avait la manie de se faire habiller en Angleterre, et ses vêtements coupés sans grâce, solidement cousus, de drap résistant, augmentaient encore la raideur qu'il croyait de bon ton d'affecter. »

L'habit que peut-être Mérimée porte sans nonchalance, avec trop de rigueur, fait partie de ses manières. Ce sont celles-ci que ses contemporains ont jugé médiocres et que Maxime Du Camp (toujours lui) estime vulgaires : « Le haut du visage était très beau ; le front ample et des yeux magnifiques révélaient l'intelligence et les aspirations élevées ; mais le nez était en groin, la bouche sensuelle, les maxillaires épais indiquaient la grossièreté des appétits auxquels il n'a pas toujours résisté. » Il le montre cynique, mal élevé, grossier dans ses propos : « Jamais il ne riait quand il pataugeait à travers les gravelures ; il se vautrait dans l'immondice avec sérénité ; j'ai vu Antony Deschamps sortir pour éviter la fin d'une anecdote. » A en juger par sa correspondance, Mérimée, en effet, n'est pas toujours raffiné. Mais quoi ? Il n'écrit en termes vulgaires qu'à des intimes qu'il veut amuser. Ce n'est pas sur ces documents qu'on peut se faire une idée des propos ordinaires du personnage. Certains l'ont jugé fin causeur, brillant même. Ceux qui le blâment — Sainte-Beuve, Viel-Castel — et l'accusent de vulgarité n'ont pas réputation d'indulgence. Si Mme de Boigne un jour le reprend et le rappelle aux convenances, c'est parce que son anticléricalisme forcené l'a mené trop loin. On croit comprendre un personnage qui a son franc-parler et l'adapte, en se trompant parfois, à ceux à qui il s'adresse. Il va de soi que l'âge n'a pas épargné Mérimée plus que d'autres. C'est-à-dire qu'avec les années ses défauts vont apparaître plus saillants.

C'est vers 1854 qu'il commence à craindre pour sa santé. Très vaguement dans l'ensemble. Il a (déjà) comme une prémonition de la mort qui de bonne heure l'obsède. On comprendra plus tard qu'il s'agit d'asthme ou d'emphysème, plutôt d'une sclérose pulmonaire entrainant une gêne respiratoire angoissante et à la longue dangereuse pour son cœur. Il dit à Edward Childe en novembre 1856 : « Je ne bois, ne mange ni ne dors. J'ai une douleur dans l'épaule droite et dans un côté de la tête. Bref, l'hiver s'annonce très mal. Comme je n'ai plus trop de temps à perdre pour *vivre*, j'ai résolu de défendre courageusement ma peau, et après avoir pris conseil d'un médecin, je vais partir après-demain pour Nice. Là je m'établirai pour une dizaine de jours chez les Ashburton qui ont une villa sur le bord de la mer au soleil. Puis je courrai un peu dans la Provence avec Miss Lagden et sa sœur à qui j'ai persuadé de ne pas attendre une autre fluxion de poitrine à Paris. » Il fera désormais de fréquents séjours dans le Midi. En fait depuis sa nomination de sénateur, il est à une sorte de semi-retraite en ce qui concerne les Monuments historiques. Courmont fait pour lui les fatigantes tournées. En 1860 il donnera sa démission et sera remplacé par Boeswillwald, mais il restera jusqu'à sa mort vice-président de la Commission des Monuments historiques.

Depuis qu'il est relativement libre il peut s'abandonner à son goût des voyages. En 1851 il s'est déjà rendu à Londres pour visiter l'Exposition.

En juillet 1854, en pleine guerre de Crimée, nouveau séjour en Angleterre. Il revoit, transporté à Sydenham, le Palais de Cristal. Il en parle à Jenny Dacquin : « Sous le rapport d'art et de goût, cela est parfaitement ridicule, mais il y a dans l'invention et l'exécution quelque chose de si grand et de si simple à la fois, qu'il faut aller en Angleterre pour s'en faire une idée. C'est un joujou qui coûte vingt-cinq millions, et une cage où plusieurs grandes églises pourraient valser. Les derniers jours que j'ai passés à Londres m'ont amusé et intéressé. J'ai vu et pratiqué tous les hommes politiques, j'ai assisté au débat des subsides à la Chambre des Lords et aux Communes, et tous les orateurs en renom ont parlé, mais très méchamment, à ce qu'il m'a semblé. Enfin, j'ai fait un très bon dîner. On en fait d'excellents au Palais de Cristal, et je vous les recommande, à vous qui êtes gourmande. J'ai rapporté de Londres une paire de jarretières qui viennent, à ce qu'on m'assure, de chez Borrin. Je ne sais ce que mettent les Anglaises à leurs bas, ni comment elles se procurent cet article indispensable, mais je crois que ce doit être une chose bien difficile et bien *trying* pour leur vertu. Le commis qui m'a donné ces jarretières en a rougi jusqu'aux oreilles. » C'est dans cette même lettre que je trouve la première allusion un peu précise au mal qui l'emportera seize ans plus tard : « En passant le détroit, il faisait un vent glacé qui m'a donné un rhume ou rhumatisme étrange. Je souffre comme si j'avais la poitrine serrée dans un cercle de fer. » On ne peut s'empêcher de penser à une insuffisance coronarienne provoquant une douleur d'origine cardiaque.

Malgré cela Mérimée, envoyé en mission, va visiter l'exposition de Munich dès le mois d'août avec Boeswillwald et Viollet-le-Duc. Il parcourt avec ses deux compagnons le Tyrol et la Bavière. Resté seul à Prague, il part pour Vienne, pousse jusqu'en Hongrie avant de revenir par Berlin. A son retour il dit à Léonce de Lavergne : « Je viens de voir toutes les capitales de l'Allemagne en deux mois. J'admire fort les princes qui ont fait le diable à quatre pour avoir des musées, des monuments, des fresques, des statues. Malheureusement, on ne peut tirer d'huile d'un mur et le pays ne produit pas d'artistes. Du moins on a osé beaucoup. Si nous avions des ministres ayant le goût de la chose comme le roi démissionnaire de Bavière, nous aurions ici des chefs-d'œuvre. » Il vante à Jenny Dacquin les mérites de Vienne. Il lui avoue son escapade en Hongrie. « Ma pudeur y a beaucoup souffert, car on m'a montré un bain public à Bude où les Hongrois et Hongroises sont pêle mêle dans un court-bouillon d'eau minérale très chaude. » Par contre il décrit tristement à Mme de Lagrené Munich où l'épidémie de choléra a fait interdire jusqu'à l'usage de la bière : « C'était une ville morte. Pas un chat dans les rues après sept heures du soir. Il est impossible de faire des pastiches plus impudents et plus mauvais que les architectes munichois. Il y avait encore une petite exposition de l'industrie en miniature, et une exposition des arts allemands passablement médiocre. A Augsbourg le choléra était encore plus méchant qu'à Munich et l'on n'y rencontrait qu'enterrements. Les habitants de Dresde en revanche nous ont assuré que le choléra ne pouvait pas entrer dans leur ville, et que cela était bon pour leurs voisins les Bavarois. Il y a à Dresde des tableaux admirables et des édifices d'un rococo à mourir de rire. J'y ai entendu l'*Idoménée* d'un nommé Mozart. Très médiocres acteurs, mais chœurs excellents. Le roi pour entretenir cet opéra ne fait pas raccommoder ses palais ni balayer ses rues. »

C'est peu après son retour que Mme Delessert lui renvoie ses lettres, lui signifiant ainsi la rupture. Raison de plus pour essayer (et vainement semble-t-il) de se divertir. En 1855 il fait un séjour chez Mme de Boigne à Trouville, puis promène des amis étrangers à l'Exposition universelle de Paris. Il n'en est pas moins amer. C'est à Mistress Senior qu'il tient des propos proches de la confidence : « Figurez-vous deux personnes qui s'aiment très réellement, depuis longtemps, depuis si longtemps que le monde n'y pense plus. Un beau matin la femme se met en tête que ce qui a fait son bonheur et celui d'un autre pendant dix ans est mal. " Séparons-nous. Je vous aime toujours, mais je ne veux plus vous voir. " Je ne sais pas, madame, si vous vous représentez ce que peut souffrir un homme qui a placé tout le bonheur de sa vie sur quelque chose qu'on lui ôte ainsi brusquement. L'histoire que je vous raconte est vraie et arrivée à un de mes amis. » C'est bien sûr à sa propre mésaventure avec Valentine qu'il fait allusion. Un peu plus tard, il se dit si triste qu'il adopterait volontiers une petite fille. Il revient d'ailleurs sur ce sujet le 10 avril : « Il est impossible d'avoir un ami de son sexe, et diablement difficile d'en avoir un d'un autre sexe, parce que le diable se met de la partie. Cependant j'ai (je crois) deux amies. L'une est morte il y a dix ans *(sans doute Mme de Castellane avec qui il fut un moment brouillé avant de se réconcilier définitivement).* L'autre vit en Espagne. Ces impossibilités et ces difficultés me font désirer d'avoir une petite fille, mais il pourrait bien se faire que le petit monstre, après quelques années, s'amourachât d'un chien coiffé et me plantât là. Vous n'êtes peut-être pas assez avancée dans la connaissance du cœur humain pour comprendre toute seule pourquoi on ne peut avoir un ami de son sexe. La raison est, madame, que nous sommes gonflés de vanité et que nous voulons toujours paraître *manly.* Or, de temps en temps, nos âmes deviennent extraordinairement mesquines. »

Cette même année il publie ses *Mélanges historiques et littéraires.*

En 1856, nouveau voyage en Angleterre. Il va à Londres et Edimbourg. Il fréquente les châteaux. De ces châteaux immenses, véritables capharnaüms où s'entassent les objets d'art, richesses accumulées par la puissante aristocratie victorienne, il donne dans ses lettres un portrait très vivant. Il est reçu chez Edouard Ellice, « un vieux whig démocrate à 10 000 livres sterling de rente », chez Lord Ashburton, chez le duc de Hamilton, le marquis de Breadalbane. Il critique beaucoup le goût des Anglais, leur côté gourmé, leur mutisme. De chez Hamilton, il écrit à Mme de Boigne : « Je suis dans un beau château d'une exécrable architecture au milieu d'un pays magnifique et à un quart de lieue des derniers bœufs sauvages que possède l'Ecosse, animaux peu terribles pour qui a vu les taureaux de Jerez. Le mal c'est que taureaux et château se trouvent sous le vent de nombreuses usines qui couvrent tout de fumée en sorte que le badeau qui vient à Hamilton pour respirer, n'a qu'un mélange de pluie et de charbon de terre pour emplir ses poumons. Tout est sur un pied fort princier. Il y a des Van Dyk, des Rubens et des Velasquez qu'on cite, mais placés entre deux fenêtres de sorte qu'on ne les voit pas. Il y a aussi une bibliothèque formée par trois ducs avec force livres à la reliure de de Thou, de Longepierre, Grolier et autres. Bien entendu qu'on ne les lit pas, mais on n'en soupçonne même pas trop l'existence. Le présent duc est cependant un homme instruit et fort amateur de la *vertu.* Il achète tout, vases grecs, livres rares, porcelaines de Sèvres, magots de la Chine, les met dans un coin de son immense château et n'y pense plus. Je me suis permis de lui faire une admonestation virulente qu'il a prise avec beaucoup de soumission. Nous sommes ici *a select party* consistant après moi d'une princesse de Hohenzollern [1], sœur de la princesse Marie [2], aimable et sourde, d'une fille de la susdite, qui a 15 ans et parle du clair de lune et de la rosée avec émotion. Puis un prince de Wasa [3] que le duc appelle son beau-frère je n'ai pu deviner pourquoi, mais j'ai pensé qu'il était *vulgar* de le demander. On boit, on mange, on se regarde dans le blanc des yeux, mais on ne s'amuse guère. Nous

1. Joséphine-Frédérique-Louise, fille du grand-duc de Bade, mariée à Charles de Hohenzollern-Siegmaringen.
2. Duchesse de Hamilton.
3. Beau-frère du duc de Hamilton.

sommes allés voir en masse au nombre de vingt, le château de Bothwell, voisin de Hamilton. La bataille de Bothwell-bridge d'*Old mortality* s'est donnée dans le parc du duc. Ce sont des ruines pour les paysagistes. Il n'y a pas, il n'y a jamais eu d'architecture en ce pays. J'ai fait dans ce séjour une découverte. C'est pourquoi reçoit-on bien les Français partout ? C'est parce qu'ils font des frais pour amuser les autres et s'amuser eux-mêmes. Franchement, je me sens le plus amusant de la société et je m'ennuie fort. Ma lettre a été commencée à Hamilton palace, interrompue par le *dinner bell*, je vais la finir à Edinburgh dont je suis enchanté. Si ces diables de gens ne voulaient pas faire de l'architecture grecque et italienne leur ville serait délicieuse. Malheureusement on leur a dit qu'elle ressemblait à Athènes et ils ont voulu y faire un Parthénon, mais l'argent a manqué. Ils ont élevé autour sans le moindre sentiment d'artiste d'autres monuments, copies serviles et manquées de l'antiquité. Puis, sur une des plus belles promenades, ils ont campé S. Walter Scott (déjà sur une colonne devant ma fenêtre) avec un éteignoir de 12 pieds de haut au-dessus de la tête. J'ai été plus content du lit de Marie Stuart et du sang de Riccio qui ressemble un peu à une tache de suif. Je vais partir pour les lacs. On veut m'emmener dans un lieu qui s'appelle Glenquoich (*sic*) où dit-on l'usage des pantalons n'a pas pénétré. J'irai ensuite flâner un jour ou deux chez Lady Ashburton, puis je crois que j'en aurai assez des brouillards et du *Hodge podge.* » A Edward Childe : « Il me semble que la vie de ces gens si riches est au fond pire que la mienne, en ce qu'ils sont beaucoup moins libres. Ils me semblent autant de maîtres d'hôtels qu'on ne paye qu'en admiration, et cette monnaie ne vaut peut-être pas la peine qu'ils se donnent. Quoi qu'il en soit il est impossible de faire plus galamment les honneurs de leurs châteaux. Sauf l'architecture qui est toujours exécrable, je n'ai rien vu de plus beau ni de plus grand. J'étais l'autre jour chez le marquis de Breadalbane à qui appartient tout le pays depuis le lac de Tay jusqu'à la côte occidentale. Il y a là 10 000 *deer* (daims) et un assez grand troupeau de *bisons*, je dis de véritables bisons américains, vivant dans une péninsule bien palissadée, presque sauvages et paraissant se trouver à merveille de l'herbe d'Ecosse. On en tue un de temps en temps et l'on dit que la viande est excellente. Il y a au château de Taymouth des tableaux et des antiquités, encore plus de tableaux et de plus beaux à Hamilton palace, mais tout cela exposé sans goût et sans soin. » A Mme de la Rochejaquelein : « Le temps de la matinée est le moins gourmé. Il serait difficile de l'être quand on patauge dans un *moor*. Le soir, quand le gong a sonné, tout le monde prend un air noble et la glace qu'on avait cassée avec beaucoup de peine s'est reformée et ne se recasse qu'après le départ... » « Ils ne savent pas causer. Après la demi-heure qui suit la retraite des dames au dîner, on a épuisé tout ce qu'on avait à se dire sur les droits d'entrée du papier et sur M. Gladstone, et quand on rentre au salon, chacun prend un livre ou un journal et laisse son voisin libre d'en faire autant. » A Jenny Dacquin : « Arrivé en même temps que deux hommes et une femme entre deux âges du grand monde, le mari a pris un journal, la femme un livre, l'autre homme s'est mis à écrire des lettres, tandis que moi je faisais la chouette au maître et à la maîtresse de la maison. » Ces observations il les complète au cours de ses voyages successifs, critiquant la nourriture, le manque d'élégance et de charme des Anglaises. Il ne rate pas une occasion d'opposer la France à l'Angleterre, tout en déplorant une mésentente et une incompréhension réciproques qui peuvent devenir dangereuses.

Juin 1857 le trouve à nouveau en Angleterre en effet. Il visite l'exposition de Manchester. Il dit à Mme de Boigne son désenchantement : « Je suis médiocrement charmé de Manchester. La plupart des tableaux sont de second choix et m'étaient déjà connus. Ils viennent ou des galeries royales ou de celles qu'on peut voir à Londres par intrigue ou par argent. Ce qu'il y a de plus curieux c'est une collection de tableaux anglais depuis Hogarth jusqu'à Millais. L'amour des collections est si grand aujourd'hui qu'on en montre une de soixante portraits de Marie Stuart, dont pas un ne ressemble à un autre, mais on peut du moins se faire une queen Mary à son goût par la quantité. » Puis il lui parle de la révolte des cipayes : « Il ne me paraît pas qu'on prenne ici les affaires de l'Inde fort à cœur. On calcule ce qu'il en coûtera. On va envoyer 15 000 hommes de renfort, mais ils arriveront comme de la moutarde après le dîner. Il paraît que les missionnaires ont la gloire d'avoir excité l'insurrection. Les Sipahis se sont mis dans la tête qu'on voulait les convertir parce qu'il y a des journaux qu'on imprime en hindoustani qui font de la propagande. Lorsqu'on leur a donné des cartouches graissées avec du saindoux, la patience leur a manqué et ils ont massacré leurs officiers. Ce saindoux est cause que les musulmans qui avaient toujours été disposés à faire le contraire des Hindous, leur ont prêté main forte cette fois-ci pour n'être pas pollués par cette graisse immonde. »

En août le voici en Suisse, dans l'Oberland. A Edward Ellice : « Les montagnes de l'Oberland bernois sont sans doute plus hautes mais pas plus pittoresques que celles de Glenquoich. Il n'y a pas de si bon poisson dans les lacs, ni de pêcheuse aussi habile que celle que vous possédez auprès de vous. Voilà le résultat de mes observations approfondies après trois semaines de Suisse. J'ai vu l'armée fédérale sur pied pour les exercices d'été. Franchement, je crois qu'il a été heureux pour eux qu'on se soit mêlé de leurs affaires. Les milices ont l'air de méchants soldats et vous n'êtes pas de ceux qui croient qu'avec du patriotisme on rosse une armée régulière. Où en seraient les Espagnols si Wellington n'était pas venu en aide à leur indépendance ? »

Mérimée reviendra en Suisse l'année suivante, puis par la Bavière, l'Autriche, l'Italie, ira jusqu'à Venise où il retrouvera les sœurs Lagden. « Je suis ici avec deux dames anglaises (d'un âge respectable), anciennes amies de ma mère et de moi, faisant très bon ménage. » Il tient à Jenny Dacquin ces propos étonnants : « Venise m'a rempli d'un sentiment de tristesse dont je ne suis pas bien remis depuis près de quinze jours. L'architecture à effet, mais sans goût et sans imagination, des palais m'a pénétré d'indignation pour tous les lieux communs qu'on en dit. Les canaux ressemblent beaucoup à la Bièvre, et les gondoles à un corbillard incommode. » A Venise il préfère Florence qu'il va visiter avant de rentrer à Paris. « J'emporte un souvenir très doux de Florence. C'est une belle ville. Venise n'est que jolie. Quant aux ouvrages d'art il n'y a pas de comparaison possible. Il y a à Florence deux musées sans égaux. »

Avant cette longue randonnée il a dû aller à Londres étudier le système des catalogues de la bibliothèque du British Museum que vient de réorganiser Panizzi, bibliothécaire en chef avec qui il est en rapport d'amitié depuis quelques années. Désormais lorsqu'il se rend à Londres, c'est chez Panizzi ou chez Ellice qu'il demeure. « Je suis ici depuis huit jours, vivant parmi les bouquins et les bouquinistes, et j'ai fait de si grands progrès que je pourrais prétendre à un emploi de balayeur dans la bibliothèque du musée britannique. Cela ne m'empêche pas de voir beaucoup de monde et de dîner tous les jours en nombreuse compagnie, sorte de divertissement dont je me passerais fort bien, mais qu'il est impossible d'éviter dans ce pays-ci. »

En 1859, Boeswillwald l'accompagne en Espagne. Comme toujours il partage son temps entre Carabanchel et Madrid. Mais cette fois tout semble le décevoir, et sans doute faut-il voir là un effet de l'âge. Il se plaint à Jenny Dacquin : « Je passe presque toutes les journées à Carabanchel. Le soir, nous allons à l'Opéra, qui est tout ce qu'il y a de plus pitoyable. Je suis venu ce matin à Madrid pour assister à une séance académique et je retourne demain à la campagne. Il me semble que les mœurs ont changé notablement, et que la politique et le régime parlementaire ont singulièrement altéré le pittoresque de la vieille Espagne. En ce moment, on ne parle que de guerre. Il s'agit de venger l'honneur national, et c'est un enthousiasme général qui rappelle les croisades. On s'est imaginé que les Anglais voient avec déplaisir l'expédition d'Afrique et même qu'ils la veulent empêcher. Cela redouble l'ardeur guerrière. Les militaires veulent faire le siège de Gibraltar, après avoir pris Tanger. Cela n'empêche pas qu'on ne spécule beaucoup à la Bourse et que l'amour de l'argent n'ait fait des progrès immenses depuis mon dernier voyage. C'est encore une importation française très malheureuse pour ce pays-ci. J'ai assisté lundi à un combat de taureaux, qui m'a fort peu amusé. J'ai eu le malheur de connaître trop tôt la beauté parfaite, et après avoir vu Montès, je ne puis plus regarder ses successeurs dégénérés. Les bêtes ont dégénéré comme les hommes. Les taureaux sont devenus des bœufs, et le spectacle ressemble un peu trop à un abattoir. » A Mme de la Rochejaquelein : « J'ai trouvé ici bien des changements. La civilisation y fait des progrès très considérables, trop considérables pour nous autres amateurs de la couleur locale. La crinoline a absolument dépossédé l'antique *saya,* si jolie et si immorale. On s'occupe beaucoup de la Bourse et on fait des chemins de fer. Il n'y a plus de brigands et presque plus de guitares. Mais ce qui est bien plus triste, c'est que les jeunes personnes que j'avais laissées avec des tailles *à la main,* comme dit Henri IV, ont pris un embonpoint déplorable. »

Le pays est soulevé d'enthousiasme par la guerre contre le Maroc, déclarée par O'Donnell. Mérimée écrit à Mme Delessert : « Le Maroc est condamné à mort comme tous les Etats musulmans trop voisins de l'Europe. Il faut qu'il devienne français, anglais ou espagnol. Le mieux est que l'Espagne ait un établissement sur la côte d'Afrique. O'Donnell cherche à singer l'empereur. La mauvaise humeur des Anglais m'amuse. » Cette mauvaise humeur des Anglais fut un obstacle sérieux à l'esprit de conquête. Après des fortunes diverses, l'Espagne, se contentant d'une indemnité, mit fin à une entreprise en fait désastreuse.

L'été 1860 se passe à Londres, Bath et Glenquoich. De Bath, il écrit à Jenny Dacquin : « J'ai mené depuis huit jours une vie à rendre poussif un cheval pur-sang, le jour en courses, *shopping and visiting ;* le soir dînant en ville chez les aristos, où je trouvais toujours les mêmes plats et presque les mêmes visages. Je ne me rappelais guère les noms de mes hôtes, et, quand ils ont des cravates blanches et des habits noirs, je trouve que tous les Anglais se ressemblent. Nous sommes ici fort détestés et encore plus craints. Rien n'est plus drôle que la peur que l'on a de nous et qu'on ne prend pas la peine de dissimuler. Les volontaires sont encore plus bêtes que la garde nationale ne l'était chez nous en 1830, parce qu'on apporte à tout dans ce pays-ci un air sérieux qu'on n'a pas ailleurs. Je connais un fort galant homme de soixante-seize ans, qui fait l'exercice tous les jours en culotte de zouave. Le ministère est très faible et ne sait ce qu'il veut, l'opposition ne le sait pas davantage. Mais grands et petits sont d'accord pour croire que nous avons envie de tout annexer. » Il écrit à nouveau à Jenny au moment de partir chez Edward Ellice à Glenquoich pour la dissuader d'aller en Algérie où elle veut rendre visite à son frère. Il craint que le débarquement en Syrie de l'armée française qui se prépare ne mette le feu à tout l'Orient et ne retentisse sur tout le monde arabe. Fait moins grave, mais dont Mérimée parle à tous ses correspondants : pendant ces quinze jours dans les Highlands, il a été attaqué par des sortes de moustiques très venimeux, les « midges », qui lui ont mis la peau en vilain état. Il est frappé en outre de l'esprit belliqueux des Anglais qui parlent d'armer les ouvriers, ce qu'il juge fort dangereux pour la paix intérieure de ce pays.

En juillet-août 1861, huit jours dans le Suffolk et un plus long séjour à Londres. Il fréquente dîners, bals et concerts, se plaint de la laideur des femmes, de leur habillement. On aurait dit que « la première marchande de modes de Brioude avait fait leurs robes ». En réalité il prépare la participation française à l'Exposition universelle des Beaux-Arts qui aura lieu à Londres l'année suivante.

Cette année 1862 représente donc son treizième voyage anglais. C'est un voyage officiel. Il est membre de la délégation française et du jury international pour les papiers peints. Il est aussi « reporter ». « Si j'avais pu soupçonner le guêpier dans lequel je me suis fourré, je me serais bien gardé d'accepter l'ambassade... J'oubliais de vous dire qu'on m'a nommé reporter et qu'outre l'ennui d'entendre dire des sottises, j'ai encore celui de les transmettre à la postérité. » Ceci est adressé à Olga de Lagrené. A Mme de Montijo, il écrit : « Le métier de juré n'est pas des plus agréables. Nous nous disputons beaucoup, nous ne faisons pas grand'chose de bon et souvent nous sommes très injustes. Nos séances ressemblent beaucoup, je crois, aux travaux de la tour de Babel. Nous avons pour président un Allemand qui parle un anglais incompréhensible. Nous avons des Italiens et des Belges qui ne savent que le français ; enfin, il y a un diable d'homme, qui doit venir de bien loin, lequel ne parle aucune langue connue. Vous jugez de l'intérêt qu'offrent nos discussions. » En bref ce n'est pas un séjour agréable.

Il est remarquable de constater combien tout au long de ses voyages, Mérimée, se montre critique vis-à-vis de l'Angleterre, et même quand il s'adresse à Fanny Lagden à qui il écrit souvent, en anglais, dans ces années 60, terminant toujours ses lettres par un très bref « My love to Emma ». Cependant l'Angleterre l'attire depuis toujours et de plus en plus. Il en connaît les arts, la littérature, les paysages. Il connaît aussi beaucoup d'Anglais. Il est reçu chez eux en Angleterre. Il les reçoit à Paris. Si nous mettons à part les quatre voyages faits dans sa jeunesse par Mérimée en Angleterre, nous constatons qu'il en a accompli quatorze entre 1850 et 1868. C'est en ces dix-huit années qu'il s'est forgé une idée précise de l'Angleterre et de sa politique, dans la mesure tout au moins où les données de cet esprit mobile ne varient pas.

On peut dire en gros que pour lui l'entente franco-britannique est le fondement de l'équilibre européen. L'union, souvent difficile à maintenir entre les deux démocraties fait pièce au despotisme des empires centraux. Les reproches que Mérimée adresse à l'architecture et aux mœurs anglaises, soi-disant ennuyeuses, sont de peu d'importance. Sur ces points il ne se prive pas de critiquer, c'est vrai, pas davantage qu'il n'épargne l'aspect physique des femmes anglaises, toujours objets de remarques d'un « homme à femmes ». Il prise, tout en la ridiculisant, la riche aristocratie anglaise qu'il voudrait voir maintenir en place. La révolte des cipayes par exemple l'inquiète. Il écrit à Ellice en juillet 1857 : « Pendant la guerre de Crimée, vous avez levé des légions allemandes, italiennes, suisses, etc., sur les réfugiés et toute la canaille turbulente de l'Europe. Reprenez tous ces héros oisifs et envoyez-les dans l'Inde. La moitié y crèvera et le regret de les perdre ne sera pas grand, l'autre moitié s'y acclimatera et fera une armée solide et honnête. »... « Ne doutez pas que dans un temps qui n'est pas très éloigné vous n'ayez des explications avec les Russes vers vos frontières indiennes. Pendant la dernière campagne, ils ont envoyé en Courlande, en Finlande, en Pologne, une grande quantité de Bachkirs et de Kalmoulks. C'étaient d'excellents soldats, tous musulmans, ne buvant jamais une goutte d'eau-de-vie et ne mangeant presque pas. Ces troupes-là qui, sans doute, ne valent pas nos soldats nourris de beafteck et buvant du grog, sont cependant supérieures en énergie aux cipayes de la Compagnie. Il faut nous préparer à les recevoir un jour et à les reconduire dans leurs steppes. »

Dans cette situation troublée où règne Palmerston, il s'en prend à cet homme d'Etat devant Mme de Montijo : « Il bouleverserait le monde pour avoir un petit succès d'éloquence au Parlement. Il a tous les préjugés et toute l'ignorance de John Bull avec son opiniâtreté et son orgueil. Bref, je crois que c'est un des mauvais génies de notre époque. »

En même temps, il proteste contre l'idée que la France pourrait se réjouir des difficultés coloniales de l'Angleterre : « Personne dans une assemblée française n'oserait dire : il est de mon intérêt que mon voisin fasse mal ses affaires. » Cependant des deux côtés du détroit on se méfie, on s'épie, on se méconnaît, ce qui maintient une atmosphère de crise. Que l'attentat d'Orsini ait été préparé à Londres provoque une tension. A Mme de Montijo : « Il est monstrueux que des pays voisins et alliés tolèrent chez eux une réunion d'assassins qui s'attaquent à l'Empereur, sachant qu'il est la clé de voûte de l'ordre en Europe. La même émotion a gagné toute la nation. Les ouvriers disent que si l'Angleterre ne nous livre pas les gredins qui dirigent tous ces assassinats, il faudra aller les chercher. Je ne comprends pas ce que pourra dire Palmerston quand on lui demandera compte de l'hospitalité qu'il donne à Mazzini, Ledru-Rollin et consorts. »

L'annexion de la Savoie, à peine la détente rétablie, provoque outre-Manche des inquiétudes. De même le rapprochement franco-russe survenant après la guerre de Crimée est surveillé d'un œil inquiet. Mérimée ne l'entend pas ainsi. Il écrit à Mme de Montijo : « On dit que l'empereur Alexandre offrira un partage de l'Europe en deux. On fera de grands efforts pour nous détacher de l'alliance anglaise. J'espère qu'on ne réussira pas. Le *statu quo* est, à mon avis, ce qu'il y a de mieux et de plus désirable pour nous et pour tout le monde. »

Cependant Palmerston, âgé, approche de sa fin. Il remporte une dernière bataille contre les « tories ». Tout de même il n'a pu empêcher la France de tirer bénéfice de l'unité italienne, ni s'opposer au percement du canal de Suez, pas davantage il n'a réussi à empêcher la Prusse de réaliser l'unité allemande. Il a eu le grand tort de soutenir les Etats du Sud dans la guerre de Sécession. Toutes les dernières années de son ministère il a entretenu une francophobie latente et inefficace dont Mérimée démontre l'inanité à son ami Ellice.

Notre écrivain est sur sa fin lorsque Gladstone succède à Disraeli en 1868. Mérimée s'alarme du « Reform bill » : « Il a surpris tout le monde. Cette déplorable idée du suffrage universel fait le tour du monde et le bouleverse. » A Panizzi : « Ce grand coup de marteau dans le vieil édifice a eu pour résultat de diminuer la qualité des membres du Parlement qui n'est pas si brillante. C'était un des beaux côtés de l'Angleterre que cette initiation des jeunes aristocrates à la vie politique, dès leur sortie de l'Université. C'est ainsi que Fox, Pitt, Palmerston sont devenus de bonne heure des hommes d'Etat. » Et encore : « Il y a longtemps que nous notons en votre pays les progrès de la démocratie. Aujourd'hui, elle ne glisse plus par des fentes, elle fait des brèches. Il me semble voir des enfants qui jouent avec des allumettes phosphoriques dans un bâtiment plein d'étoupes. Jeu dangereux qui n'est souhaité par personne. » Et toujours au même : « Il me semble clair que personne ne voudrait une réforme et que tout le monde s'y résigne avec plus ou moins de mauvaise grâce. Cela me fait penser à quelqu'un qui va au bordel sans envie avec la peur de la chaude-pisse et qui la gagne sans plaisir. Abstenez-vous de communiquer cette comparaison naïve à M. Gladstone. »

En résumé Mérimée a toujours regretté cette mésentente, due à l'ignorance, entre Angleterre et France, cette jalousie sans expression matérielle véritable et, ce qui n'étonnera personne, cet avilissement de l'Angleterre qu'il croit voir dans l'établissement d'une véritable démocratie en ce pays. Sur le premier point on ne peut donner tort à Mérimée. L'union tant souhaitée des deux Etats eût été plus solide et durable, bien des crises auraient été épargnées à l'Europe du XIXe siècle.

XII

Soucis de santé d'un familier de la cour

Ces mêmes Anglais qu'il aime et déteste à la fois, Mérimée va les retrouver à Cannes qu'il a découvert au cours d'une « tournée » en 1834 et qu'il fréquente de manière assidue pour raison de santé à partir de 1856. A Cannes, endroit de nature délicieuse, malheureusement inconfortable pour la nourriture et le logement, les Anglais sont en pays conquis. « Ils ont bâti cinquante villas ou châteaux plus extraordinaires les uns que les autres... Il est impossible de passer devant ces abominations sans avoir envie d'y mettre le feu. »

En décembre 1856, il séjourne à Nice chez Lady Ashburton. A Mme de Boigne : « J'ai eu toute la journée ma fenêtre ouverte. Toutes les femmes et beaucoup d'hommes avaient des ombrelles. Si je n'avais appris à écrire par la méthode américaine, c'est-à-dire à la force du poignet sans remuer les doigts, je ne pourrais vous faire ces lignes, car je me foulai la main droite l'autre jour en tombant d'un affreux cheval qui voulait dire des inconvenances à la jument de Lord Ashburton. Comme notre démêlé avait lieu dans un petit sentier très au-dessus du niveau de la mer, j'en ai été quitte à bon compte en tombant sur la large terre comme dit Homère... On m'a fait une tartine dans le journal de Nice d'où il résulte que je suis très malade et victime d'une grande passion. Il est temps que je me dérobe à ma gloire. Je vais aller à Cannes faire de l'archéologie et manger de la bouillabaisse solitairement. »

A Nice il rencontre trop de gens qu'il connaît, trop d'Anglais surtout. A Cannes il va s'installer à l'*Hôtel de la Poste.* On y est plus tranquille, mais le pays n'est guère confortable, ni par l'hôtellerie ni par la restauration. Cependant c'est là que le mois de janvier le retrouvera désormais chaque année et pendant deux mois avant qu'il ne retourne à Paris pour la session habituelle du Sénat. A partir de 1858 il prend un appartement dans la maison Sicard, annexe de l'*Hôtel des Princes,* 6, rue du Bivouac-Napoléon (aujourd'hui square Mérimée). Il loge les sœurs Lagden et quelquefois un ami de passage. L'appartement le permet. Il propose un séjour à Théodose de Lagrené : « Vous êtes attendu ici avec grande impatience. Il y a rue du Bivouac-Napoléon une chambre à laquelle on a donné votre nom, et qui pourra vous recevoir tellement quellement. Vous aurez de plus la jouissance d'un salon et d'un boudoir sur la mer, les îles et les montagnes, qui vous plairont si vous avez pour 50 centimes de poésie dans l'âme. On vous donnera à manger du mouton excellent et parfois des bécasses. J'attends du sherry de Marseille. Mme Lagden prétend que si vous nous faites l'honneur de nous visiter elle pourra enfin trouver une langue aussi bien pendue que la sienne pour bavarder toute la sainte journée. Il y a ici M. et Mad. de Tocqueville, l'un et l'autre muets par ordonnance du médecin, M. et Mad. d'Esgrigny que je n'ai pas encore vus, Lord Brougham, le marquis de Caulaincourt. Il y a à Marseille deux départs quelquefois trois par semaine pour Cannes, le lundi et le jeudi soir. Le trajet dure de 10 à 12 heures. L'hiver a sévi ici avec une rigueur inaccoutumée, cependant depuis mon arrivée nous déjeunons les fenêtres ouvertes. »

On voit que la compagnie ne manque pas à Mérimée. Au fil des ans sa présence attirera à Cannes ses amis, ses correspondants et des amis d'amis. Parmi les premiers citons Victor Cousin, Achille Fould, Sobolevski, Panizzi, Ellice. Mérimée y retrouve aussi l'Américain Childe dont la femme, sœur du général Lee, futur chef des armées du Sud lors de la guerre de Sécession, est morte depuis peu, et son fils Edouard Lee Childe. Il y aura de longues conversations avec Juliette Lambert, plus tard Mme Adam, qui les rapporte dans ses mémoires. Le train n'arrive d'abord qu'à Marseille. A partir de 1860 il va jusqu'à Toulon, mais il faut encore un long parcours de diligence pour atteindre Cannes. Les Anglais cependant abondent et leurs yachts viennent s'ancrer dans le port. C'est un peu trop pour Mérimée. Trop et pas trop. Il se fatigue vite, c'est vrai. D'autre part, tout ce que nous avons dit de lui montre un caractère de mondain. Quand en 1865 le chemin de fer conduira jusqu'à Cannes, la petite colonie deviendra de plus en plus à la mode. Dès 1857 il écrit à Mme de Lagrené : « Vous ne sauriez croire comme il est difficile en ce pays de faire autre chose que manger, dormir et se promener... Nous avons deux duchesses dont une à marier, de 22 ans, la marquise de Cunningham également à marier mais ayant 84 ans, c'est celle de George IV, et nous attendons ce soir un maharadja que j'ai rencontré l'été passé à Dunkeld chez le marquis de Breadalbane. Notre hôtellerie ressemble en petit à la table d'hôte de Venise où Candide trouva tant de rois... Je rencontre assez souvent Mad. Tripet chez Mr Fould et chez Lord Londesborough où je me console de mon modeste ordinaire de l'*Hôtel de la Poste.* » Il termine sa lettre en parlant de la mante religieuse qu'il a ramassée et qu'il élève. « Cela ressemble à un petit diable en bouteille. » En provençal on appelle ces petites bêtes des *prégadiou.*

Outre cet animal, Mérimée s'amuse avec un bernard-l'ermite, un chat à demi sauvage. Comme il le fera toute sa vie, il dessine et crayonne, fait des aquarelles, converse avec le docteur Maure, ex-député du Var, opposé à l'empire, avec qui il entretient des rapports d'amitié et que de temps à autre il consulte.

Sa santé laissant à désirer — toujours ces troubles respiratoires —, on a conseillé à Mérimée beaucoup d'exercice. Un médecin lui a même recommandé le tir à l'arc qui développe la poitrine. Dans les bois, accompagné des sœurs Lagden portant le carquois, il s'y exerce. Ce doit être un assez réjouissant spectacle. De même il s'est mis au javelot, étudie dans les textes latins comment se manie cet instrument, sans parvenir à comprendre très bien à quoi sert cette courroie de cuir appelée *amentum.* Il s'y essaie avec des manches à balai. Dans ses dernières années, Mérimée est devenu une des figures les plus marquantes de Cannes, dans un milieu qui ne manque pourtant pas d'originalité.

Depuis sa nomination au Sénat jusqu'au début des années 60 où Mérimée joue les Cupidon à Cannes, le temps a passé vite. L'homme a vieilli assez brutalement. La maladie qui devait l'emporter s'est sournoisement installée. Mais tout ce temps, comme éternelle, et hors de tout jugement possible, la correspondance avec Jenny Dacquin s'est poursuivie. Telle qu'elle nous est parvenue, son caractère est étonnant, mélange de coquettes gracieusetés qu'on devine pas toujours franches, de reproches qui ne paraissent pas toujours sincères, en tout cas fort excessifs par rapport à ce qui les motive, d'amitié à vrai dire lointaine. On se demande ce que Mérimée fait de cette correspondante à laquelle il écrira pendant quarante ans les lettres les plus gourmées, les moins naturelles que nous possédions de lui. On y devine plus d'estime que de sympathie réelle. Ou bien alors l'habitude aurait-elle pris le relais de l'amitié. Comme le fait remarquer justement André Billy, la trahison de Valentine aurait dû les rapprocher. Il n'en est rien. Comme Mérimée, mais sur le tard, Jenny s'était mise à voyager. Mme Dacquin était décédée en 1857, peu après son fils Auguste. Jenny habitait seule rue Jacob un appartement que Mérimée ne semble pas avoir fréquenté, alors même que sa rupture avec Valentine Delessert était consommée. Depuis quinze ans elle parlait d'un voyage en Italie dont Mérimée lui avait tracé l'itinéraire, lorsque sa mère mourut. Elle partit avec des amis et ne revint qu'à la fin de 1857. Elle se rendit alors à Grenoble chez son frère Jean-François, capitaine d'artillerie. Puis ce frère étant envoyé en Algérie en juin 1860, Jenny l'y rejoignit en septembre. Mérimée avait en vain essayé de l'en dissuader. « Il est évident que les affaires d'Orient, compliquées comme elles le sont, et devant se compliquer encore davantage à tout instant, pourront obliger votre frère à partir sur un signe du télégraphe, et vous demeurerez fort empêchée de votre personne au milieu de vos Arabes. » Elle se trouve en Algérie lors de la visite de l'empereur et de l'impératrice dans ce pays. Mérimée la somme de lui donner des détails, et non seulement sur la cérémonie mais sur la vie musulmane, celle des femmes en particulier.

Le frère de Jenny mourut en mars 1861 à Nevers. Jenny vint dès lors assez souvent dans la Nièvre auprès de sa belle-sœur et de sa nièce. Elle avait fait refaire son appartement et séjournait tantôt à Paris, tantôt à Nevers. Elle repartit pour l'Italie, visita la Belgique et la Hollande. A Paris elle accompagnait sa nièce à différents spectacles tandis que Mérimée séjournait à Compiègne, Fontainebleau, Biarritz, Cannes, Madrid. Parfois ils se rencontraient, toujours à l'extérieur, visitaient une exposition. Le qu'en-dira-t-on empêchait qu'elle le reçût chez elle. Sur son insistance, elle vint chez lui exceptionnellement deux ou trois fois, parce qu'il était malade, parce qu'il voulait faire son portrait. Dans l'ensemble, il se montrait humble envers elle. Cette prude agaçante et prétentieuse avait mis à ses pieds, grand mystère, cet amateur de femmes, ce mondain comblé d'honneurs. Mais que peut-on dire à partir d'une correspondance falsifiée, sinon qu'elle se poursuivit contre toute logique apparente ?

Mérimée, toujours absent de Paris pour les fêtes de fin d'année depuis qu'il n'avait plus à présenter ses vœux à Valentine Delessert, restait à Cannes jusqu'à la session du Sénat qui se tenait fin février début mars. A Paris il assistait aussi aux séances de l'Académie. La mort de Musset, « qui s'est tué à force de boire de l'absinthe », lui fait écrire en 1857 à Edward Childe : « Ce sera une grosse affaire que son remplacement. L'Académie est divisée en deux partis presque égaux en force. Les catholiques et les philosophes et il y aura bataille acharnée cet automne, supposé que d'ici là quelqu'autre fauteuil, le mien par exemple, ne devienne pas vacant. » Bien vu à la cour et en même temps membre de cette Académie que son immunité traditionnelle pousse à s'opposer au régime, il fait le trait d'union entre les deux partis. Il va de soi qu'il n'est pas du parti catholique hostile à l'empire. La probable élection de Lacordaire lui fait dire à Léon de Laborde que ce sera sans doute « comme protestation contre la violence que subit le pape. Au fond, la chose m'est fort égale. Tant qu'on ne m'obligera pas à aller entendre leurs sermons, on peut nommer à l'Académie tous les membres du Sacré Collège. »

Vers cette époque se place un épisode assez comique de la vie sentimentale de Mérimée qui n'est pas sans rappeler les débuts avec Jenny Dacquin. Il est à nouveau en correspondance avec une « inconnue », la baronne Aymé, qui habitait dans les Deux-Sèvres à Melle. Celle-ci, veuve d'un député et conseiller général, était fort laide et de taille géante. Mérimée dut la rencontrer vers septembre-octobre 1860 et en fut certainement dégrisé (le rêveur !) car il écrit à Panizzi en date du 6 octobre : « Je suis allé en province mettre fin à une aventure des plus chevaleresques et des plus originales que je vous conterai lorsque nous n'aurons rien de mieux à faire. » La correspondance cessa. Il n'empêche que, lors de la publication en 1874 des *Lettres à une inconnue*, la baronne Aymé laissa entendre qu'elle était l'inspiratrice de ces lettres. Il n'empêche qu'on possède une lettre à Panizzi datée de Melle du 30 mars 1861 et contenant ces mots obscurs : « Je suis ici également en retraite et je pense en partir pour Paris lundi ou mardi suffisamment mortifié. » Que faisait-il à Melle ? On ne sait rien de plus sur cette affaire.

A classer dans les aventures moins platoniques de Mérimée quinquagénaire celle à laquelle il fait allusion en écrivant à Mrs Childe : « Il y a près de mon logis, à Madrid, une jeune fille qui fabrique des cure-dents en bois à un sou le paquet et qui est une Cendrillon divine. Il se peut fort bien que je lui offre mon cœur et ma main lorsque j'aurai fait assassiner le porteur d'eau qui est son amant. » J'ai dit plus haut, citant une lettre à Francisque Michel comment Mérimée fut galant durant ce séjour en Espagne. Il l'est encore en 1859, quand il déclare à Mme de la Rochejaquelein : « Je ne suis pas encore assez ermite pour que de temps à autre je ne me trouve en assez mauvaise compagnie. »

Cependant il juge la mauvaise compagnie moins gaie, moins drôle qu'elle ne l'était dans sa jeunesse. Les demi-mondaines seraient-elles moins intéressantes ? Ou bien, l'âge venant, s'y intéresserait-il moins ? La seconde hypothèse me paraît juste. Mérimée n'est pas sage encore mais il est en train de le devenir.

Il n'en sort pas moins dans le vrai monde, déjeunant ou dînant en ville. Il ne fréquente plus guère les salons orléanistes dont sa liaison avec Valentine Delessert lui avait ouvert les portes. Il appartient désormais à l'entourage de l'empereur. Avec ce dernier les rapports n'ont pas toujours été faciles. Plus exactement s'ils le sont en surface, ils ne le sont nullement en profondeur. Mérimée a assez vite compris à qui il avait affaire. Inutile d'attendre des confidences de l'empereur. « Vous avez un gendre, écrit-il à Mme de Montijo, qu'on ne fait pas parler comme on veut. » Il dira à Panizzi : « Il a le défaut d'aimer le cotillon plus qu'il ne convient à un homme de son âge et de croire que toutes les femmes sont des anges descendus du ciel. Il se monte la tête pour un chat coiffé et pendant une quinzaine de jours pense au bonheur rêvé. Puis, quand il y est parvenu, il se refroidit et n'y pense plus. »

Il connaît les défauts de son maître et s'en trouve affecté dans son amitié pour Eugénie. Cependant il lui faut faire bonne mine.

L'empereur avait des qualités personnelles que Mérimée avait peu à peu appréciées. Ensemble, à Compiègne, Fontainebleau ou Biarritz, ils avaient des conversations, non sur la politique certes, mais sur des sujets généraux. Et le charme bien connu de Napoléon III agissait. A un retour de Fontainebleau, Mérimée écrit à Mme de la Rochejaquelein : « J'ai très souvent causé (histoire, archéologie, morale) avec le maître de la maison ; et toujours je pensais à vous pendant et après ces conversations. Vous me demanderez pourquoi ? Parce que je me disais que, si vous étiez à ma place, si vous le voyiez, sans opinion arrêtée d'avance, sans convictions ni attachements antérieurs, il vous plairait infiniment. Vous vous moquerez de moi, si je vous dis que je n'ai jamais rencontré un homme plus *naïf*. Il ne dit jamais rien d'appris. Ses idées sont quelquefois bizarres, étranges, mais bien originales. Il a un talent singulier pour gagner la confiance et mettre les gens à leur aise. C'est l'effet qu'il a produit toujours sur les gens de ma connaissance très intime qui ont eu affaire à lui. Cependant il n'a pas l'air de le chercher. Il est extrêmement poli et bienveillant, mais réservé. Il sait faire parler. La carte des Gaules qu'il fait faire lui a donné le goût des études archéologiques et de l'histoire romaine. Comme je suis coupable de deux gros volumes sur les derniers temps de la République, je suis assez fort sur ce sujet, pas assez pourtant, parce qu'il voudrait savoir ce qu'on ne saura jamais. J'ai bien lu en grec et en latin que César était l'amant de la femme de Pompée et de la sœur de Caton, mais je n'ai jamais pu découvrir quel chapeau, bonnet ou couvre-chef était à son usage. Je disais donc à *Mine host* qu'un des traits les plus extraordinaires de ce César, c'est d'être devenu amoureux fou de Cléopâtre à l'âge de 53 ans. Cela l'avait rendu romantique, et il voulait remonter le Nil avec elle dans une cange pour chercher la source du fleuve, mystérieuse dès cette époque. Cela me mena à raconter comment de cette liaison était né un joli garçon qu'on appela Césarion, et qui était bien son fils, ajoutai-je, *car* Auguste le fit mourir. L'anecdote qu'il ne savait pas, et peut-être aussi mon *car* lui firent faire une exclamation de surprise et d'indignation, si honnête que je fus tout honteux de m'être montré plus machiavélique que je ne le suis. »

Ils ont une passion commune, Jules César. On sait combien ce sujet avait occupé Mérimée depuis environ 1838, quelles études préparatoires il avait entreprises en vue d'un grand projet jamais réalisé, écrire un « Jules César ». Il va rencontrer en la personne de l'empereur plus qu'un émule, un rival. Et qui donc serait plus qualifié que l'empereur pour étudier un si grand caractère. Mérimée va devenir désormais un conseiller et un guide dans un travail qui ne lui appartient plus. Cette collaboration qui va longtemps occuper les deux hommes n'est pas un menu devoir pour l'académicien. Il prend l'affaire très au sérieux. Il se rend à Alise-Sainte-Reine avec l'empereur pour visiter les fouilles de l'ancienne Alésia. Dans une lettre à Fanny Lagden il raconte l'expédition et comment il a cru mourir de chaleur, alors que Sa Majesté ne semblait nullement incommodée. Au maréchal Vaillant[1] il écrira : « Lorsque j'ai pris congé de l'Empereur, S. M. m'a chargé d'un petit travail *césarien*, que je prendrai la liberté de vous adresser dans quelques jours. Comme je ne sais pas trop dans quelle forme S. M. veut que la chose soit faite, je serais très heureux de savoir les observations qu'Elle fera sur ma prose, et si Elle voulait bien me faire écrire un mot à ce sujet, j'en ferais mon profit pour la suite. Si S. M. veut voir la fin de l'ouvrage qu'Elle a entrepris, je crois qu'Elle ferait bien d'en charger quelque pauvre rat d'érudition, comme votre serviteur, plus accoutumé qu'Elle à fouiller dans les bouquins. Le travail terminé, rien de plus facile à S. M. que de biffer ce qui lui déplairait et d'ajouter ce qu'Elle voudrait. Il me semble qu'en ce qui concerne la partie militaire et politique de la vie de César, l'Empereur a un avantage immense sur tous les gens de lettres qui ne voient les choses et les hommes que par la fenêtre de leur grenier. Au contraire pour les recherches dans les auteurs grecs et latins, et jusqu'à un certain point, pour la critique historique, nous avons sur un souverain l'avantage d'une éducation ad hoc et l'habitude de ces sortes de travaux. » Il dit en substance à Mme de Boigne qu'il avait espéré que *La vie de César* par Napoléon III ne verrait jamais le jour : « L'histoire de César que m'annonce mon journal m'épouvante un peu. Je m'étais persuadé que ce livre ne paraîtrait jamais. Je vois d'ici les pédants d'Angleterre et d'Allemagne, sans parler de M. Prévost-Paradol, qui taillent leur plume et préparent le fiel le plus pur. » A Lise Przezdziecka : « L'auteur de la vie de César veut bien me recevoir aujourd'hui. Le livre embarrasse les gens qui voudraient le critiquer. Ils le trouvent trop savant. Ils disent que cela regarde l'Académie des Inscriptions et non l'Académie française. Il y a de

1. Ministre de la Guerre, puis ministre de la Maison de l'Empereur.

très belles pages, une érudition plus étendue et plus solide que je ne m'y attendais. Je regrette qu'il n'ait pas suivi mon conseil : se borner à faire un commentaire sur les *Commentaires* et laisser aux pédants en « us » la discussion des textes et les dissertations sur la manière dont les Romains mettaient leur bonnet de nuit. » Ainsi vante-t-il l'ouvrage à Victor Cousin, à Tourguéniev. Mais quelque chose dans son ton ne semble pas tout à fait convaincu. Il se pourrait bien que le Jules César de Napoléon III nous ait causé le dommage d'empêcher Mérimée d'écrire le sien qui sans doute eût été meilleur.

L'empereur en tout cas maintient son serviteur (« son laquais » dirait Victor Hugo) dans un rôle subalterne. Il ne s'agit après tout que d'un sénateur-académicien. Il l'utilisait, nous dit Paul Léon, comme porte-parole auprès de l'Académie dont il sentait l'hostilité et auprès de Panizzi, « émissaire officieux des ministres britanniques ».

Avec l'impératrice, c'était tout autre chose. Mérimée ne l'avait-il pas connue enfant ? Ne l'appelait-il pas Eugénie dans l'intimité ? A cause d'elle, toute question politique mise à part, il fait partie de la cour et participe à sa fête. Il est l'invité permanent de Saint-Cloud, Compiègne, Fontainebleau, Biarritz. Et certes dans sa correspondance il se plaint beaucoup des fatigues physiques que cette vie lui impose. Il n'en profite pas moins et j'ai l'impression qu'il entre dans ces plaintes assez de geignardise. En réalité il peut critiquer ce qu'il voit bien sûr, il n'en est pas moins certain qui si ce milieu venait à lui faire défaut il en serait blessé. Il s'est habitué à cette vie qui flatte sa vanité et trompe sa solitude de pessimiste vieillissant. D'assez bonne heure, passée la cinquantaine, passée la déception que lui a causée Valentine, il s'est installé dans un système : il se dit vieux (et la maladie débutant l'encourage dans cette idée), il se sent honorable, il se veut honoré, il se consacre au monde, avec les interruptions dues chaque année à ses séjours à Cannes, il est moins que jamais *écrivain* si jamais il le fut. C'est une espèce de retraite prématurée à laquelle ont contribué les honneurs, la disparition de l'amour, le décès de la mère, les premiers troubles de l'âge. Entre les voyages (qui deviendront moins fréquents), les cures à Cannes, la correspondance, existe par-dessus tout cette cour dont il critique certains travers, mais où il rencontre des types humains qui l'amusent, qu'il promène à travers ses lettres et dont il rapporte l'histoire faite souvent de menus potins.

En 1858, la reine de Hollande est venue passer quelques jours à Fontainebleau. A Jenny Dacquin : « J'ai fait des vers pour Sa Majesté Néerlandaise, joué des charades et *made a fool of myself.* C'est pourquoi je suis absolument abruti. Que vous dirai-je de la vie que nous menons ici ? Nous prîmes un cerf hier, nous dînâmes sur l'herbe ; l'autre jour, nous fûmes trempés de pluie, et je m'enrhumai. Tous les jours, nous mangeons trop ; je suis à moitié mort. Le destin ne m'avait pas fait pour être courtisan. Je voudrais me promener à pied dans cette belle forêt avec vous et causer de choses de féerie. J'ai tellement mal à la tête, que je n'y vois goutte. Je vais dormir un peu, en attendant l'heure fatale où il faudra me mettre sous les armes, c'est-à-dire entrer dans un pantalon collant. » A Mme de la Rochejaquelein : « La reine m'a paru une très bonne personne, assez agréable de figure sans être noble d'aspect, sachant tout, parlant de tout, accomplie en tout, mais se croyant obligée d'avoir de la vivacité française parce qu'elle se trouvait en France. Vous devinez ce que c'est que la vivacité d'une Allemande qui veut être française. J'ai fait les fonctions d'imprésario pour notre théâtre de charades et parfois celles d'acteur. Nous avons eu la galanterie de jouer *Orange*, et pour le tout de faire un petit compliment à S. M. Néerlandaise qui a fort bien pris. » A Panizzi : « Nous avons sué sang et eau pour amuser S. M. : bals, fêtes champêtres, charades, etc. Si vous ne me trahissez pas, je vous avouerai que ma courtisanerie est allée jusqu'à lui faire de petits vers en manière de compliment, et que cependant, par respect pour la vérité, je me suis borné à la comparer à Vénus, Minerve, etc. Comme les princes sont toujours ingrats, je n'y ai pas même gagné une bouteille de curaçao ou un fromage de Hollande. Rien qu'un rhume effroyable pour avoir eu l'insigne honneur d'être trempé de pluie aux côtés de S. M... L'autre jour, il y a eu à

Fontainebleau une foire où l'impératrice est allée acheter du pain d'épices. Le prince de Nassau qui l'accompagnait a acheté une blouse et une casquette sans qu'elle s'en aperçût et dans ce nouveau costume, il est venu lui parler. Elle ne l'a pas reconnu et a poussé un grand cri, les gens de la suite sont accourus, et le quiproquo a été traduit à Paris en une tentative d'assassinat. Tenez ma version pour exacte. » De Fontainebleau, il écrit encore à Jenny Dacquin : « Cependant, nous avons fait quelques jolies promenades dans les bois, entre deux ondées ; tout est d'un vert d'épinards uniforme, et, quand il n'y a pas de soleil, c'est médiocre. Il y a des rochers et des bruyères qui auraient leur mérite si l'on s'y promenait en tête-à-tête, en causant de toute sorte de choses comme nous savons faire ; mais nous allons en longue file de chars à bancs où l'on n'est pas toujours très bien appareillé pour l'amusement réciproque. Il n'y a pas, d'ailleurs, de république où l'on soit plus libre, ni de châtelain et de châtelaine plus aimables pour leurs hôtes. Avec tout cela, les journées ont vingt-quatre heures, dont on passe au moins quatre en pantalon collant, ce qui semble un peu dur dans ce temps de mollesse et de mauvaises habitudes.

« Je me suis enrhumé horriblement les premiers jours de mon arrivée. Au reste, comme à brebis tondue Dieu mesure le vent, je n'ai plus eu mes douleurs dès que je me suis mis à tousser. » Il fait des gorges chaudes à propos de la princesse de Metternich, amie intime de l'impératrice parce qu'on lui a donné du « sel gris » au lieu des sels de bain qu'elle réclamait. Il raconte drôlement la visite à l'empereur des ambassadeurs siamois : « Toute la suite s'avançait en rampant, le second ayant la figure contre le derrière du premier. Lorsqu'il fallait revenir ce fut la confusion. C'étaient des coups de derrière contre des figures, des bouts de sabre qui entraient dans les yeux du second rang qui éborgnait le troisième. Si vous avez vu sur le Pont-Neuf l'enseigne " Au bonjour des chiens ", vous vous ferez une idée de la scène. » Et il ajoute pour Panizzi : « Ils ont tous la vérole qu'ils ont gagnée à Alexandrie et ils ne peuvent trouver ici de bordel qui veuille les recevoir. »

Ensuite c'est au tour des Highlanders de le divertir : « Huit genoux nus dans un salon où tous les hommes ont des culottes ou des pantalons collants. Ils ont dansé tous les quatre, de manière à alarmer le monde lorsqu'ils tournaient. Mais il y a des dames dont la crinoline est encore bien plus alarmante quand elles montent en voiture. Comme on a permis aux dames invitées de ne pas porter le deuil du prince Albert [1], on voit des jambes de toutes les couleurs. Les bas rouges ont très bon air. Puis, l'inévitable résultat : au milieu des bois humides et glacés et des salons chauffés au rouge, je me suis tenu jusqu'à présent sans rhume, mais je suis oppressé et je ne dors pas. »

A Biarritz par contre l'atmosphère est calme et reposante, Mérimée l'oppose à l'agitation de Compiègne. A Biarritz : « Il n'y a pas de château en France ni en Angleterre où l'on soit si libre et si sans étiquette, ni de châtelaine si gracieuse et si bonne pour ses hôtes. » Et puis il y a les promenades, la mer, le spectacle des baigneuses. Tandis qu'à Compiègne : « Je suis arrivé depuis cinq minutes, et, pendant tout le temps que j'ai passé à Compiègne je n'ai pas eu une minute. Ce n'est pas comme à Biarritz. On est pris du matin au soir. Ajoutez à cela que j'ai eu deux rôles à apprendre en très peu de temps et des répétitions soir et matin. Tout s'est d'ailleurs fort bien passé. L'Impératrice s'est montrée très aimable pour le chevalier Nigra et pour un attaché nommé Alberti qui lui donnait des leçons d'italien. On a chassé, dansé et joué la comédie. C'est M. de Morny qui avait fait les deux pièces jouées devant LL. MM. La seconde était un impromptu commandé par l'Empereur, qui en avait donné lui-même le sujet. Cela s'appelle *La Corde sensible.* Il y avait un point assez délicat. C'était de faire des épigrammes sur les gens présents, à commencer par LL. MM. Tout cela entremêlé de calembours et de lazzis de toutes sortes. M. de Morny qui était en scène avec moi était un peu ému. Pour moi connaissant de longue date la débonnaireté de nos hôtes, je n'avais pas la moindre inquiétude du succès. M. de Morny a commencé par faire les

1. Prince de Saxe-Cobourg-Gotha, mari de la reine Victoria.

honneurs de lui-même. Ensuite nous avons passé à Lord Hertford qui en entendant son nom a eu une peur de chien. Il a été très heureux de trouver que tout se bornait à un calembour. Il a une maison de campagne au bois de Boulogne qui s'appelle Bagatelle, et je demandais à M. de Morny s'il était vrai que ce seigneur anglais si riche ne s'occupât que de bagatelle ? Puis est venu le tour de l'Empereur que nous avons impitoyablement raillé sur son goût pour les antiquités romaines. Enfin est venu le tour de l'Impératrice, pour sa passion de meubler et d'arranger les appartements de manière à ce qu'on ne puisse s'y remuer. Nous avons eu un grand succès de rire. » Telle est la missive qu'il envoie à Panizzi en novembre 1862. Elle en dit long sur le style des distractions de la cour comme cette lettre à Fanny Lagden, rédigée en anglais comme toujours avec cette correspondante et dont je donne la traduction partielle fournie par Paul Léon dans *Mérimée et son temps :* »Telle est la comtesse Stéphanie Tascher, une bonne vieille fille, très mauvaise comédienne. On imagine de lui faire boire deux punchs glacés. Au lever du rideau elle s'arrête subitement. “ Je suis paf. Tuez-moi si vous voulez. Je ne puis continuer. ” Eclats de rire. Elle reprend courage. “ Si nous recommencions au commencement. ” On recommence. Elle oubliait et ajoutait. L'ensemble était absurde. Tout le monde a beaucoup ri. A la deuxième pièce, j'étais en avocat et mon partenaire en dame. Personne ne m'a reconnu. L'Empereur demanda qui j'étais. Avant et après, des tableaux vivants : *La Belle au bois dormant* était la princesse Anna[1]. Judith, Mme Alphonse de Rothschild : une très belle Juive aux cheveux très noirs, sur sa tête et au cou trois ou quatre millions de diamants. Holopherne était Thomas Caro, un Espagnol cousin de l'Impératrice. Les figures étaient éclairées à l'électricité. L'effet était splendide. Cette lumière adoucit et embellit tout. Pour le bouquet, la princesse de Metternich en figurante de l'Opéra : maillot, jupon court, tunique de gaze. Elle dansa, cabriola, montra tout ce qu'il y avait sous cette tunique, but trois verres de

1. Princesse Anna Murat.

champagne. Bien que laide comme un singe, elle fut si espiègle, si étourdie qu'elle s'en alla en plein succès. »

On remarque dans cette correspondance que Mérimée omet rarement de parler de sa santé que ces distractions compromettent. Il se dit à chaque instant « enrhumé ». « C'est une mauvaise préparation que de ramer trois à quatre heures en pantalon collant sur le lac à gagner des toux terribles. » Et c'est un fait que cette sclérose pulmonaire, très pénible, ne cesse de s'aggraver. Elle accompagna Mérimée pendant les quinze dernières années de sa vie. C'est une épreuve, compte tenu de la contrepartie qui lui fait prendre des plaisirs à cette vie épuisante.

Mérimée serait-il un sot que de se contenter de distractions aussi médiocres que celles que lui offre la cour de Napoléon III ? Pas du tout, il regrette au contraire les niaiseries dont on s'amuse et souhaiterait des plaisirs d'un goût plus relevé. Il sait à quoi il participe et ne se fait aucune illusion à ce sujet. A la princesse Julie [1] : « Vous ne sauriez vous figurer, Madame, tout ce que ces charades de Compiègne dont vous me parlez m'ont fait endurer de maux. En écrivant ces turpitudes je pensais à ce chansonnier allemand qui composait des chansons immorales pour gagner de quoi enterrer sa femme. Voilà en quelle disposition d'esprit je me trouvais. Ce qui m'a amusé, c'est la troupe des comédiens et les spectateurs. »

On a joué des charades. On s'amuse maintenant avec le spiritisme et le charlatanisme de M. Hume. A Mme de Montijo : « Il est allé plusieurs fois aux Tuileries, ce qui n'est pas d'un trop bon effet. Nous vivons dans un drôle de temps. Il me semble que l'abaissement des intelligences est bien sensible. Si l'on compare les farceurs du siècle dernier, le comte de Saint-Germain et Cagliostro avec ce M. Hume, il y a la même différence qu'entre le XVIIIe siècle et le nôtre. Cagliostro faisait de l'or à ce qu'il disait, prêchait la philosophie et la révolution, devinait les secrets d'Etat. M. Hume fait tourner les tables. Hélas ! les esprits de notre temps sont bien médiocres. » A Panizzi il confie : « Ce que

1. Fille de Charles Bonaparte, prince de Canine.

je vous ai dit au sujet des bas-bleus m'était suggéré par le goût que je déplore chez une personne que j'aime, pour des amusements peu intellectuels. La raison est que l'éducation n'a pas été assez littéraire. L'avantage de la littérature est de donner des goûts nobles, qui deviennent de plus en plus rares dans ce monde sublunaire. » Ainsi critique-t-il sa bien-aimée Eugénie qui se complait dans des divertissements vulgaires. De Biarritz il écrit à Mme de Beaulaincourt : « Nous avons essayé de varier nos amusements par la littérature. J'ai fait une nouvelle immorale qu'on n'a pas trop désapprouvée, puis on a eu prodigieusement d'esprit en jouant aux petits papiers. Nous fendions les cheveux en quatre et nous tournions des pensées avec une subtilité extraordinaire.

« J'ai voulu faire lire *Wilhelm Meister* d'un nommé Goethe, mais fiasco complet ; on n'a pu aller plus loin que le 4e chapitre. En revanche l'Empereur s'est faire lire *Joseph Balsamo* et trois ou quatre romans de Paul de Kock. Remerciez madame votre mère qui vous a donné le goût de lire des choses sérieuses. Ce goût-là se perd, et c'est dommage. C'est un grand moyen de supporter l'existence que de s'intéresser aux choses d'esprit. Ici pour nous les proverbes de Musset sont trop élevés. Nous allons nous mettre aux *Mystères de Paris,* ce qui fait de la peine à M. Duruy [1] qui nous est venu voir. »

La « nouvelle immorale » est *La Chambre bleue* sur laquelle nous reviendrons. Critiquer l'esprit de l'impératrice pour Mérimée ce n'est rien. Elle a de mauvaises habitudes intellectuelles. Mais elle est avec lui si bonne, si dévouée, elle l'entoure de tant de soins qu'il est facile de comprendre cet attachement qui dure depuis longtemps.

Ce que nous venons de dire de Mérimée auprès de la cour impériale a duré quelque dix-sept ans. En gros, cela commence avec sa nomination comme sénateur en 1853, cela ne finira qu'à sa mort qui coïncide avec la mort de l'empire. Cela commence avec un chagrin d'amour et s'achève sur ce portrait qu'Augustin

1. Probablement Victor Duruy, ministre de l'Instruction publique.

Filon, nouveau précepteur du prince impérial, brosse en 1868 de notre auteur : « En entrant dans la cour des Fontaines, j'ai aperçu l'Impératrice qui venait du jardin anglais. Un vieux monsieur marchait à côté d'elle en regardant les pavés. Mise soignée et même coquette : pantalon gris, gilet blanc, ample cravate bleu ciel, d'ancien style. Un gros nez à bout carré, de forme curieuse, le front haché de quatre profondes rides cruciales ; l'œil rond, froid, un peu dur, à l'ombre d'un sourcil épais et derrière le miroitement du pince-nez. L'allure générale très raide. Probablement un diplomate anglais. L'Impératrice m'appelle pour me présenter. C'est Mérimée. »

Depuis vingt ans ou à peu près Mérimée n'a entrepris aucune œuvre vraiment littéraire. Avec *La Chambre bleue* il retrouve la veine qu'avait tarie la trahison de Valentine Delessert. On dirait que sur le tard une ancienne ambition lui revient. L'homme de lettres qui était en lui se réveille.

XIII

Comment on reprend goût à la littérature

Sans doute faut-il parler ici de *Il Vicolo di Madama Lucrezia.* Bien sûr le conte écrit en 1846 ne parut qu'en 1873 dans *Dernières nouvelles,* après la mort de l'auteur. Mais il semble qu'il ait été remanié entre 1866 et 1869 en une version nouvelle qui disparut dans l'incendie de la rue de Lille, en sorte que nous n'en connaissons que la forme première. C'est l'intérêt nouveau que Mérimée lui porte, à la suite du succès obtenu dans les salons par *La Chambre bleue,* qui me fait le placer ici plutôt qu'à l'époque de sa rédaction. Il fait partie, par cet intérêt même, de ce qu'on pourrait appeler le tardif réveil de Mérimée quant à sa carrière littéraire proprement dite.

Le manuscrit écrit pour Mme Odier, sœur de Valentine, et à elle offert, est daté du 27 avril 1846. Mérimée, on ne sait pourquoi, ne le publia pas. Or voici qu'il y pense à nouveau en 1853. Il y a déjà un bout de temps que Valentine Delessert « lui bat froid ». Elle est sur le point, si ce n'est déjà fait, de passer des bras de Rémusat à ceux de Maxime Du Camp. Mérimée est déjà dans son rôle d'amoureux transi et cocu, décidé à préserver les quelques liens qui subsistent entre Valentine et lui. Il écrit donc à cette dame en juin 1853 pour *lui demander la permission* de faire paraître la nouvelle. « Je voudrais bien établir que je suis toujours un faiseur de contes, et si j'en avais un prêt je le donnerais aussitôt. Le mal, c'est que je n'en ai pas, mais conseillez-moi. Il y a quelques années que j'en ai fait un pour

Mme Odier, où il y avait deux chats et qui est inédit. Je ne m'en souviens plus du tout. Il faudrait que vous le lussiez et vissiez si cela peut passer en lettres moulées. Deuxièmement que vous eussiez la bonté de dire à Madame votre sœur que pour le motif dessus dit, vous me conseillez de faire acte de romancier, et que vous obtinssiez d'elle, pourvu que cela lui fût parfaitement égal, qu'elle me prêtât la chose et en permît la publication. Bien entendu que vous approuveriez tout cela, que je n'ai pas assez médité pour être sûr de ne pas faire une bêtise. De toutes façons, veuillez décider pour moi après mûr examen. » On est un peu honteux pour Mérimée en lisant cette supplique où les subjonctifs semblent manifester une gêne extrême et pour tout dire une humilité inadmissible, s'adressant à une personne qui l'a si grossièrement bafoué.

Quoi qu'il en soit la permission est refusée. Mérimée rentre dans sa coquille et ce n'est pas sans quelque irritation qu'on lit sa lettre du 26 juin 1853 : « Madame, je vous remercie beaucoup de votre lettre. Vous avez mille fois raison, et il sera fait ainsi que vous le dites. Je vous rapporterai jeudi la nouvelle que je vais relire avec curiosité, mais pour moi, bien entendu. Je vous ai écrit l'autre jour avec des préoccupations que je n'ai plus et qui étaient en effet fort ridicules. » Il y a du masochisme chez cet homme. Il parle de « préoccupations ridicules ». Or ce texte, qui certes n'est pas son chef-d'œuvre, est dans sa manière habituelle d'aborder le fantastique. Nous savons combien il excelle à créer un climat inquiétant. Certes il nous déçoit ici par une conclusion trop certaine, trop prosaïque, affublée en outre d'une relative invraisemblance. La solution du mystère est un peu trop « tirée par les cheveux ». Malgré cela le jugement de Mme Delessert nous agace comme la preuve d'un assujettissement regrettable.

Un très jeune homme en visite à Rome reçoit du balcon d'une maison en apparence abandonnée une rose qu'il pense lui être destinée. De la même fenêtre il essuie quelques jours plus tard un coup de feu qui ne l'atteint pas. La légende veut que Lucrèce Borgia ait jadis habité cette maison aujourd'hui en ruine. Tout cela est fantastique et d'autant plus que quelques autres histoires terrifiantes nous ont été racontées auparavant par des protagonistes secondaires de la nouvelle. Rien de plus ordinaire pourtant. Des amants, que leurs parents séparent se réunissent clandestinement le soir dans ce lieu désert. La femme a laissé tomber une rose aux pieds du narrateur qu'elle avait pris dans l'obscurité pour son amant. Une semblable méprise a causé le coup de pistolet destiné lui aussi à l'amant par le frère de la jeune fille.

Ce récit qui voudrait inquiéter le lecteur nous laisse froids. On s'explique mal tout de même la condamnation de Mme Delessert. Cette dernière fut peut-être choquée par l'anticléricalisme qui se donne libre cours dans la nouvelle. C'est possible. Toujours est-il qu'en 1868, oublieux, semble-t-il, de la condamnation jadis portée par Valentine contre son texte, il écrit à la duchesse Colonna : « Je me suis souvenu d'avoir autrefois fait une nouvelle pour une dame blonde qui la garda. J'ai recommencé sans me souvenir des détails. Lorsque je n'ai rien à lire, j'en écris quelques pages. Cela deviendra ce que cela pourra. » A la même correspondante qui se trouve en Italie il demandera des renseignements sur la situation de cette « ruelle, donnant sur le Corso, qui s'appelle Vicolo di Madama Lucrezia », cela à deux reprises et jusqu'en 1869.

On a à propos des origines littéraires de cette nouvelle évoqué le nom d'Hoffmann, à cause de son récit, *La Maison déserte.* Mais la maison abandonnée est vraiment un thème si banal, si souvent employé et même de nos jours, qu'il se pourrait bien que Mérimée y ait pensé tout seul. Et d'ailleurs son insistance auprès de la duchesse Colonna nous prouve que visitant Rome il avait été frappé, peut-être au cours de son voyage avec Stendhal en 1839, par cette maison singulière située dans un lieu dont il se rappelait le nom trente ans plus tard.

Mais c'est à propos de *La Chambre bleue* que j'ai cru devoir parler ici de cette œuvrette assez secondaire que représente *Il Vicolo.* J'ai dit plus haut combien étaient dédaignées les œuvres littéraires dans l'entourage de la cour, citant même un passage d'une lettre à Mme de Beaulaincourt à ce propos. Comme Mérimée ne dédaigne pas toujours de se répéter dans sa correspondance, il écrit de Biarritz le 6 octobre 1866 à la princesse Julie : « Lorsqu'on ne joue pas aux petits papiers, on lit. J'ai proposé de lire *Wilhelm Meister* de Gœthe, mais, après le premier chapitre, on l'a déclaré la plus ennuyeuse chose du monde. On a trouvé aussi très ennuyeuses des nouvelles de Tourgueniev que moi je trouve très jolies. Par compensation on s'est amusé d'une petite histoire que le désœuvrement m'a fait écrire. Il est vrai qu'elle est fort immorale. » Dans une excellente lettre à Jenny Dacquin, Mérimée raconte dans quelles circonstances il écrivit sa nouvelle et quel en fut l'accueil : « Etant à Biarritz, on disputa, un jour, sur les situations difficiles où on peut se trouver, comme par exemple Rodrigue entre son papa et Chimène, Mlle Camille entre son frère et son Curiace. La nuit, ayant pris un thé trop fort, j'écrivis une quinzaine de pages sur une situation de ce genre. La chose est fort morale au fond, mais il y a des détails qui pourraient être désapprouvés par monseigneur Dupanloup. Il y a aussi une pétition de principe nécessaire pour le développement du récit : deux personnes de sexe différent s'en vont dans une auberge ; cela ne s'est jamais vu, mais cela m'était nécessaire, et à côté d'eux, il se passe quelque chose de très étrange. Ce n'est pas, je pense, ce que j'ai écrit de plus mal, bien que cela ait été écrit fort à la hâte. J'ai lu cela à la dame du logis. Il y avait alors à Biarritz la grande-duchesse Marie [1], la fille de Nicolas, à laquelle j'avais été présenté il y a quelques années. Nous avons renouvelé connaissance. Peu après ma lecture, je reçois la visite d'un homme de la police, se disant envoyé par la grande-duchesse. " Qu'y a-t-il pour votre service ? — Je viens, de la part de Son Altesse impériale, vous prier de venir ce soir chez elle avec votre roman. — Quel roman ? — Celui que vous avez lu l'autre jour à Sa Majesté. " Je répondis que j'avais l'honneur d'être le bouffon de Sa Majesté, et que je ne pouvais aller travailler en ville sans sa permission : et je courus tout de suite lui raconter la chose. Je

1. Marie-Nicolaievna, sœur d'Alexandre II de Russie, veuve du duc de Leuchtenberg.

m'attendais qu'il en résulterait au moins une guerre avec la Russie, et je fus un peu mortifié que non seulement on m'autorisât, mais encore qu'on me priât d'aller le soir chez la grande-duchesse, à qui on avait donné le policeman comme factotum. Cependant, pour me soulager, j'écrivis à la grande-duchesse une lettre d'assez bonne encre, et je lui annonçai ma visite. J'allais porter ma lettre à son hôtel ; il faisait beaucoup de vent, et, dans une ruelle écartée, je rencontre une femme qui menaçait d'être emportée en mer par ses jupons, où le vent était entré, et qui était dans le plus grand embarras, aveuglée et étourdie par le bruit de la crinoline et tout ce qui s'en suit. Je courus à son secours, j'eus beaucoup de peine à l'aider efficacement, et alors seulement je reconnus la grande-duchesse. » La nouvelle eut grand succès dans le milieu où elle fut lue. Le texte adressé à l'impératrice resta au palais des Tuileries jusqu'en septembre 1870 où le nouveau gouvernement s'en empara. Dès lors l'histoire du manuscrit se compliqua. Une Commission des papiers des Tuileries s'en saisit. Plusieurs membres, intéressés par ce récit, en avaient pris copie. Philippe Burty, collectionneur et critique d'art, souhaita le publier. Des fuites se produisirent en sorte que *La Chambre bleue* parut d'abord dans *L'Indépendance belge* en septembre 1871. *La Liberté,* d'Emile de Girardin, le publia quelques jours plus tard. Après divers incidents auxquels se mêla la politique, *La Chambre bleue* parut en 1873 en volume sous le titre *Dernières nouvelles* chez Michel Lévy.

L'œuvre dédiée à « Mme de la Rhune », astuce un peu grossière qui consiste à baptiser l'impératrice du nom de la petite montagne des environs de Biarritz où Eugénie aimait se rendre pour contempler le paysage, est signée « Prosper Mérimée, fou de S. M. l'Impératrice ». Ces plaisanteries qui volent bas sont peut-être la cause du caractère « graveleux » que certains contemporains trouvèrent à ce texte insignifiant, simple divertissement de cour, rédigé d'une plume alerte et traîtant d'un sujet parfaitement inepte. Ce n'est peut-être pas, comme il le dit lui-même, ce que Mérimée a écrit de plus mal, mais à coup sûr ce n'est pas ce qu'il a fait de mieux.

Deux amants qui ne souhaitent pas être reconnus prennent le chemin de fer pour se rendre dans une auberge. Leur nuit d'amour est troublée par leurs voisins : d'une part une troupe d'officiers fêtant une relève, d'autre part un mystérieux Anglais aux poches bourrées de banknotes et qui a été menacé à son arrivée par un homme « à la barbe mal faite, signe auquel on reconnaît souvent les grands criminels » (remarquons que, prise au sérieux ou de manière plaisante, cette phrase demeure sotte). L'Anglais se soûle au porto durant la nuit. Au matin, réveillé par le bruit sourd d'une chute, l'amant dérangé voit un liquide rouge s'infiltrer sous la porte entre les deux chambres. Il croit à un meurtre, éveille sa maîtresse en vue d'une fuite qui préservera leur anonymat et évitera le scandale. Comme on pouvait s'en douter, le liquide n'est pas du sang, mais du porto renversé par l'ivrogne. On ne saurait faire plus banal. Quant au côté graveleux on le cherchera en vain, à moins qu'on ne veuille le voir dans l'hypocrisie d'une époque où on est censé ne jamais faire l'amour.

Peu importe. L'essentiel est que Mérimée, content de son succès de cour, reprenne goût à sa carrière de novelliste et se remette à écrire, après une période stérile d'environ vingt ans. Cependant il reste méfiant à cause de son âge. Il s'est mis à *Lokis*, il écrit à Jenny Dacquin : « Pendant que j'étais à Fontainebleau, il m'est arrivé un accident étrange. J'ai eu l'idée d'écrire une nouvelle pour mon hôtesse, que je voulais payer en monnaie de singe. Je n'ai pas eu le temps de la terminer ; mais, ici, j'y ai mis le mot *fin*, auquel je crains qu'on ne trouve des longueurs. Mais le plus étrange, c'est que j'avais à peine fini, que j'ai commencé une autre nouvelle ; la recrudescence de cette maladie de jeunesse m'alarme, et ressemble beaucoup à une seconde enfance. Bien entendu, rien de cela n'est pour le public. »

Il y a décidément « maladie de jeunesse ». Mérimée écrit à Valentine Delessert : « Il m'arrive comme aux vieillards je retombe en enfance, et depuis mon retour de Fontainebleau je me suis mis à faire des nouvelles. J'en suis à ma seconde. On lisait à Fontainebleau toutes sortes de bêtises, et je voulais faire pour S. M. quelque chose dans son goût, par conséquent j'ai pris le sujet le plus extravagant et le plus atroce que j'ai pu, mais il a fini par me plaire, et si j'avais le courage de le recommencer d'une autre façon, j'en ferais peut-être quelque chose de tolérable. Je m'amuserai à tout cela à Cannes avec serment formel de n'en jamais montrer une ligne au respectable public. »

En fait, ces années passées hors de tout souci vraiment littéraire sont étonnamment vides. Sénateur dans sa cinquantième année, déjà en froid avec Valentine Delessert, ayant perdu ses amis de jeunesse, en particulier Stendhal et Sutton Sharpe, désormais orphelin d'une mère qu'il avait beaucoup aimée, livré à lui-même, introduit à la cour, Mérimée est vieux avant l'âge. Il le dit, il écrit souvent pour parler à l'un ou à l'autre des pressentiments de sa mort prochaine, des maux que lui fait éprouver sa sclérose pulmonaire progressive. Il se survit en quelque sorte en un système fait de voyages dont j'ai parlé et de séjours de plus en plus fréquents à la cour impériale. Il donne de plus en plus dans la vanité d'une existence mondaine qui l'aide à supporter un désabusement qu'on devine. Car, au fond, en dépit de ses gestes, il ne se fait guère d'illusions ni sur lui-même ni sur ceux qui l'entourent. Il s'efforce, dans la mesure où sa nature, mi-vulgaire et mi-distinguée, l'y autorise, à se bien tenir. Il rédige une correspondance abondante dans laquelle il aborde tous les sujets avec les innombrables relations qu'il s'est faites dans le monde. Il s'intéresse à la politique, et d'abord parce qu'elle le concerne ; c'est un craintif qui se souvient encore des excès de 1848.

Parce qu'il est sénateur, il faut bien qu'il siège au Sénat. Il s'y rend chaque année après sa cure hivernale en Provence. De ce point de vue, son premier séjour en 1856 avec les sœurs Lagden marque une date importante qui sonne la retraite. La maladie, la vie futile, l'abondante correspondance, la cour, l'attente fort longue de la mort occupent son temps.

Au Sénat, Mérimée est nommé secrétaire. Raison de plus pour rentrer à Paris au début de la session. Il y prend rarement la parole. Très curieusement il est resté convaincu de l'honnêteté de Libri, le mari de Mélanie Double, et c'est en sa faveur qu'il intervient une fois sans succès pour demander la révision du procès. Il ne manque jamais l'occasion d'aller voir les Libri quand il se rend en Angleterre, ce qui se produit encore plusieurs fois. Il a sur ce pays des vues très particulières, en surveille la politique. On a suggéré que par l'intermédiaire de Panizzi, l'homme du British Museum, il a été chargé de quelques ambassades. Il a déjeuné chez Gladstone. A vrai dire, c'est un informateur entre une France entreprenante et une Angleterre réservée, mais un informateur sans influence que l'empereur entend plutôt qu'il ne l'écoute. Lui se passionne pour certains aspects de la politique internationale. Par Mme de Montijo et ses séjours à Carabanchel il est très au courant de la constante agitation carliste, de ce « jeu de dames » qui, hors les épisodes sanglants, tient un peu de la comédie. Son anticléricalisme donne à plein dans le problème des Etats pontificaux. Ses lettres sont dures pour Pie IX, le cardinal Antonelli [1], le clergé qu'il désigne du terme général de « ratichons ».

Là sont ses principales préoccupations extérieures. Pour la politique intérieure il se montre quelquefois inquiet. Les guerres de l'empire ne lui plaisent guère. La guerre de Crimée, celle d'Italie, l'expédition du Mexique le laissent perplexe. Il est de plus en plus conservateur. Les premières mesures prises par Napoléon III pour établir un « empire libéral » lui font peur. Il le dit à la princesse Mathilde en novembre 1860. « En ma qualité de conservateur, je ne suis pas trop content de nos nouvelles libertés. »

Peut-être est-ce en ces années de sa précoce vieillesse qu'on

1. Secrétaire d'Etat, c'est-à-dire principal ministre du gouvernement des Etats romains.

le voit le mieux, défauts et qualités ressortant également. Il se sent seul. Il se demande vers 1857 s'il n'adoptera pas une petite fille, laquelle ? C'est une « loterie » à laquelle il renonce assez vite. « Je voudrais trouver une petite fille toute faite à élever, écrit-il à Mrs Senior. J'ai pensé souvent à acheter un enfant à une gitane… Qu'en pensez-vous ? Et comment se procurer une petite fille ? » Vers 1860 il aurait songé à se marier. Maurice Parturier pense qu'il pourrait s'agir d'Olga de Lagrené, fille de ses amis. Mais sans doute se juge-t-il trop vieux, lui le très « *old bachelor* » qui explique à Edward Lee Childe qu'il convient de se marier jeune. Comme beaucoup de ces gens hautains qui ont de bonne heure jeté sur le monde un regard un peu froid et dédaigneux, Mérimée vieillit mal. Il n'a que mépris pour une époque qu'il compare bien entendu à sa jeunesse. On ne sait plus s'amuser. Le plus souvent il juge toutes choses avec amertume. Il comprend, bien sûr, que la jeunesse a toujours raison, mais comment l'éprouverait-il ? Il faut remarquer qu'il n'a pas fait école. Il s'est voulu indépendant, hors de tout mouvement littéraire. Il le reste, n'ayant à partager avec personne un quelconque enthousiasme.

Vis-à-vis de la littérature nouvelle il reste très fermé. De bonne heure il a été injuste avec ses contemporains et il s'en faut de beaucoup que la postérité ait entériné ses jugements le plus souvent sévères. On pourrait dire d'une certaine façon que Mérimée est un romantique raté. Aussi est-ce de bonne heure au chef de file de cette école, à Victor Hugo, qu'il s'en prend. On sait bien, et on le comprend, qu'à partir de 1851, la haine politique va entrer dans ses jugements. Mais tout de même il faut se rendre compte du degré de mésestime de Mérimée pour Hugo qui d'ailleurs le lui rend bien.

Dès novembre 1833 il écrit à Saint-Priest, et comme s'il s'en réjouissait, à propos de *Marion Delorme :* « Hugo vient de faire un fiasco éclatant. Les meurtres et les incestes commencent à n'avoir plus de charmes pour nous. Il y a déjà une réaction assez prononcée contre le système actuel. » En 1843 : « Victor Hugo et Lamartine se faisaient des compliments. On dit à Hugo qu'il était beau que deux si grands hommes eussent de tels sentiments l'un envers l'autre. Il n'y a point de jalousie dans le ciel, a-t-il dit. Les étoiles ne s'envient point. Je suis Sirius, lui Saturne. En voulez-vous un autre ? L'autre jour Thiers qui dit les choses les plus méchantes si bonnement qu'on ne peut s'en fâcher dit au même Hugo (il s'agissait de Racine et de Corneille. Hugo disant que Corneille était un grand esprit et Racine un petit.) — Vous êtes un grand esprit M. Hugo. Vous êtes le Corneille — M. Hugo prend un air modeste — d'une époque dont le Racine est Casimir Delavigne. »

Ces griffures ne sont rien à côté de ce qui se dira trente ans plus tard. A Jenny Dacquin : « Avez-vous lu *les Chansons des rues et des bois ?* Pourriez-vous me dire s'il y a une très grande différence entre ces vers d'autrefois et ceux d'aujourd'hui ? Est-il devenu subitement fou ou l'a-t-il toujours été ? Je penche pour le dernier. » A Mme de Montijo : « Vous ne m'avez envoyé qu'un article de Valera[1] sur *Les Misérables*. On a coupé, par erreur, un autre feuilleton traduit du français qu'on a mis dans votre lettre à la place de la suite de l'article de Valera. Je le trouve indulgent pour Victor Hugo. J'ai lu ses six premiers volumes et je les trouve bien médiocres. Cela semble avoir été écrit en 1825, quand on était romantique et qu'on s'étudiait à torturer la langue française pour mettre des mots extraordinaires. Aujourd'hui ce style-là n'étonne plus, mais assomme. Un homme tombe à la mer, Hugo dit qu'il est " souffleté par une populace de vagues ". Il n'a pas un moment de naturel. Si le livre était moins ridicule et moins long, il pourrait être dangereux. Tel qu'il est, il me semble inférieur à tous points aux romans socialistes d'Eugène Sue. » A Jenny Dacquin encore : « A propos de littérature, avez-vous lu le speech de Victor Hugo à un dîner de libraires belges et autres escrocs à Bruxelles ? Quel dommage que ce garçon, qui a de si belles images à sa disposition, n'ait pas l'ombre de bon sens, ni la pudeur de se retenir de dire des platitudes indignes d'un honnête homme ! Il y a dans sa comparaison du tunnel et du chemin de fer plus de poésie que je n'en ai trouvé dans aucun livre que j'aie lu

1. Romancier espagnol célèbre en son temps.

depuis cinq ou six ans ; mais, au fond, ce ne sont que des images. Il n'y a ni fond, ni solidité, ni sens commun ; c'est un homme qui se grise de ses paroles et qui ne prend plus la peine de penser. »

Par contre, il est assez indulgent vis-à-vis de Ponsard et déclare « faire ses délices » de Ponson du Terrail.

Il n'aimait pas Chateaubriand. Et par rapprochement Mme Récamier : « J'ai lu ou plutôt commencé les *Mémoires* de Mad. Récamier qui ne m'ont guère diverti. Je trouve que M. de Chateaubriand y est aussi laid d'égoïsme que dans ses confessions d'outre-tombe. Lorsque mon âme passera dans le corps d'une jolie femme, je désire bien qu'elle conserve l'horreur qu'elle a présentement pour les grands hommes. La dernière fois que j'ai vu celui-là, c'était chez Mad. Récamier. On lui lisait ses propres œuvres et il pleurait d'attendrissement. » A Mme Récamier il n'avait jamais pardonné l'amour que lui avait porté J.-J. Ampère, son ami d'enfance. « La vieille coquette l'a châtré », disait-il. Son oraison funèbre à l'occasion de la mort de Chateaubriand, qui a le tort de disparaître pendant les troubles de 1848, est courte. A Mme de Lagrené il dit : « Ce que l'on fait à l'Abbaye à l'occasion de la mort du grand homme passe le fétichisme. Mon ami Ampère n'en revient pas du calme de Paris. Il trouve fort singulier que les gens qui ont attrapé des balles sur les barricades pensent à leurs blessures lorsque ce soleil veut bien se coucher après quatre-vingts ans de splendeur. Je parie que nous aurons les *Mémoires d'outre-tombe* avant peu et qu'ils feront fiasco. La littérature est morte le 24 février. Pour prendre intérêt à des phrases sonores, il faut que le canon se taise. » A Mme de Boigne, le même jour : « M. de Chateaubriand est mort d'une fluxion de poitrine. Je conçois toute la douleur de ses amis, mais on devrait les empêcher d'en exagérer l'expression. J'ai empêché notre ami (Ampère) de publier une comparaison entre les malheurs de Juin et le malheur de Juillet d'où il résultait que le second faisait oublier les premiers. »

Même manque d'indulgence envers Lamartine. Insensible à la cruelle vieillesse de cet adversaire politique, il écrit à Mme de Montijo : « Que dites-vous de la souscription de Lamartine ?

Faites-moi l'aumône de 1 500 000 francs et même de trois millions, car 1 500 000 francs suffiraient seulement à payer ses dettes, et il faut lui rendre un capital. L'Empereur a souscrit, mais je doute qu'on trouve l'argent qu'il faut au grand poète. Tout cela me semble assez ignoble au fond et le grand poète, s'il venait une autre révolution, ne s'en montrerait pas moins empressé à être membre d'un gouvernement provisoire. »

En 1857 il intervient sans aucun entrain en faveur de Baudelaire traîné en correctionnelle. A Mme de la Rochejaquelein : « Je n'ai fait aucune démarche pour empêcher de brûler le poète dont vous me parlez, sinon de dire à un ministre qu'il faudrait mieux en brûler d'autres d'abord. Je pense que vous parlez d'un livre intitulé : *Fleurs du mal*, livre très médiocre, nullement dangereux, où il y a quelques étincelles de poésie, comme il peut y en avoir dans un pauvre garçon qui ne connaît pas la vie et qui en est las parce qu'une grisette l'a trompé. Je ne connais pas l'auteur, mais je parierais qu'il est niais et honnête ; voilà pourquoi je voudrais qu'on ne le brûlât pas. » Et beaucoup plus tard à Jenny Dacquin : « On m'a envoyé les œuvres de Baudelaire. Il était fou. Il est mort à l'hôpital après avoir fait des vers qui lui ont valu l'estime de Victor Hugo et qui n'avaient d'autre mérite que d'être contraires aux mœurs. A présent, on en fait un homme de génie méconnu. »

Pas davantage il n'apprécie Flaubert. Il en parle à Jenny Dacquin : « J'ai reçu ici, je ne sais comment, le dernier livre de M. Gustave Flaubert, qui a fait *Madame Bovary*, que vous avez lu, bien que vous ne vouliez pas l'avouer. Je trouvais qu'il avait du talent qu'il gaspillait sous prétexte de réalisme. Il vient de commettre un nouveau roman qui s'appelle *Salammbô*. En tout autre lieu que Cannes, partout où il y aurait seulement *La Cuisinière bourgeoise* à lire, je n'aurais pas ouvert ce volume. C'est une histoire carthaginoise quelques années avant la seconde guerre punique. L'auteur s'est fait une sorte d'érudition fausse en lisant Bouillet et quelque autre compilation de ce genre, et il accompagne cela d'un lyrisme copié du plus mauvais de Victor Hugo. Il y a des pages qui vous plairont sans doute, à vous qui, à l'exemple de toutes les personnes de votre sexe, aimez l'emphase. Pour moi qui la hais, cela m'a rendu furieux. » A propos de *L'Education sentimentale* il écrit à Tourgueniev : « Lévy pourtant m'a envoyé le roman de Flaubert. Hélas ! ne remarquez-vous pas avec quelle moutonerie (*sic*) les radicaux de la littérature suivent les préceptes de leur petite église ? A chaque scène son petit paysage, très minutieusement étudié, et toujours pris parmi ceux qui n'en valent pas la peine. Ce qui m'a surpris de la part de M. F. qui en sait plus que le *grex*, c'est de trouver des fautes graves de français et des locutions d'une grossièreté inouïe. La bataille de Waterloo de Vr Hugo a mis à la mode ces mots qui n'avaient jamais été imprimés. » De la part de Mérimée qui, au moins dans sa correspondance, use d'un parler assez libre, le propos est étonnant. De Renan il parle aussi avec une certaine aigreur : « Je lis avec toute la peine possible le *Saint Paul* de M. Renan. Décidément, il a la monomanie du paysage. Au lieu de conter son affaire, il décrit les bois et les prés. » Il s'intéresse beaucoup au tapage fait par *La Vie de Jésus.* Le cours de Renan au Collège de France ayant été suspendu, il se passionne pour l'affaire, en parle aux uns et aux autres. Ce qu'il semble surtout retenir c'est que le scandale a fait vendre *La Vie de Jésus.* Il suggère même que l'ouvrage a été écrit pour atteindre ce but commercial.

L'admiration de Mérimée pour Augier est aussi étonnante que son dédain vis-à-vis de Balzac. Il renie sur le tard Walter Scott, s'enthousiasme pour l'œuvre d'historien de Thiers. Il traite Goethe de « grand fumiste » et dans son exécration de l'esprit allemand méprise les philosophes germaniques, y compris Kant. Cette exécution sommaire montre un désaccord complet avec son temps de la part d'un homme qui (comme beaucoup de ses contemporains) raille Wagner. « Il me semble que je pourrais écrire demain quelque chose de semblable, dit-il à Jenny Dacquin, en m'inspirant de mon chat sur le clavier du piano. » Comme il faut appuyer ces dédains sur quelque chose, c'est en se référant à l'antiquité, qu'il connaît bien, que Mérimée va pouvoir regarder de haut ce qui l'entoure. Décidément il vieillit mal.

De temps à autre cependant, et cela dépend peut-être de son état de santé, il reprend goût à la vie mondaine, se montre d'humeur plus joyeuse, se laisse capter par la légèreté de la cour, devient indulgent pour les jeunes gens, retrouve son appétit pour les nourritures fines et son goût, sans doute de plus en plus platonique, pour les jolies femmes. Il a des regains de jeunesse, ou plutôt des souvenirs, des regrets. il écrit en mai 1860 à Mme de la Rochejaquelein : « Après avoir encore bien trotté je me suis trouvé dans les bois de Fleury, où j'ai dîné, dans le même restaurant que trois étudiants ayant chacun son étudiante, qui toutes les trois se sont mises à fumer. Cela m'a fort amusé et rendu jeune pour quelques heures. Ce monde-là vaut mieux, à ce qu'il m'a semblé, que le monde des salons. Je ne prétends pas dire qu'il vaille grand'chose ; mais il a moins d'affectation et entre autres n'a pas celle de ne vouloir avoir l'air de ne pas s'amuser. »

XIV

La maladie s'aggrave : Cannes

Ainsi les dix dernières années de Mérimée forment-elles un bloc compact où se mêlent sur un fond d'amertume des chagrins personnels, des troubles de santé combattus par de continuels voyages et les distractions à la fois fatigantes et amusantes de la cour. Les travaux d'érudition ou même littéraires ne sont pas pour autant abandonnés.

Le 11 août 1860, Mérimée est fait commandeur de la Légion d'honneur. Un mois plus tard meurt Paca, la duchesse d'Albe, fille aînée de Mme de Montijo. L'événement survient tandis que l'empereur et son épouse sont reçus à Alger où vient d'arriver par hasard Jenny Dacquin venue retrouver son frère. Au lendemain des obsèques de la duchesse dont le deuil a été conduit par son beau-frère, le comte de Galve, à l'église de la Madeleine, Mérimée écrit au chancelier Pasquier : « Je viens de passer plusieurs jours auprès de Mme de Montijo qui a un courage admirable, mais qui m'inquiète et m'afflige beaucoup. » Comme il est loin le temps où Mérimée en compagnie de Stendhal allait voir les petites Montijo alors en pension à Paris. Ses *blue devils* ne le quittent pas. A Jenny Dacquin, qui est toujours en Algérie, il écrit : « Je vous dirai que je deviens tous les jours plus souffrant. Je commence à en prendre mon parti, mais c'est ennuyeux de se sentir vieillir et mourir petit à petit. » Cependant il écrit souvent en ce mois d'octobre à Panizzi qu'il entretient avec passion des affaires d'Italie, de plus en plus embrouillées, et de celles des Etats pontificaux. Il l'assure des sentiments non belliqueux de la France envers l'Angleterre, mais il se plaint en même temps des silences de l'empereur. « Sous le gouvernement de Louis-Philippe, tout le monde était assez vite au fait de toutes les affaires, tandis que maintenant qu'elles sont dans la tête d'un muet, il est impossible d'en savoir ou même d'en deviner quelque chose. » Il y a comme une ambassade dans les propos de Mérimée : « Je reviens de Saint-Cloud où j'ai déjeuné avec monsieur et madame et leur garçon. Tous très bien portants. Madame fort triste.

« Le maître de la maison m'a chargé de le rappeler à votre souvenir et de vous remercier de ce que vous dites et faites. Il est très content de voir qu'il y a de l'amélioration dans les dispositions de vos amis insulaires. Quant à ce qui lui avait attiré leur mauvaise humeur, il s'est défendu avec la plus grande énergie d'avoir rien fait en actes ou en pensée pour la provoquer. »

Mais notre écrivain part bientôt pour Cannes. Fort enrhumé comme toujours, il trouve Nice encombré de Russes et d'Anglais et se félicite d'avoir trouvé dans son petit coin tranquille « un petit appartement à quelques mètres de la mer ». A Cannes, il apprend par une lettre d'Arago le remplacement de son ami Achille Fould par Walewski au ministère d'Etat. Il en est très affecté. Il dit à Mme de Montijo qu'il perd avec Achille Fould « le seul moyen de communication que j'eusse avec S. M. ». Sur les raisons de cette disgrâce on s'interroge. On pense généralement que l'impératrice a été furieuse qu'on n'ait pas attendu son retour d'Algérie pour célébrer les obsèques de sa sœur, lesquelles auraient été trop modestes. Mérimée ne croit pas trop à ces raisons. Il craint aussi pour Courmont, depuis peu chef de la division des Beaux-Arts et confie à Viollet-le-Duc ses appréhensions concernant « notre pauvre petite boutique archéologique que nous avons si longtemps administrée en famille ». Ainsi, bien que fort loin de se dépenser en faveur de l'archéologie comme il l'avait fait auparavant, Mérimée manifeste son attachement à un travail qui a occupé grande partie de sa vie. En même temps il « fait de la prose » (*Histoire de Jules César*) pour Sa Majesté et s'exerce à lancer le javelot « à la mode antique ».

« Cannes est devenu à la mode, écrit-il au chancelier Pasquier, et il nous vient toutes sortes de personnages à qui je fais les honneurs du pays. Présentement, j'ai pour voisin mon ancien ministre, M. Fould, et nous nous consolons entre nous, en causant au soleil des choses et des hommes, et des femmes aussi, qui font bien des choses. Je l'ai trouvé plus philosophe qu'on ne m'avait dit. On a usé de peu de formes à son égard, mais nous vivons dans un temps où on n'a plus guère de *procédés* qu'au billard. Ce que nous avons ici et qu'on n'a point ailleurs, c'est un temps admirable, et j'aime mieux en jouir que d'avoir un portefeuille, ou que d'être ministre sans portefeuille. Je le préfère au discours du P. Lacordaire, et à ceux que nous allons avoir au Sénat. Aussi, veuillez ne pas trop vous alarmer si *Le Moniteur* vous apprend que je suis trop malade pour siéger sur ma chaise curule. Le fait est que j'ai tellement souffert de mes crampes d'estomac par nos *froids de Cannes*, que je n'ose affronter encore ceux du Luxembourg. Je viens de faire une excursion à Nice pour voir mon ami, M. Ellice, pris par la goutte et qui m'avait appelé en qualité de garde-malade. Je l'ai laissé en meilleur état et me persuadant de faire cette année un petit voyage avec lui aux Etats-Unis. J'ai assisté à l'arrivée d'un nouveau préfet, corse pur-sang, qui succède à M. Paulze d'Ivoy, qui serait parvenu, dit-on, à faire désannexer Nice, si on l'eût laissé faire. Il ne m'a pas semblé, d'ailleurs, que la ville ait beaucoup perdu à changer de souverain. On n'y entend parler qu'anglais et russe, très peu français. Les hôtels sont tous pleins et on bâtit de tous côtés. Autant en faisons-nous à Cannes. Nous vendons le terrain, ou plutôt le sable et le rocher, au *mètre*, comme à Paris. Mme de Lillers a eu toutes les peines du monde à se loger, et en fin de compte, n'a pu trouver d'autre maison que celle du pauvre Tocqueville et de la princesse de Broglie. »

Ce séjour à Nice est marqué par la disparition d'Edward Childe, ami de l'écrivain. Peu à peu le cercle se restreint d'amis qui ne seront pas remplacés. Le chancelier Pasquier meurt le 6 juillet 1862, Edward Ellice le 17 septembre 1863.

C'est à partir de 1862 que Mérimée se plaint le plus de sa respiration. Ce ne sont plus des rhumes désormais, mais de vraies crises d'étouffement. « Un jour par semaine j'ai des étouffements abominables et le reste du temps je respire tellement quellement », écrit-il à Emile Augier. Cela ne l'empêche pas de faire un séjour assez long en Angleterre. Mais au mois d'août il part avec Panizzi pour Bagnères-de-Bigorre où il va faire une cure. A Mme de Montijo : « Je suis ici depuis deux jours et je prends les bains et je bois de l'eau chaude très mauvaise. Le médecin de Bagnères, qui est un vieux camarade à moi, m'a trouvé deux maladies mortelles, l'une au cœur, l'autre à l'estomac. Il me dit que cette mauvaise eau me guérira. En attendant elle m'empêche de dormir. » A Jenny Dacquin : « J'ai rencontré ici un de mes camarades, qui est le médecin des eaux ; il m'a ausculté, donné des coups de poing dans le dos et dans la poitrine, et m'a trouvé deux maladies mortelles dont il a entrepris de me guérir, moyennant que je boirais tous les jours deux verres d'eau chaude qui n'a pas très mauvais goût, et qui ne fait pas mal au cœur comme ferait de l'eau ordinaire. En outre, je me baigne à une certaine source dans de l'eau assez chaude, mais très agréable à la peau. Il me semble que cela me fait beaucoup de bien. J'ai des palpitations assez désagréables le matin, je ne dors pas bien, mais j'ai de l'appétit. » Mérimée et Panizzi rendent visite à la grotte où quatre ans auparavant Bernadette Soubirous a aperçu la Vierge. Pas de miracle pour eux : Panizzi est enrhumé et son compagnon n'est guère amélioré par sa cure, d'autant qu'il règne un temps épouvantable. Mérimée continue à sentir cette oppression sur sa poitrine. Néanmoins il rejoint, comme il était convenu, la cour impériale à Biarritz.

« Je suis ici avec Panizzi, dit-il à Viollet-le-Duc. Les eaux nous avaient rendus malades tous les deux. Il n'y a rien de plus traître que les eaux thermales. Nous avons eu l'estomac et le tube intestinal révolutionnés. L'air de la mer nous a réussi merveilleusement. »

Au début de 1863 Mérimée est à Cannes comme désormais tous les ans en janvier. Il a commencé à publier dans *Le Journal des savants* une série d'articles sur *Bogdan Chmielnicki,* un cosaque dont Kastomarov a raconté l'histoire. Il voudrait se rendre à Paris pour la discussion de l'adresse au Sénat. Sa santé ne le lui permet pas. Outre un lumbago qui le cloue au lit, il est saisi à nouveau de crises d'étouffements dont il parle dans sa correspondance à Tourgueniev, à Panizzi, à Jenny Dacquin, à Mme de Montijo, à Léon de Laborde, à la princesse Mathilde qui l'avait invité. A cette dernière il confie ses discussions avec son médecin. « Je me dispute contre mon docteur. Il voudrait m'empêcher d'aller à Paris. » Aux membres de la Commission des Beaux-Arts, il dit : « Je viens de passer une semaine dans mon lit, et je tombe de rhume en catharres qui compliquent étrangement mon emphysème. Mon médecin me dit que je suis fricassé si je vais à Paris. La vérité est que je me sens tous les jours plus près de l'Achéron. Qu'un de vous se dévoue donc et vienne recevoir les paroles mémorables que je dirai probablement avant de claquer. » A Lebrun, sénateur : « Mon docteur et M. Cousin m'ont persuadé que si je retournais à Paris je ferais aussitôt deux vacances, l'une au Sénat, l'autre à l'Académie. Le fait est que malgré la beauté de ce climat, je vais de rhume en rhume et chaque nouvelle reprise me donne des spasmes et des étouffements très douloureux. Je vais donc rester ici encore une quinzaine de jours et vous laisser discuter l'adresse sans vous proposer le plus petit amendement. » A part un court déplacement à Paris en mars, il restera cette année-là à Cannes jusqu'à fin avril. Pour se distraire de sa maladie il a *Bogdan Chmielnicki,* la peinture et la pratique sportive de l'arc. Il écrit à Mme de la Rochejaquelein : « Aux charmes de la peinture que je pradique avec le succès que vous savez, je joins ceux de l'*archery.* Un médecin anglais m'a conseillé de tirer de l'arc pour donner du jeu et de la force aux muscles de ma poitrine. Je m'en trouve en effet assez bien. Je fais la guerre aux pommes de pin, et je suis devenu assez adroit pour en abattre beaucoup avec un arc chinois qui me donne des cors aux doigts des mains. Le soir, je varie mes plaisirs en écrivant la biographie d'un affreux drôle nommé Chmielnicki, hetman des Cosaques de l'Ukraine, vers le milieu du XVIIe siècle, qui paraît avoir inventé la guerre des nationalités. Voyez comme je prends mes héros à contretemps. Ce grand homme voulait délivrer les Petits Russiens, ou les Cosaques, ses compatriotes, du joug des Polonais, qui, dans ce temps-là, faisaient toutes les misères possibles aux paysans de leur pays. Aujourd'hui, à ce qu'il me semble, les Polonais ont repris faveur. Le défaut de mon œuvre, c'est qu'elle manque de diversité. Autant de Cosaques que les Polonais peuvent attraper, autant ils en empalent. Autant de Polonais pris par les Cosaques, autant d'écorchés vifs. Cela est un peu monotone. Je voudrais varier, mais la vérité historique me retient. Cela se publie dans *Le Journal des savants* dont je suis un des rédacteurs, quoique indigne, et à mon retour à Paris je vous demande la permission de vous envoyer cette affaire. »

Il est rentré à Paris pour une élection à l'Académie. Il a voté pour Littré qui n'a pas été élu. Puis il séjourne à Fontainebleau où, à canoter sur « Le lac », il attrape des toux terribles dont il se plaint à Jenny Dacquin. On lui propose le portefeuille de l'Instruction publique. Il refuse. Il veut rester *a free man.* Son état de santé semble s'être amélioré en cette seconde partie de l'année d'ailleurs très agitée. Il séjourne un mois en Angleterre où « on a peine à suffire aux dîners qu'il faut avaler et digérer ». Puis, avec Panizzi, il accompagne le couple impérial à Biarritz. Nombreuses promenades le long de la côte et excursions à la Rhune. Puis voyage à Bordeaux avec l'empereur et le prince impérial. Enfin, après un premier et bref séjour à Cannes en octobre, notre écrivain se retrouve pour un mois à Compiègne où il va jouer à plein son rôle de courtisan. A Jenny Dacquin : « Depuis mon arrivée ici, j'ai mené la vie agitée d'un impresario. J'ai été auteur, acteur et directeur. Nous avons joué avec succès une pièce un peu immorale, dont, à mon retour, je vous conterai le sujet. » Il s'agit du *Cor au pied*, comédie en un acte. Comment résister au plaisir de citer ici l'article un peu ironique de *L'Indépendance belge* du 5 décembre 1863 sur cet intéressant sujet : « On parle beaucoup entre invités des charades de Compiègne, plaisirs intimes de la comédie improvisée entre gens de vif esprit et de belles manières. M. Mérimée, l'auteur de *Colomba* et du *Vase étrusque,* grand écrivain, académicien et sénateur, un peu cuisinier amateur aussi, naguère, puisque nous nous souvenons d'avoir lu dans ce beau livre : *Victor Hugo raconté par un témoin de sa vie* que M. Mérimée — la cuisinière du jeune ménage Hugo étant malade — mit un jour chez eux habit bas pour rédiger un macaroni " qui eut le succès de ses livres ". M. Mérimée place aujourd'hui, dans les charades de Compiègne, des bouts de scène, des bons mots et même des pièces de vers qui ont le succès de son macaroni d'autrefois chez les Hugo.

« L'une de ces charades de Compiègne, celle qui a le plus transpiré au-dehors, était faite sur le mot *Coryphée* découpé en tableaux selon l'usage du jour. La première scène, répondant à la syllabe *cor,* nous démontre que le réalisme n'a pas moins accès dans les cours qu'à la ville et au théâtre, puisque on n'y voyait rien moins qu'un artiste pédicure, aux pieds d'une dame, le canif à la main. La même charade s'est terminée par un véritable et très gracieux ballet dansé par Mme la princesse de Metternich et M. le duc de Mouchy, une étrangère et un Français, aux grands applaudissements de ce parterre délicat, ravi du double succès de ces deux M entrelacés. »

On ne saurait donner idée plus exacte des divertissements de la cour. Après ce triomphe, Mérimée regagne Cannes pour sa cure hivernale annuelle. Curieusement (mais peut-être est-ce à cause du désœuvrement), c'est à Cannes que Mérimée se plaint le plus souvent de sa santé. Il vient de passer une fin d'année épuisante. Dès le 12 janvier 1864, il écrit à Jenny Dacquin : « J'ai été malade pour tout de bon en arrivant ici. J'ai apporté de Paris un rhume abominable, etc. » Et le même jour au maréchal Vaillant : « Je suis vieux et malade. Je voudrais pouvoir dire qu'il ne me reste plus que le *souffle,* mais c'est précisément ce qui me manque, car je suis asthmatique au dernier chef, malgré l'arsenic dont le docteur Trousseau me régale depuis quelque temps. » Il est toujours aux prises avec « un petit travail *césarien* » pour l'empereur. Il dit à Viollet-le-Duc : « Je suis toujours poussif, cependant depuis que je suis le traitement arsenical de Trousseau, je me trouve un peu mieux. » Accessoirement nous apprenons que « les gens de Nice se plaignent et se désolent de n'avoir pas cette année la moitié des Russes et des Anglais sur lesquels ils comptaient. La plupart des villas sont à louer. On a tellement écorché les étrangers qu'on les a effrayés. »

Cette année-là Mérimée restera à Cannes jusqu'à la mi-mars. Il suit toujours son traitement. Il écrit drôlement à Viollet-le-Duc : « Je tousse toujours, mais moins. N'ayez nulle peur que l'arsenic ne me fasse partager le sort de M. Lafarge. J'en prends des doses infiniment petites, et l'effet qui devrait s'ensuivre, si je n'étais pas réfractaire, serait de me faire respirer plus à l'aise et de me rendre plus beau. Les Tyroliennes en absorbent énormément, ce qui leur donne de très gros culs et leur permet de monter lestement le Stillzerjoch et autres montagnes aussi ardues. Pour ce qui est de la beauté, vous me direz sans doute qu'il n'y a pas besoin d'arsenic pour moi ; quant aux montagnes elles me font terriblement souffler. » Toujours se souvenant de l'affaire Lafarge, cette histoire de maître de forges corrézien empoisonné par sa femme vers la fin des années 30, il revient sur le sujet avec la princesse Julie : « Tout le monde a eu la grippe, et depuis six semaines, je suis à tousser, ce qui complique fort mon asthme ordinaire. Cependant il me semble que l'ordonnance du docteur Trousseau m'a fait quelque bien, et j'engagerais fort le marquis de Roccagiovine à s'adresser à lui. Il est certain qu'il a tiré d'affaire M. Emile Pereire, qui était assurément le roi des asthmatiques. Il couchait dans un étui de contrebasse un peu incliné contre le mur. A présent, il couche dans un lit et vit comme une personne naturelle. Le traitement n'est pas difficile ni désagréable, quoique les drogues que l'on prend soient un peu effrayantes ; c'est de la belladone et de l'arsenic. Je suis à ce régime depuis deux mois, et je ne comprends pas M. Lafarge, qui s'est laissé mourir pour si peu de chose. Il paraît que les Mexicaines mangent de l'arsenic comme du sucre afin d'avoir le teint frais. Les Tyroliennes en font de même pour monter leurs montagnes sans être essoufflées. »

De retour à Paris, il est invité à Fontainebleau en juin. Il travaille toujours pour le *Jules César* de Napoléon III. Sa santé est à nouveau médiocre. Il écrit à Panizzi : « Je suis toujours très souffrant. Je suis si mal à mon aise, que je ne sais si j'oserais me mettre en route. La vie qu'on mène ici est horriblement fatigante, bien que j'évite de faire des promenades et que je me retire dans ma chambre de bonne heure, et que je ne boive guère que de l'eau. Je tousse toutes les nuits au lieu de dormir. »

Néanmoins, une fois remplis ses devoirs mondains, il part une nouvelle fois pour l'Angleterre. Si on ne savait à quel rythme marchent les travaux publics en cette époque de pleine expansion économique, on serait surpris d'apprendre qu'il ne faut que dix ou douze heures pour se rendre par le train de Paris à Londres. A Londres il va présenter ses hommages au vieux Premier Ministre Palmerston qui vient de remporter un grand succès aux Communes en faveur des whigs. Jamais à court de potins, il raconte à Mme de Montijo le scandale que cause le mariage avec le marquis de Hastings de Lady Florence Paget, jolie personne qu'il accuse de trop nombreuses flirtations (*sic*). Avec l'âge, Mérimée est devenu colporteur de ragots dont ses lettres sont pleines. Voici comment il raconte à la chère Manuela une histoire tragique : « Le fils de M. de Colbert, officier aux Guides, a été congédié par Mlle Assé, une des lorettes en renom. Il a pris la chose si tragiquement qu'il s'est tiré un coup de pistolet, mais au lieu d'attraper le cœur, la balle lui a passé (à travers) la poitrine et s'est logée vers l'omoplate. La chose se passait rue de Ponthieu au logis de Mlle Assé qui en lui donnant des soins a mis le feu à ses rideaux et a failli le rôtir. Les pompiers ont accouru et ont inondé la maison. Mlle Assé demeure au second. L'eau a coulé au premier dans l'appartement de Mlle Cora qui était en ce moment en entretien fort tendre avec le prince d'Essling, et a gâté tous les meubles. Elle veut faire un procès à sa voisine et les témoins seront amusants à entendre. »

Revenu en août à Paris où on étouffe, il se rend à l'Académie, où il trouve quatre collègues pour travailler au dictionnaire sur le mot « amasser ». Avant de partir une fois de plus pour l'Espagne, il commence à publier dans *Le Journal des savants* une série d'articles sur l'*Histoire du règne de Pierre le Grand*. Puis il prend le train début octobre. « Ce voyage en vérité n'est plus une grande fatigue comme autrefois »... « Quand les employés (du chemin de fer) sauront mieux leur métier on pourra faire le trajet (de Bayonne à Madrid) en dix heures. » Mais à Carabanchel, à la « Quinta de Miranda », propriété de Mme de Montijo, il fait froid. On se chauffe avec des braseros et c'est tout de suite le rhume habituel. On rentre par bonheur à Madrid. Ah ! Ce n'est plus le Madrid d'autrefois. Les taureaux et les toréadors ont perdu leurs talents réciproques. Les femmes ne portent plus de mantilles. « Il y a longtemps qu'on ne leur donne plus de sérénades. Je ne sais pas trop si elles ont encore des amants. »

Enfin le voici à Cannes où Fanny et Mrs Ewer l'attendent. Malgré la maladie il reste tout de même très actif, marche, tire à l'arc ou lance le javelot. Il va à Nice, mais en passant. Il y rencontre Lise Przezdziecka, habituée de Fontainebleau et présidente de cette « cour d'amour » dont lui-même, le vieux beau, est secrétaire quand on bêtifie pour tromper le temps, et c'est souvent ainsi chez l'empereur. De Cannes Mérimée écrit beaucoup de lettres, rabâche les mêmes anecdotes à des correspondants divers, rapporte des histoires de coucheries, de mariages annulés pour impuissance virile. Tout cela a l'air de l'amuser beaucoup. A Cannes, on joue au whist ou au piquet avec le Dr Maure, Barthélemy Saint-Hilaire, Victor Cousin. Il cherche à faire venir Panizzi près de lui quoique les visiteurs de passage ne manquent pas. Il lui vante sans cesse les avantages et les menus plaisirs d'un séjour à Cannes : « Pour moi, je ne suis pas trop mal, bien que j'aie éprouvé récemment un retour de mes oppressions. Le temps très doux que nous avons me fait grand bien. Nous allons demain faire un déjeuner champêtre en plein air. Je ne pense pas que vous déjeuniez encore dans votre jardin. Je voudrais bien, si la chose est possible, rester ici tout le mois de février, mais peut-être sera-t-il nécessaire de revenir pour l'adresse, surtout si les cléricaux livrent bataille. J'espère toutefois que les choses se passeront sans bruit. »

Cette adresse au Sénat, il y assistera début mars, quitte à regagner le Midi très vite. A Paris en effet ça ne va pas très fort. De Paris, il écrit à Mme Delessert : « Voilà dix jours que je n'ai pas quitté ma chambre et à peine mon lit. Le matin et le soir j'ai des quintes de toux abominables. On les avait d'abord fait disparaître avec de la codéine, mais cela m'a donné une autre maladie. Il en résultait une telle confusion dans la tête que je croyais être devenu complètement fou. C'est une drôle de chose que cette faculté que nous avons de nous observer nous-même, lorsque l'observatoire est en ruine. J'ai passé deux jours à m'étonner de sentir ma tête toute bouleversée à faire des expériences pour constater si mon cas était sans remède, etc. Enfin après deux jours passés sans prendre de codéine, je me suis remis à tousser de plus belle et à ne pas plus déraisonner que d'habitude. » Mais de retour à Cannes, il ne se sent guère mieux. A Panizzi : « Je tousse toujours, je ne dors ni ne mange, je me sens faible et sur un déclin rapide. Parfois j'en prends mon parti assez philosophiquement, d'autres fois je m'en irrite ou je m'en afflige. C'est quelque chose comme les alternatives de pensées dans la tête d'un homme condamné à être pendu. »

Il n'en ira pas moins en Angleterre en juillet chercher les vêtements qu'il a commandés chez Poole. Il rend visite à Palmerston, rencontre Abd-El-Kader au British Museum. Un Abd-El-Kader qui ne croit pas aux diplodocus, qui se teint la barbe et plaît beaucoup à Mérimée, lequel se rend au Pays de Galles chez Gladstone. Un bref séjour à Paris et dès septembre voilà notre homme à Biarritz installé dans la Villa Eugénie. On peut admirer sa vitalité. L'affection pénible dont il est atteint, dès qu'elle le laisse un peu en paix, permet d'entrevoir un autre homme, toujours plein de projets, soucieux de plaisirs, curieux de tout et qui aurait dû vivre cent ans.

A Biarritz on parle beaucoup des toilettes excentriques de Mme Rimski-Korsakov, célèbre beauté russe qui a eu quelques ennuis avec le tsar et qui vit en France avec son amant, ex-officier des chevaliers gardes, Zweguintzev. Elle a déjà fait sensation à Paris. Elle a apporté pour un mois quatre-vingt-quatre robes. Cependant il semble qu'on mène pour l'instant une vie sage. « On se couche de bonne heure, on ne sort guère et on ne fait pas d'excursions aventureuses et poétiques. » Le séjour est quelque peu prolongé pour recevoir le roi et la reine du Portugal qui se rendent à Paris et aussi M. de Bismarck, « un grand Allemand très poli qui n'est point naïf. Il a l'air absolument dépourvu de *gemüth* mais plein d'esprit. Il a fait ma conquête. » A Panizzi, Mérimée raconte comment il a peint et découpé la figure de Bismarck et comment avec l'empereur et l'impératrice ils ont placé cette tête avec un bonnet de nuit et un traversin dans le lit de Mme de Labégodère et les fous rires qui ont suivi.

De retour à Paris, Mérimée est repris d'une crise d'étouffements. En cet automne 1865 il est fortement question du choléra dont quelques foyers ont apparu de-ci de-là. La maladie touchera-t-elle Cannes ? C'est la question que Mérimée se pose. Il se rassure en déclarant à plusieurs reprises qu'elle atteint surtout les ivrognes. Il regrette pour sa santé de devoir faire, avant de gagner le Midi, un séjour à Compiègne où on l'a prié de venir avec insistance. Grand événement, la princesse Anne Murat récente victime d'un accident de voiture à Neuchâtel est fiancée au duc de Mouchy.

A Compiègne, le séjour débute mal, par des crises d'étouffements comme à Paris. Il écrit à Viollet-le-Duc : « Veuillez remercier les personnes augustes et autres qui seraient fâchées de me savoir de l'autre côté de l'Achéron. J'ai eu deux bonnes nuits, ce qui m'a un peu remis. Mon médecin dit que je n'ai rien au cœur, que mes poumons sont médiocres, que je dois me garder des rhumes, que j'ai un rhumatisme des muscles à la base du thorax, que je dois prendre les eaux d'Aix et de Bagnères, etc. ; conclusion que j'ai le temps de mettre ordre à mes affaires. » Et puis, c'est Cannes enfin. Victor Cousin est arrivé. Lui et Edouard

Fould dînent presque chaque jour à la maison Sicard. A propos de la cabale qui a fait tomber la pièce des Goncourt *Henriette Maréchal,* Mérimée écrit à Mme de Boigne : « Au fond je trouve qu'on est devenu bien intolérant pour les pauvres gens de lettres... On veut une critique vraie des mœurs modernes et dès qu'on tombe juste on pousse les hauts cris... Quel grand mal y a-t-il à traiter le monde de 1865 comme Molière traitait les Précieuses ?... Je conclus que nous sommes bien plus intolérants que nos pères, et c'est pour cela que je n'écris plus car je me ferais lapider par les honnêtes gens. » La constatation et l'aveu me paraissent intéressants.

Cannes se développe à pas de géant. « Il y a dix ans les réverbères étaient inconnus, à présent nous avons du gaz. Il n'y avait qu'un hôtel, il y en a maintenant une quarantaine, dont un presque grand comme celui du Louvre. »

L'année 1866 avec son bref voyage à Londres et un séjour à Saint-Cloud ressemble assez pour Mérimée à la précédente. Il est fait grand officier de la Légion d'honneur, ce qu'il accueille avec simplicité. Mais c'est au cours de son séjour à Biarritz qu'il écrit pour l'impératrice *La Chambre bleue.* Le fait est capital comme je l'ai souligné plus haut, en ceci qu'il replace Mérimée devant son devoir littéraire, après une très longue éclipse, et lui donne l'envie de poursuivre son œuvre, en dépit de ses tracas, de sa mauvaise santé.

1867 commence de manière tragique par la mort de Victor Cousin, alors que Mérimée est à Cannes comme toujours en ce mois de janvier. Cousin est mort sous ses yeux. Il en éprouve une impression horrible, raconte cette agonie à tous ses correspondants, y compris l'impératrice Eugénie. A Mme de Beaulaincourt : « J'ai vu mourir ce pauvre Cousin de la façon la plus déplorable. La veille il avait été plein de verve et d'esprit en apparence mieux portant que jamais. Le matin il travaillait encore, causait avec gaîeté et faisait des projets. Il s'est plaint d'une envie de dormir invincible, qui n'avait rien de surprenant car la nuit précédente il n'avait pas dormi. C'est pendant son sommeil que l'apoplexie l'a frappé. Il n'a pas repris connaissance, il n'a même pas rouvert les yeux. Mais la vie matérielle a duré encore près de vingt heures. Il faisait entendre des râlements horribles pour les assistants, et cependant il n'y avait pas dans sa figure la moindre contraction. Les médecins disaient qu'il ne souffrait pas. C'était la dernière lutte du corps déjà abandonné par l'intelligence. En le voyant ainsi on ne pouvait s'empêcher de souhaiter que la mort vînt. Si on fût parvenu à sauver le corps, il serait demeuré longtemps encore peut-être comme un cadavre galvanisé. Je n'ai jamais rien vu de plus déplorable que le contraste entre les gémissements et les mouvements automatiques de cette agonie, et le calme extraordinaire des traits du visage. L'approche de la mort donne une certaine beauté à part même du respect qu'elle inspire. Tout cela se passait par une nuit lugubre avec un vent et une pluie horribles. » Il écrit encore à la princesse Julie, à Panizzi, à Mme de Montijo, à Mme Delessert. Avec son ancienne maîtresse il a en effet renoué, dans une espèce d'amitié. Ne lui disait-il pas trois mois plus tôt : « La dernière fois que je vous ai vue, vous m'avez fait un très grand bonheur. Vous m'avez rendu, j'aime à le croire, une amitié qui m'était bien précieuse... » Toujours est-il que le décès brutal de Victor Cousin succède à beaucoup d'autres, à trop d'autres : Lagrené, Ampère, Grasset, Bixio, Mme de Boigne tout récemment encore. « On est planté au tournant de la route, écrivait-il à Mme Adam, pour compter ceux qui passent encore et ceux qui ne passent plus. »

En même temps la santé de Mérimée n'est pas brillante, ce qui l'incite à discourir sur la mort avec les uns et les autres. A Lise Przezdziecka, qu'il appelle toujours « Chère Présidente », par allusion à la cour d'amour dont lui-même est le secrétaire, il dit : « Je suis malade comme une bête. Mon docteur vous remettra ce mot. » A Mme de Beaulaincourt : « Je suis malade depuis trois ou quatre jours, hors d'état de sortir, toussant et étouffant sans cesse ce qui ne contribue pas peu à me faire voir en noir les choses qui se passent ou qui vont se passer. » A Mme de Montijo : « Je suis toujours assez souffreteux et je ne puis me débarrasser d'un rhume qui accroît beaucoup mon oppression habituelle. » A la même, il annonce l'arrivée à Cannes de Panizzi qu'il a dû loger à l'hôtel et la visite prochaine de Fould qui vient de perdre le portefeuille des Finances. Il lui fait part aussi de ses craintes concernant un gouvernement qui se montre de plus en plus libéral. « Je suis effrayé de tous ces changements. A mon avis nous avons autant de liberté que nous pouvons en supporter et tout ce qu'on y ajoutera risque fort de ne produire que du désordre. »

Si la correspondance de Cannes est abondante, c'est que Mérimée est comme isolé du milieu même dont il a fait sa vie. Il veut savoir ce qu'il en est de la politique et en France et en Espagne, il veut connaître tous les potins que lui-même rapportera à des tiers, les intrigues de cour, les ennuis de vessie de Sainte-Beuve. Il est curieux et angoissant de voir comment peu à peu sa maladie l'isole, situation dont il souffre moralement. Cependant à l'impératrice qui le réclame, il oppose son mauvais état de santé, sa tristesse d'avoir perdu outre Victor Cousin, son ami espagnol Serafin Calderon qui vient de mourir, ainsi que son voisin de Cannes, le peintre Eugène Appert.

Ce n'est qu'au début d'avril que Mérimée regagne Paris. En juin commence à paraître dans *Le Journal des savants* une nouvelle série d'articles sur *L'histoire du règne de Pierre le Grand.*

Durant son séjour à Cannes, chose curieuse, il n'a pas semble-t-il écrit à Jenny Dacquin. Dès son retour à Paris et malgré son triste état physique il lui propose une visite au Louvre. Durant cette période d'avril à juillet où se tient à Paris l'Exposition universelle, Mérimée n'adresse à Jenny que de courts billets dans lesquels presque toujours il se plaint et de ne pas la voir et de sa mauvaise santé personnelle. Ce sera désormais le ton de leur étrange correspondance.

Cependant des nuages s'accumulent sur la France. On apprend en juillet que l'empereur Maximilien a été fusillé par Juarez. « L'horizon politique se rembrunit, écrit Flaubert à sa nièce. Les bourgeois ont peur de tout ! Peur de la guerre, peur des grèves d'ouvriers... » Depuis Sadowa, Bismarck inquiète aussi.

En juillet-août, Mérimée se sent de plus en plus mal. « Rien ne me guérit », dit-il à la comtesse de Montijo. Il n'ira pas en

Angleterre cette année, ni même à Biarritz. A la princesse Julie : « L'impératrice a eu la bonté de m'inviter à Biarritz, mais je n'ose accepter. Il serait indiscret de ma part d'y aller pour être malade ou pour y crever, ce qui serait très possible. » En septembre il dit à Panizzi : « J'ai fait une expédition à la campagne chez mon cousin, qui a un cottage à une douzaine de lieues de Paris. Je n'y suis resté que deux jours, et cela ne m'a pas trop bien réussi. J'ai trouvé que, après tout, l'air de Paris est encore plus respirable que celui de la Brie. Pourtant, je ne suis pas trop mal, considérant le temps et les circonstances aggravantes. Mais j'ai une nouvelle et sérieuse préoccupation. Mes yeux m'inquiètent. J'ai envie et peur de consulter Liebreich, et, d'un autre côté, si je perds la vue, que diable deviendrai-je ? » Voici un nouveau souci. Liebreich est l'ophtalmologiste qui a opéré Mme de Montijo de la cataracte, avec succès semble-t-il. De même Mérimée craint-il la guerre sans trop y croire. Dans la même lettre à Panizzi, il note : « Tout le monde cependant ici croit à la guerre ; mais, en vérité, je ne comprends pas pourquoi. Il me semble que, après l'évacuation de Luxembourg, nous n'avons pas de sujet de querelle avec la Prusse. Lui faire la guerre pour avoir gagné la bataille de Sadowa serait par trop absurde, et la conséquence inévitable serait de mettre toute l'Allemagne contre nous. D'un autre côté je ne puis croire que M. de Bismarck qui est un homme de sens, et qui a fort à faire, essaye pour la seconde fois de jouer un va-tout en nous provoquant. Après avoir prêché le respect des nationalités, nous ne pouvons honnêtement nous opposer à ce que l'Allemagne s'unifie, comme l'Italie. Il y a grande apparence que cette unification suscitera beaucoup d'embarras à la Prusse, qui après avoir excité les passions révolutionnaires cherche maintenant à lès comprimer, et qui bientôt soulèvera des tempêtes. Ce n'est qu'alors que les chances seraient en notre faveur. Jusque-là, je crois la guerre impossible. » Achille Fould meurt subitement le 5 octobre 1867. « Que d'amis qui disparaissent ainsi fauchés tout à coup. » Il répète si souvent dans ses lettres le récit de la mort de Fould et d'autres qu'on en arrive à se demander s'il ne se réjouit pas inconsciemment de ces décès qui frappent les autres et qui vous font vous féliciter, l'âge venant, de survivre à vos contemporains. De toute évidence, Mérimée se plaît dans le récit des événements catastrophiques. Ceci n'empêche d'ailleurs ni les regrets ni la crainte. Un peu dans le même esprit notre homme fait grand cas du bain forcé pris par le prince impérial au cours d'une excursion à Fontarabie du yacht *Le Chamois*. Il admire le mot « admirable » du prince qui, en réponse à sa mère qui lui criait : « N'aie pas peur Louis », a dit : « Je m'appelle Napoléon. » L'admiration est d'un courtisan. Mais le drôle de l'affaire c'est l'insistance avec laquelle Mérimée signale qu'il y avait à bord du yacht un *prêtre*, treizième passager et donc double porte-malheur.

Quelques jours plus tard il rejoint Cannes. C'est à peu près à cette époque que ce vieux beau rédige les plus nombreuses lettres à l'usage de ses nouvelles conquêtes. Il a passé pourtant la soixantaine mais ne renonce pas à séduire. Ces correspondantes sont alors Mme de Beaulaincourt, femme dépourvue de préjugés, ayant mené autrefois une vie dissipée et qui a perdu successivement deux maris. Quand il est à Cannes, Mérimée lui adresse à chaque instant des fleurs, ils discutent fleurs sans arrêt. Mais il a aussi son franc-parler avec elle. Avec la comtesse Przezdziecka, présidente de la cour d'amour, il est plutôt galant : « Moi, je ne parle jamais de vous mais j'y pense beaucoup. Je n'en parle pas, parce que j'en aurais trop à dire. Par une raison semblable, je ne vous écris pas toutes les fois que j'en ai envie. Au fond, j'ai peur de vous. Je ne me trouve pas assez philosophe pour me laisser aller à vous aimer, comme j'y serais peut-être porté. Je m'applique à vous considérer comme une jolie fée qui m'apparaît de temps en temps, qui me charme et me ravit par sa grâce et sa bienveillance. Puis je me dis qu'il n'y a plus de fées, que ce monde sublunaire est sérieux et ennuyeux, qu'il faut se réjouir des visions d'un autre monde quand elles viennent, mais ne pas les croire trop réelles. Cela ne m'empêche pas de penser à mon aimable fée, et de la prier de m'être toujours propice. » Enfin avec la duchesse Colonna, à peine âgée de trente ans, il fait carrément le joli cœur (c'est le cas de le dire car il dessine sur ses lettres des cœurs percés d'une flèche). « Où diable avez-vous pris que je n'étais pas amoureux de vous ? Si je ne vous l'ai pas dit plus tôt, c'est qu'on m'avait assuré que les personnes de votre sexe s'apercevaient de ces choses-là ; en outre, je suis très modeste, et le nombre de mes rivaux m'effrayait. » Et plus tard, vers la fin, il essaie de rendre joyeux ce propos mélancolique : « J'ai l'idée, lui écrit-il le 19 juillet 1869, que je ne vous verrai plus de ce côté de l'Achéron. Sans doute, il y aura des causeries bien agréables de l'autre côté, mais je soupçonne qu'elles ne vaudront pas les autres. Et puis je me défie des âmes dépouillées de leur corps et même de leur costume. Je ne vois pas clairement votre âme sans châle jaune et de la taille d'une âme. » Au moment de partir pour Cannes, il lui dit encore : « Je ne regrette que vous à Paris, madame la Duchesse, et je vous regrette d'autant plus que nous commencions à nous connaître. Je suis entouré de glace comme un marron de Boissier — mais la comparaison cloche. Je ressemble plutôt à un marron sur l'arbre entouré de ses piquants. Ils commençaient à s'user. Je reviendrai, si je reviens, aussi hérissé que devant. C'est dommage, n'est-ce pas ? »

De sa retraite il s'adresse à Lebrun : « Quels gens sommes-nous pour vouloir un gouvernement parlementaire !... Nous allons donner la liberté de la presse : que pourra-t-on imprimer de plus libre que ce qu'on imprime aujourd'hui ? Tout cela m'afflige profondément et je ne vois pas d'issue à la crise vers laquelle il me semble que nous marchons à grands pas. Il n'y a rien de si dangereux que de donner des lois libérales à un peuple qui n'a aucun respect pour les lois. C'est aussi fou que de laisser des enfants jouer avec de la poudre. »

En même temps sa maladie semble prendre un nouveau tour plus inquiétant. A La Saussaye : « J'étouffe tous les soirs et tous les matins. A peine ai-je quelques heures dans la journée pour respirer tellement quellement. » A Jenny Dacquin : « J'ai été et je suis encore très souffrant. Le froid, qui a pénétré jusqu'ici, me fait beaucoup de mal. On dit qu'à Paris c'est bien autre chose et que vous n'avez rien à envier à la Silésie. Je suis quelquefois une bonne partie de la journée sans pouvoir respirer. » Puis il va un peu mieux, reçoit la visite de sa chère duchesse Colonna qui séjourne à Nice. Il s'est mis en tête qu'il est tombé en disgrâce auprès de l'impératrice et s'en plaint à Mme Delessert ; c'est pure imagination comme le prouvera la suite des événements.

Récidive des troubles respiratoires. Il écrit à Boeswillwald : « Pour moi, je suis plus patraque que jamais. Ce matin j'ai été obligé de m'y prendre à trois fois pour faire ma toilette, et d'avoir recours au stramonium et autres aménités pharmaceutiques pour pouvoir tenir debout et faire quelques tours dans ma chambre. » A Lecourt, avocat marseillais, qui a été autrefois asthmatique et qui a guéri grâce à une cure d'air comprimé (mais s'agit-il vraiment d'asthme, maladie allergique, dans le cas de Mérimée ?), il dit : « D'après ce que vous me dites je vois que vos crises venaient avec régularité ; les miennes sont tout à fait irrégulières, et, sauf les changements de temps brusques, je n'ai pas encore pu découvrir la cause qui les produisait. Autrefois c'était toujours la nuit. A présent c'est en général le matin, et après le petit travail de faire ma toilette, je passe une heure à haleter. Quand je suis en mauvaise disposition, la plus petite marche m'est pénible ; d'autres fois, après avoir marché un kilomètre avec assez de peine, je me sens tout à fait soulagé et je vais comme un chat maigre. Veuillez me donner le nom du médecin que vous avez consulté à Montpellier, et dites-moi combien de bains de cloche il faut prendre et le temps qu'on passe ainsi enfermé.

« J'ai consulté tous les médecins de Paris, pas un ne m'a parlé d'air comprimé. Mon cas tient, je crois, à une trop grande dilatation des lobules du poumon, ce que ces messieurs appellent je crois emphysème. » Malgré ses souffrances, certainement des plus pénibles, il sait se montrer amusant dans sa correspondance avec ses aimables conquêtes, Mme de Beaulaincourt et la duchesse Colonna. Il est toujours galant et plaisant.

Son ami Du Sommerard[1] lui rend visite : « Je suis toujours

1. Edmond Du Sommerard, premier conservateur du musée de Cluny.

assez souffrant et découragé. On me faisait une peinture si vilaine du temps qu'il faisait à Lyon et même à Montpellier, que le Dr Maure m'a conseillé de ne pas bouger d'ici. Du Sommerard vient d'arriver et je resterai encore ici quelques jours. Puis je me déciderai soit à retourner à Paris directement pour faire mon métier au Luxembourg, où l'on me dit qu'on prépare des bêtises, ou bien j'irai à Montpellier essayer l'air comprimé. Depuis trois mois, je souffre le matin et le soir, et l'opération de m'habiller et de me déshabiller paraît avoir une grande influence sur ma respiration. Je suis quelquefois obligé de fumer du stramonium et de me reposer un quart d'heure avant de pouvoir passer mes culottes. Je crois que les plus légères atteintes du froid me donnent des spasmes. »

Finalement mi-avril il se rend à Montpellier pour subir la fameuse cure d'air comprimé. A Lecourt qui lui a conseillé le traitement il écrit que cela lui réussit assez bien. Il lui dit qu'il est entre les mains d'un certain Dr Bertin qui espère le guérir et parle d'emphysème, mais au même correspondant il réclame une nouvelle ration de *tabac* semblable à celui qu'il a eu déjà l'obligeance de lui procurer. Nous avons remarqué que depuis toujours Mérimée a fumé beaucoup, ce qu'aucun médecin n'a songé à lui interdire. Quant à la cure elle-même, nous en avons quelques détails par une lettre adressée à Lise Przezdziecka : « Votre infortuné secrétaire est enfermé dans une boîte en fer où il y a deux fauteuils. Il s'assied sur l'un avec une chaufferette sous ses pieds, puis une machine à vapeur pompe dans la boîte de l'air qui s'y comprime au point de faire tinter les oreilles assez désagréablement. J'y reste deux heures, regrettant fort que vous ne soyez pas sur l'autre fauteuil. Cependant, le temps passe assez vite sinon d'une manière amusante, et je m'endors assez souvent. Je m'en trouve assez bien jusqu'à présent. On m'en a rapporté des effets merveilleux, et je compte pousser l'expérience jusqu'au bout. Guy Patin disait qu'en fait de découvertes médicales, il fallait se hâter de les prendre pendant qu'elles guérissaient. » Même description à Jenny Dacquin, à Mme Delessert, à Mme de Montijo, à Mme de Beaulaincourt. Le malade est plein d'espoir quoiqu'il se plaigne de la surdité provoquée par le traitement. Mais c'est une surdité transitoire. Pour le reste, il paraît que ça va mieux. Mérimée a découvert dans Chamfort l'expression « mourir guéri ». Il l'emploie à son propos à chaque instant. Visiblement ce « bon mot » l'enchante, ce qui sous-entend un certain optimisme.

Et en effet la cure a été bénéfique. Non seulement le malade le proclame, mais encore il va pouvoir se rendre en juin à Londres. Il a commandé des habits à Mr Poole et demande à Panizzi de se les faire livrer quitte à aller un peu tempêter 32, Saville Row. Il raconte à Mme de Beaulaincourt : « J'ai fait le voyage assez gaillardement. Il est vrai que le temps était magnifique et que la Manche ressemblait beaucoup à notre golfe de Cannes pour sa tranquillité. C'est la première fois que j'ai vu cinquante dames sur un paquebot sans qu'aucune demandât une cuvette. Ici, j'ai trouvé mon ami (Panizzi) mieux que je n'espérais, bien faible cependant et marchant avec beaucoup de peine, ce qui est une grande misère pour un homme qui a toute sa vie été plus actif et vif qu'une anguille. Il m'a fallu déjà subir quelques dîners, choses qui ne m'était pas arrivée depuis près de deux ans. Il me semble que je ne m'en suis pas tiré trop mal, je veux dire que je n'ai pas trop étouffé, mais je crois qu'il y a dans l'air de Londres quelque chose de bon pour les asthmatiques. » Peu après il va passer une quinzaine à Fontainebleau où l'impératrice l'a prié de venir. « Ici, je me promène un peu, je ne lis guère, et je respire assez bien. Le ciel et les arbres me font plaisir à voir. Il n'y a personne au château, c'est-à-dire une trentaine de personnes au plus, dont les seuls étrangers au service, avec moi, sont des cousins et cousines de l'impératrice, aimables, et que j'ai connus à Madrid. »

Panizzi est en cure à Wiesbaden, l'empereur revient de Plombières, la reine Victoria est en visite privée à Paris. Quant à Mérimée, il hurle auprès de Mme de Montijo contre les excès de la presse libre : « Nous avons pour nous édifier *La Lanterne* et toutes les saloperies de cette espèce dont on est inondé depuis la nouvelle loi sur la presse ! Je ne sais si ces ignobles productions vous sont connues. Si vous voulez vous en faire une idée, représentez-vous, si la chose vous est possible, le langage des harengères dépourvu absolument de l'esprit que ces dames ont quelquefois. Or, la société est ainsi faite en France que tout le monde lit ces ordures. Ainsi faisait la société du XVIIIe siècle qui courait après les gens qui allaient la renverser, leur faisant un piédestal et répétait avec admiration jusqu'à leurs bouffonneries ; mais les philosophes du XVIIIe siècle avaient des convictions et surtout de l'esprit. Notre littérature politique manque aujourd'hui de tout cela. Cela est triste et honteux, mais cela est. » Ecrivant à Panizzi il vante bien imprudemment la volonté de paix de Bismarck : « Mais ce que le roi de Prusse ne dit pas et ce qui est vrai, c'est qu'il y a chez lui un parti considérable qui veut la guerre. C'est le parti des vieux Prussiens qui ne jurent que par le grand Frédéric et qui depuis la bataille de Sadowa ne croient pas que rien puisse résister au fusil à aiguille. M. de Bismarck, qui est homme de bon sens, est le bouchon qui retient l'explosion de cette mousse belliqueuse. »

Cependant à Fontainebleau il a commencé à écrire *Lokis.* Il le lira à Valentine Delessert : « Si vous le désirez je vous apporterais cette petite drôlerie, mais pour la comprendre il faudrait que vous eussiez passé par les absurdes romans qu'on lisait à Fontainebleau. Le problème était de trouver quelque chose de plus atroce, et sans me flatter mon sujet a le pompon. Le malheur est que j'y ai trouvé aussitôt quelque charme, et qu'au lieu de faire une caricature j'ai voulu faire un portrait. Mais comment faire un portrait d'une impossibilité ? Il faudrait travailler ce que je n'ai fait qu'ébaucher très à la hâte, mais enfin je serais très heureux que vous veuilliez bien me donner votre verdict. » Il le lira également à Jenny Dacquin, à la veille de son départ pour Montpellier où il doit subir une seconde cure d'air comprimé : « L'important, c'est que cette lecture ne vous ait pas fatiguée. Est-il possible que vous n'ayez pas deviné tout de suite combien cet ours était mal léché ? Pendant que je lisais, je voyais bien sur votre visage que vous n'admettiez pas ma donnée. Il me faut donc subir la vôtre. Croyez-vous que le lecteur, moins timoré que vous, acceptera ce conte de bonne femme, *du regard ?* Ainsi, c'est un simple regard de l'ours qui a rendu folle cette pauvre femme et qui a valu à monsieur son fils ses instincts sanguinaires. Il sera fait selon votre volonté. Je me suis toujours bien trouvé de vos conseils ; mais, cette fois, vous abusez de la permission. »

XV

Lokis

« Si j'avais été à Paris, nous aurions fait *coup fourré ;* je veux dire que je vous aurais lu une petite drôlerie dont je suis moitié honteux moitié content. Lorsque j'étais à Fontainebleau chez une grande dame que vous savez, on lisait des histoires terribles, fantastiques et autres. J'ai pris l'engagement d'en faire une plus atroce, *to out Herod Herod*, et je me flatte de n'avoir pas trop mal réussi, pour le choix du sujet du moins. Une dame est rencontrée par un ours qui la viole. Elle a un enfant, très beau, garçon un peu velu, très robuste, qu'on élève bien, mais qui est toujours un peu bizarre. Ce Monsieur a son pucelage, lit des livres de métaphysique et est amoureux d'une petite coquette blanche et rose *comme une petite chatte près du poêle.* Il ne se rend pas bien compte des sentiments qu'elle lui inspire ; est-ce physique ou platonique ? Il se marie et la mange. Je n'ai pas besoin de vous dire qu'il ne connaît pas l'auteur de ses jours. La conception est laissée dans l'ombre, et les lectrices timorées peuvent même croire que ces bizarreries ursines tiennent à un " regard ". Le plus drôle, c'est qu'en ruminant cette belle histoire, j'avais entre les mains une grammaire lithuanienne. Je suis devenu très fort en jmoude, zomaïtis, et j'ai mis la scène en Lituanie. La couleur locale abonde ! ! ! »

Tels sont les propos que Mérimée tient à Tourgueniev dans une lettre datée de l'hôtel Nevet à Montpellier, le 9 octobre 1868. Nous avons dit plus haut comment *La Chambre bleue* avait servi de déclencheur à cette volonté nouvelle de production littéraire. Celle-ci survient après une période de léthargie de dix-neuf ans. On attribue généralement cette longue stérilité à l'absence de motivation provoquée par la trahison de Valentine Delessert. J'avoue que cette explication ne me satisfait pas. Quand on a envie d'écrire on ne reste pas vingt ans devant une feuille blanche sous prétexte qu'une femme (qu'on oublie quoiqu'on dise) vous a abandonné. Dans le cas de Mérimée il faut penser que, socialement arrivé, mondain par essence, il pense à tout autre chose qu'à la littérature. Son vrai métier a été celui d'inspecteur des Monuments historiques. Il l'a exercé, puis il a pris sa retraite dans les vanités de la cour impériale. Comme écrivain il ne s'est jamais considéré autrement que comme un amateur doué. C'est d'ailleurs ce qui fait la qualité de ses nouvelles. Elles ne sont pas l'œuvre d'un professionnel de la plume.

Quand on est créateur, disposition à laquelle on ne peut rien changer, une idée littéraire ne vous vient pas en tête comme une inspiration subite ; le cas peut évidemment se produire mais il est rare. Plus souvent le sujet de l'œuvre à venir est porté dans le subconscient longtemps avant sa naissance sous une forme lisible. C'est une idée vague, pas même un vrai projet au début, puis un beau jour on se met à sa table et il en sort un produit fini qui parfois étonne l'auteur lui-même.

Avant que le projet *Lokis* ne se soit présenté à l'esprit de Mérimée, une certaine idée fait en lui son chemin. C'est peut-être ce qui lui fait écrire à Lise Przezdziecka dès juin 1867 : « Vous me parlez de chasse avec tant d'ardeur que vous voudriez déjà, je pense, vous trouver en face d'un loup, voire même d'un ours. Passe pour la première de ces vilaines bêtes, mais je vous interdis absolument les ours : ils sont trop mal élevés pour avoir du respect pour les chasseresses. » Le sujet de *Lokis*, original dans sa forme, se rapporte en fait à une série de légendes folkloriques émanées de pays divers. Les lectures de Mérimée étaient nombreuses et variées. Mallion et Salomon font remarquer que Mérimée avait certainement lu dans *La Revue de Paris* de 1833, *L'homme-ours*, conte traduit du danois par H.-C. de Saint-

Michel. Dans le même numéro en effet paraissait une nouvelle de Jacquemont transmise à la revue par Mérimée. Or c'est en 1866 que, s'occupant de la publication de la correspondance de Jacquemont chez l'éditeur Michel Lévy, Mérimée ajoute en appendice à cette correspondance la nouvelle de 1833. Sans doute en cette circonstance dut-il feuilleter le numéro de *La Revue de Paris* où se trouvait *L'homme-ours.* Les dates coïncident : en 1866, relecture donc de cette nouvelle, en 1867 la lettre à Lise Przezdziecka, en 1868 *Lokis.* Ce n'est pas en vain qu'il écrit à Lise pour la mettre en garde contre les ours. On retrouve des traits de cette personne dans le portrait de Mlle Ivinska dans *Lokis.* Mérimée a connu Lise assez tard. Sa correspondance avec elle a paru en 1875 sous le titre *Lettres à une autre inconnue.* Elle exerçait sur Mérimée vieillissant une espèce de tyrannie par l'intermédiaire de cette cour d'amour dont elle était présidente. Mérimée jouerait volontiers avec elle les « jolis cœurs ». Elle est coquette, accepte les hommages ou fait semblant, pour mieux égratigner ensuite. Mérimée lui écrit en octobre 1866 : « Madame votre sœur est la dernière personne que j'aie vue à Biarritz. Elle a été très aimable pour moi et elle me plaît beaucoup. Elle vous ressemble par beaucoup de points, elle est comme vous curieuse et coquette, jalouse de plaire au premier chien coiffé autant qu'au plus bel homme et au plus grand du monde. Elle a de plus tous les genres d'esprit, de beauté et d'humeur qui me charment ; cependant nos atomes crochus ne se conviennent pas. Il lui manque quelque chose que vous avez, que je ne sais pas, que je ne devine pas, mais qui fait que je vous aime. »

Bien entendu la Mlle Ivinska de la nouvelle est un personnage composite. Parturier voit en elle un peu de la princesse Jablonowska, d'après Mérimée « rose comme une rose et blanche comme la crème » et de la princesse Troubetskoia[1] à propos de laquelle notre auteur écrit de Cannes à Mme de Boigne : « Nous avons ici une charmante princesse, toute rose et blanche, fraîche

1. Fille de la célèbre Taglioni et du comte Gilbert des Voisins.

comme une matinée d'avril bien qu'elle ait trois enfants, avec des cheveux blonds ravissants. »

Comme à son habitude, Mérimée, même pour une courte histoire se documente abondamment. Il a du goût pour L'érudition. Il s'intéresse à la Lituanie, en étudie la langue, s'inspire de Mickiewicz pour les paysages, se renseigne auprès de divers spécialistes. C'est finalement Tourgueniev qui trouvera un titre pour la nouvelle, *Lokis* signifiant ours en lituanien. Il me paraît un peu vain de citer toutes les sources possibles de l'œuvre. Un faisceau convergent de lectures et de connaissances diverses comme toujours va se fixer sur le travail en cours et le déterminer. Parfois ce sont les souvenirs épars de toute une vie d'études qui vont donner naissance à l'œuvre.

L'époque aussi a joué où les questions d'hérédité névropathiques sont à l'ordre du jour avec *L'Introduction à la médecine expérimentale* de Claude Bernard, et *La Physiologie des passions* du Dr Letourneau.

Il semble, d'après les extraits de ses lettres que j'ai cités, que Mérimée ait eu d'abord l'intention de faire une œuvre ironique, se moquant des romans à son avis « horribles et prodigieux » qu'on publiait alors, tels la *Thérèse Raquin* de Zola paru en 1867 où les « fatalités de la chair » conduisent à des excès qui exaspèrent notre auteur. Mais par la suite il aurait été entraîné à prendre son propre sujet au sérieux. C'est ce que semble dire la suite d'une lettre à Jenny Dacquin dont nous avons donné plus haut le début : « Lorsque j'étais dans le château, on lisait des romans modernes prodigieux, dont les auteurs m'étaient parfaitement inconnus. C'est pour imiter ces messieurs que cette dernière nouvelle est faite. La scène se passe en Lituanie, pays qui vous est fort connu. On y parle le sanscrit presque pur. Une grande dame du pays, étant à la chasse, a eu le malheur d'être prise et emportée par un ours dépourvu de sensibilité, de quoi elle est restée folle ; ce qui ne l'a pas empêchée de donner le jour à un garçon bien constitué qui grandit et devient charmant ; seulement, il a des humeurs noires et des bizarreries inexplicables. On le marie, et, la première nuit de ses noces, il mange sa femme toute crue. Vous qui connaissez les ficelles, puisque je vous les dévoile, vous devinez tout de suite le pourquoi. C'est que ce monsieur est le fils illégitime de cet ours mal élevé. *Che invenzione prelibata.* Veuillez m'en donner votre avis, je vous en prie. »

Sur les conseils de Valentine Delessert et Jenny Dacquin, souvent sollicitées en cette affaire, il modifie l'aspect de son ours. « J'ai léché un peu mon ours, et les personnes timorées qui n'admettraient pas le croisement entre plantigrades, pourront supposer que les bizarreries du héros tiennent à une peur ou à une fantaisie de femme grosse. Tout le monde croit à cela, et ma mère attribuait un certain nombre de mes défauts à une peur qu'un singe lui avait causée. » Tourgueniev fait changer certaines scènes à Mérimée, qui, pour sa part, consulte tous les médecins qu'il rencontre sur l'hérédité, les possibilités de croisement entre plantigrades. Il lime son texte. Il écrit drôlement à Jenny Dacquin : « Les médecins me disent que les plantigrades sont plus que d'autres bêtes en mesure de s'allier à nous ; mais naturellement les exemples sont rares, les ours étant peu avantageux. » Filon nous dit que Mérimée « interrogeait assidûment non seulement ses dictionnaires, mais ses collègues de l'Académie des Sciences pour savoir jusqu'où pouvait se porter la galanterie des plantigrades. Ces messieurs (pas les ours, les académiciens) s'amusaient à lui fournir des exemples. »

Il tardait à Mérimée de lire son œuvre à l'impératrice. Ce qu'il fit en juillet 1869 devant un auditoire incompréhensif voire hostile, si on en croit la comtesse des Garets : « Mérimée lut à l'Impératrice une nouvelle inédite : c'était, si je ne me trompe, *Lokis ;* naturellement il fallut faire sortir toute la jeunesse. Cette exigence acheva de nous rendre antipathique le grand vieillard qui nous regardait sans bienveillance. » De cette lecture, Filon nous rapporte un fidèle et précieux récit dans *Mérimée et ses amis :* « Je crois voir Mérimée s'installant avec son petit cahier relié pour lire *Lokis* devant l'Impératrice. C'était pendant l'été de 1869, au château de Saint-Cloud, dans le salon qui occupait le milieu du premier étage, au fond de la cour d'honneur... La soirée était chaude, mais on ferma les fenêtres par égard pour le lecteur. Les portes des salles voisines éclairées mais désertes, demeurèrent ouvertes, et bientôt il n'y eut que la voix de Mérimée qui résonnât dans cette quiétude et ce recueillement du grand palais ensommeillé. L'Impératrice était assise à une table ronde placée dans un coin de la pièce devant un buste en marbre du roi de Rome à vingt ans. A sa gauche, Mérimée. Autour de la table, les deux dames du palais, qui faisaient le service de semaine, les demoiselles d'honneur, Mlle de Larminat et Mlle d'Elbée, enfin les nièces de l'Impératrice, Marie et Louise, avec la femme très aimable et très distinguée qui dirigeait alors leur éducation. Une lourde lampe éclairait le cahier blanc où *Lokis* était écrit d'une écriture large et ferme, les éventails qui battaient l'air lentement, les broderies qu'agitaient sans bruit des doigts agiles et menus, tous ces fronts penchés et ces yeux de jeunes filles qui se levaient quelquefois vers le lecteur avec une expression de curiosité et de rêverie. Deux ou trois hommes, assis un peu plus loin, complétaient le petit cercle. Mérimée lut de sa voix indifférente et monotone, interrompu seulement par des sourires ou par de légers murmures d'approbation dont l'Impératrice donnait le signal. *Lokis* est un petit roman très bien fait, très vigoureux d'exécution, très habilement varié de ton et où l'ironie se soutient à la hauteur voulue pour ne point gâter la couleur sombre du sujet. En le relisant ces jours-ci, il m'a semblé que c'était une des meilleures œuvres de Mérimée. Mais ce soir-là, son ingrat et malheureux débit m'empêcha de m'en apercevoir.

« Un peu après avoir fini, il se leva et me dit à demi-voix, d'un ton brusque :

« — Avez-vous compris, vous.

« Je dus avoir l'air assez niais. J'aurais peut-être fini par trouver une réponse encore plus niaise, mais il ne m'en donna pas le temps.

« — Vous n'avez pas compris, c'est parfait ! »

Parce qu'il jugeait n'avoir pas été compris, Mérimée donna son texte à *La Revue des Deux-Mondes*, ce qu'il avait refusé de prime abord, et la publication eut lieu le 15 septembre 1869 sous le titre *Le Manuscrit du Professeur Wittenbach,* titre qui ne plut pas à l'auteur. Le texte parut à nouveau en 1873 dans le volume des *Dernières nouvelles.*

Que raconte en gros *Lokis :* la visite ou les deux visites du savant linguiste allemand Wittenbach à un Lituanien, le comte Michel Szemioth dans un château isolé. Dans son premier voyage il apprend que le comte Michel, épris d'une demoiselle Iwinska, vit seul avec ses domestiques, un médecin et sa mère qui, dès avant sa naissance a perdu la raison dans les circonstances suivantes : au cours d'une chasse elle a été enlevée par un ours, puis retrouvée dans les bras de l'animal qu'on a abattu. Depuis elle est demeurée folle. Neuf mois après sa pénible aventure elle a accouché de Michel. On se garde bien de nous dire si elle est enceinte de l'ours ou de son mari. Mais à bien regarder Michel, on lui voit quelques singularités oursiennes qui, très vite, rendent le récit inquiétant.

Le professeur Wittenbach revient chez Szemioth pour le marier avec la jolie mademoiselle Iwinska. Il est ainsi témoin du drame. Au lendemain des noces, on trouve la mariée égorgée par une terrible morsure. Quant à Michel il s'est échappé, on ne retrouvera pas cet homme-ours aux impulsions redoutables.

Cette nouvelle dont la parenté avec *La Vénus d'Ille* est évidente fut assez sévèrement jugée par certains dont Trahard. Pour ma part je trouve ce récit remarquable et parmi les meilleurs de son auteur. L'écriture en est brève, élégante, précise. Le récit est mené tambour battant, adroitement semé de petits mystères inquiétants. La situation même de l'action dans un pays peu connu, aux mœurs étrangères, lui donne une tonalité sombre et insolite. Comme presque toujours dans Mérimée, une sorte d'ironie non exprimée enveloppe le tragique, comme si l'auteur voulait en dernière analyse, mais en toute dernière, montrer qu'il ne croit pas plus que nous à l'incroyable histoire qu'il nous raconte. Le fantastique souriant est une spécialité mériméenne allant de pair avec l'horreur du drame dont il est inséparable. Je ne suis nullement étonné qu'il se soit trouvé en 1970 un cinéaste polonais, Majewski, pour tirer de cette œuvre un scénario. Je ne serais même pas surpris que le film soit bon, tant Mérimée me paraît par son style proche de notre temps.

Après la ridicule *Chambre bleue* on peut dire que Mérimée a retrouvé tout le talent de sa jeunesse.

Entre la composition de *Lokis*, les changements intervenus dans le texte sur les avis de Mme Delessert, Jenny Dacquin et Tourgueniev et la lecture de l'œuvre définitive à l'impératrice il s'est écoulé presque une année, année peu favorable à la santé de l'auteur. Il est revenu à Montpellier pour une nouvelle cure d'air comprimé en octobre. A Mme de Montijo, qui assiste dans son pays au coup d'Etat du général Prim et au départ de la reine Isabelle, il écrit : « Je suis ici depuis quatre jours et j'ai recommencé à prendre les bains d'air comprimé qui m'avaient fait grand bien. Malheureusement je me suis enrhumé dans le chemin de fer et je tousse continuellement. » A Lise Przezdziecka : « Je suis ici depuis une quinzaine de jours fort souffreteux et encore plus triste. Je prends des bains d'air comprimé qui m'ont fait grand bien le printemps passé ; mais, en venant ici, j'ai attrapé un rhume abominable, et je passe ma vie à tousser et, par suite, à étouffer. Cette occupation, surtout la nuit, est une des plus ennuyeuses qui se puissent imaginer. Je soupire après le moment où je pourrai aller à Cannes ; très probablement je n'y serai pas mieux, mais au moins je verrai une belle mer et de belles montagnes. Montpellier est la plus vilaine ville et la plus ennuyeuse que j'ai vue. » A la princesse Mathilde : « Votre Altesse a bien voulu permettre à son modèle de lui écrire du pays qu'il habite. Il est en mauvaise condition, et a perdu cent pour cent des faibles attraits dont vous avez bien voulu faire une copie fidèle pour la postérité.

« Ce n'est plus un emphysème, mais un catarrhe diabolique qui le pousse vers l'Achéron, et malheureusement l'air comprimé n'a pas contre les catarrhes la même vertu que contre les emphysèmes. Le fait est que je suis si souffrant que je ne sais quand je serai en état d'aller à Cannes.

« Je passe mon temps à tousser et à faire, toujours inutilement, l'essai de quelque drogue nouvelle. Le jour j'ai encore quelque énergie, mais les nuits sont déplorables et je ne m'endors que lorsque je n'ai plus la force de tousser. Est-ce mon dernier rhume ou l'avant-dernier ? C'est ce que je me demande souvent. »

Désormais les plaintes concernant la santé vont se multiplier à l'infini. La vie de Mérimée est une torture qui laisse de moins en moins souvent place à l'espoir. Il y a des rémissions, et puis l'homme est courageux. Il réussit à se distraire, à s'intéresser à des sujets divers. Les affaires d'Espagne surtout le passionnent. Il ne cesse de parler de sa bien-aimée duchesse Colonna qui justement est là-bas. « Elle s'est trouvée au milieu de la bagarre, à Cordoue, pendant qu'on se battait au pont d'Alcolea. M. de Kergorlay qui lui servait d'écuyer m'a écrit qu'elle avait pansé les blessés et que la patrie reconnaissante lui avait décerné un ruban rouge avec une inscription en lettres d'or. »

Quand il revient à Cannes début novembre on peut dire que la cure à Montpellier a échoué. A en croire le malade, ce qu'il appelle emphysème a fait place à ce qu'il appelle un catarrhe continuel. Il tousse jour et nuit. Il s'inquiète en même temps pour sa vue qui baisse et écrit à Viollet-le-Duc : « Je m'aperçois que ma vue s'en va et je me demande ce que je deviendrai quand je ne pourrai plus lire ni écrire ? Pourquoi ne meurt-on pas tout à la fois, au lieu de s'en aller petit à petit ? Enfin, il paraît que c'est un règlement qu'on ne peut amender, et il faut en prendre son parti. » Cela ne l'empêche pas de rédiger une « tartine » sur le *Journal de Samuel Pepys* destinée au *Moniteur universel* ni d'envoyer les fleurs qu'elle lui réclame sans cesse à Mme de Beaulaincourt, ni d'adresser des galanteries à la duchesse Colonna rentrée d'Espagne.

Et pourtant. « Il y a des maladies aiguës qui vous laissent de l'énergie morale, écrit-il à Viollet-le-Duc. Ces diables d'affections respiratoires vous amolissent leur homme. Autant vaudrait-il dire à quelqu'un qui se noie de prendre patience et de songer à conserver le calme convenable à un homme bien élevé. » Pour comble de malheur, voici que Fanny Lagden tombe malade. On craint une fièvre typhoïde. Mais ce n'est pas si grave. En quelques jours la malade se remet, mais l'alerte a été rude pour Mérimée. « Tout ce tracas n'a pas été sans me secouer fortement. »

Ce souci s'étant écarté, c'est alors que Mérimée, décidément repris par le goût d'écrire, se renseigne auprès de la duchesse Colonna, alors en Italie, sur l'emplacement exact à Rome du Vicolo di Madama Lucrezia. Il veut remanier sa nouvelle de 1846. Dans le même temps, il va consulter à Nice un certain docteur Worms sur les conseils de Saulcy qui, passant par Cannes, a trouvé son ami en piteux état. Cet ancien médecin de l'armée d'Afrique (une référence !) attribue les troubles signalés à l'estomac du malade autant qu'à ses poumons. Entouré des docteurs Maure, Guibert et Worms, Mérimée ne manque pas d'avis contradictoires autant qu'incohérents. Il reçoit la visite de Du Sommerard. Celui-ci manifeste son inquiétude au sujet de l'écrivain dans une lettre adressée à Viollet-le-Duc : « Ma femme m'écrit que vous me demandez des nouvelles de Mérimée. Elles sont mauvaises ; une maladie qu'a faite Miss Lagden lui a causé une vive impression et il ne s'en est pas remis, au point que le docteur Maure m'avait écrit pour m'engager à venir sans tarder. Je l'ai trouvé changé et affaibli au-delà de ce que je pourrais dire. Il est toujours debout mais de temps en temps il éprouve des crises d'étouffement telles qu'il est impossible de n'en pas concevoir les plus sérieuses inquiétudes. Il ne prend plus goût à rien, marche à peine et ne mange pas du tout. Le docteur Maure vient d'arriver de Grasse et il m'assure qu'il ne voit pas un danger imminent ; s'il ne se produit pas d'accident pendant une de ces crises, accident qui est possible, ajoute-t-il. Je n'ai pas besoin de vous dire que le moral de notre ami est frappé de la manière la plus complète ; je compte un peu sur ma présence pour le lui relever, mais vous savez dans quel odieux centre il vit et la difficulté n'en est que plus grande. Il est convaincu qu'il ne reviendra pas à Paris ; le docteur Maure affirme le contraire, mais déclare que le cœur est pris et sérieusement pris. » Du Sommerard écrit à nouveau le lendemain, 18 février 1869 : « Le docteur Maure est revenu hier de Grasse... Ce matin je l'ai prié de procéder à un nouvel examen des organes de la respiration et du cœur ; il est resté une heure avec lui, puis il est revenu dans ma chambre me dire qu'il avait trouvé que le mal avait fait des progrès sensibles, que le cœur fonctionnait mal et que les crises d'étouffement si violentes que notre ami éprouvait, s'expliquaient parfaitement. Avec tout cela Mérimée est toujours sur pieds ; ce n'est plus que l'ombre de lui-même, il ne dort pas, ne mange pas, marche à peine ; mais enfin il est debout et par moments revient un peu à lui-même. Tel est l'état exact, et vous voyez que, comme le disait le docteur, cela peut aller encore, et que s'il ne se produit pas une crise funeste ou si la faiblesse ne vient pas à empirer, il pourra revenir à Paris au mois de mai et là, il trouvera un entourage moins triste que la société de ses Anglaises. »

Pour la première fois nous voyons la situation du dehors et non d'après les propos de Mérimée. De toute évidence elle n'est pas brillante, et ne semble pas destinée à s'améliorer. Les journaux commencent à s'occuper de cette maladie inquiétante. Nouvelles pessimistes et démentis se succèdent. Cela provoque une abondante correspondance à destination de Mérimée qui se trouve obligé d'y répondre. Mme de la Rochejaquelein, qui depuis si longtemps travaille à la conversion de Mérimée, lui envoie même un prêtre. Les Goncourt dans leur Journal en date du 3 mars 1869 ont le mot tendre, selon leur habitude, à l'égard du malade : « Viollet-le-Duc parle de Mérimée très malade. Il meurt d'une maladie de cœur, et son ami prétend, à l'encontre du jugement de tous, que cette maladie vient de la sensibilité rentrée de l'écrivain, qui était très tendre, sous le masque de l'égoïsme et du cynisme. Il appartenait à cette génération de poseurs et d'hommes faisant les forts, à la génération de Beyle, de Jacquemont partant pour l'Inde, et quittant ses parents avec la légèreté d'adieux d'un départ pour Saint-Cloud. Une des plus tristes fins du monde, au reste, que la fin de ce comédien de l'insensibilité, claquemuré entre deux vieilles *governess* lui rognant le boire et le manger. » *Le Peuple* et *Le Figaro* du 10 mars vont même jusqu'à annoncer sa mort, *La Gazette de France* et *Paris* insistent sur la véracité de ce décès, tandis que les deux premiers cités se rétractent. Mérimée passe son temps à déclarer à ses correspondants qu'il est bel et bien encore en vie. L'impératrice l'invite à l'accompagner en Egypte à l'occasion de l'ouverture du canal de Suez à laquelle elle doit présider. Il ne peut évidemment que refuser et remercier.

La crise a été rude. En ce début d'avril où notre homme va mieux, reprennent les petits potins sur les uns et les autres, les compliments des candidats à l'Académie, les considérations générales sur la politique. Cannes se vide peu à peu de ses villégiateurs, tandis que la ville se modernise. Elle a maintenant l'eau, un égout collecteur, on y construit des quais. Mérimée s'inquiète des prochaines élections de mai-juin qui vont en effet porter à la chambre une forte opposition et de droite et de gauche. Le prince impérial en croisière sur son yacht fait escale à Cannes et rend visite à Mérimée. « Nous n'avons guère parlé politique, comme vous pouvez penser, mais il a dit quelques mots qui m'ont plu et qui semblent indiquer qu'il s'amende. »

De retour à Paris, deux sujets l'occupent : les élections prochaines dont il parle beaucoup avec ce dédain qu'on lui connaît désormais pour le suffrage universel. Il critique les mœurs politiques : « Un M. Wilson, dans l'Indre-et-Loire tient table ouverte, grise ses électeurs, les ramène en voiture et leur donne des plaids et des cache-nez pour retourner chez eux. Il a établi un bureau en face d'un pont à péage, où l'on rend à tous les passants le sou qu'ils ont payé à l'entrée du pont. » Quant au fond de la question il le résume pour Panizzi en ces termes sans nuance : « Il n'y aura bientôt plus que deux partis : celui de ceux qui ont des culottes et prétendent les garder et celui de ceux qui n'ont pas de culottes et veulent prendre celles des autres. »

Quant à son autre préoccupation, c'est de se renseigner sur une certaine princesse Tarakanoff qui va lui fournir *L'histoire de la fausse Elisabeth II* qui paraîtra en juin et juillet dans *Le*

Journal des savants. « Il s'agit de justifier Catherine II d'avoir laissé noyer dans un cachot une fille d'Elisabeth pendant une inondation de la Néva. L'empereur Alexandre ouvre ses archives aux gens de lettres et on a publié des pièces assez curieuses, d'où résulte que la prétendue fille d'Elisabeth était une drôlesse, et qu'elle est morte de la poitrine. Il y a dans tout cela des figures assez drolatiques, entres autre un amant de cette drôlesse, prince de Limburg, rempli de *gemüth,* et aussi niais que les Allemands le sont au Vaudeville. »

Autre travail qui lui est une distraction. L'impératrice lui a donné à éditer les archives de la maison d'Albe. A sa souveraine il écrit : « Le duc prend un parti très sage, je dirai même qu'il accomplit un devoir en publiant les précieux documents historiques qu'il possède. Sans doute il faut renoncer à faire de son grand-oncle un philanthrope ; suffit qu'il reste un grand homme. A mon avis il faudrait se borner à imprimer les lettres originales, avec leur traduction, et les coudre les unes aux autres par un précis des événements auxquels elles se rapportent. » Avec Jenny Dacquin, sur le sujet de la répression pendant la guerre d'Indépendance des Pays-Bas, il use d'un ton différent en parlant du cruel ancien gouverneur des Flandres : « Je passe mon temps à déchiffrer des lettres du duc d'Albe et de Philippe II que m'a données l'impératrice. Ils écrivaient tous les deux comme des chats. Je commence à lire assez couramment Philippe II ; mais son capitaine général m'embarrasse encore beaucoup. Je viens de lire une de ses lettres à son auguste maître, écrite peu de jours après la mort du comte d'Egmont, et dans laquelle il s'apitoie sur le sort de la comtesse, qui n'a pas *un pain* après avoir eu dix mille florins en dot. Philippe II a une manière embrouillée et longue de dire les choses les plus simples. Il est très difficile de deviner ce qu'il veut, et il semble que son but constant est d'embarrasser son lecteur et de l'abandonner à son initiative. Cela faisait la paire d'hommes la plus haïssable qui ait existé, et, malheureusement, ni l'un ni l'autre n'ont été pendus, ce qui n'est pas à la louange de la Providence. »

Cependant le mal qui le travaille n'a pas dit son dernier mot.

Sans atteindre les souffrances des mois précédents Mérimée connaît des hauts et des bas. Il déclare ne plus guère sortir le soir, ne plus dîner en ville. Un signe de vieillissement me paraît être le mépris général dans lequel il tient les autres, tous les autres. A ce mépris il semble que dès sa jeunesse il ait été prédestiné. Mais ce jugement désormais est la signature d'un homme d'un autre temps. Il écrit à Valentine Delessert : « Ce qui me frappe plus que tout c'est la bêtise croissante de ce peuple-ci. J'entends beaucoup parler de l'immoralité et de la perversité de notre époque, c'est sa bêtise profonde qui m'afflige et le mal est sans remède. On ne s'en corrige pas. Et remarquez qu'il est très contagieux puisqu'il gagne les gens d'esprit. Voyez-vous M. Thiers disant à trois cents gamins qui le reconduisaient après le dépouillement du scrutin : " Je jure de me conduire en bon citoyen ! ", lui qui l'autre jour parlait de la vile multitude. Tout cela est triste et ne promet rien de bon pour l'avenir. » De même il s'imagine vivre dans une époque de totale décadence. A la duchesse Colonna qui fait de la sculpture à Rome, il parle du Salon de l'année : « Manque d'esprit et d'éducation chez les artistes, ignorance des procédés matériels et des ressources ; amour du gain au lieu d'amour de l'art. »

Epoque déplorable en effet que celle où vous conduit l'âge. A la même correspondante, incidemment, il demande encore de lui dire l'emplacement exact du Vicolo di Madama Lucrezia. Il pense en effet toujours à revoir et refondre sa nouvelle.

La cour devait se déplacer vers Fontainebleau ; en ce lendemain d'élections où l'excitation est grande, il paraît prudent à l'empereur de ne pas trop s'éloigner de Paris. On se contentera de Saint-Cloud. Mérimée invité, s'y rend, plein d'appréhensions concernant son état de santé. Il y voit le vice-roi d'Egypte, Ismail Pacha, venu pour inviter les souverains à l'inauguration du canal de Suez. C'est le 22 juillet que devant les dames de la cour, il lit *Lokis*. « J'ai lu *l'ours* à S. M., à ses dames et à ses demoiselles, voire à ses nièces qui n'y ont rien compris. » L'ex-reine Isabelle d'Espagne est venue. « Je l'ai trouvée en meilleur état que je n'aurais cru, c'est-à-dire moins grosse... Il est faux de dire que ses bras sont gros comme le corps ; tout au plus sont-ils comme des cuisses dodues. » Somme toute ce séjour ne se passe pas si mal que Mérimée l'avait craint. Sa santé paraît un peu stabilisée. Néanmoins, de retour à Paris il entreprend une nouvelle cure de respiration en air comprimé. Un établissement spécialisé s'y est ouvert « plus grand et plus élégant que celui de Montpellier. Les cloches sont si grandes qu'il y tiendrait facilement trois personnes. Le médecin qui préside a une fille asthmatique, très jolie vraiment, mais on ne nous encloche pas ensemble, ce que je regrette. »

Cependant Mérimée a des ennuis domestiques. Sa cousine Fresnel, veuve depuis peu, dont il est locataire et qui habite la même maison rue de Lille, devient folle. « Elle a mis les domestiques de son mari à la porte, en a pris une vingtaine d'autres qu'elle a chassés l'un après l'autre. Elle s'imagine que tout le monde veut la voler, et elle s'enferme sous vingt serrures tous les soirs. Tous ses amis me disent que je devrais l'empêcher de faire ce qu'elle fait. Je n'ai aucune autorité sur elle, n'étant même pas son parent. L'autre jour, je me suis trouvé sans portier. Je crains qu'elle ne se brûle un de ces soirs, et moi aussi. J'espère qu'elle ira à la campagne, mais elle pense probablement que, si elle y allait, je profiterais de son absence pour emporter sa maison. » Il se soucie beaucoup du sénatus-consulte en préparation « qui donnera à la chambre des Députés le droit d'élire son président, de faire des interpellations et quelques autres items que je ne sais pas ». Autre nouveauté : le public sera admis aux séances du Sénat. Il va falloir brosser ses vêtements ou en changer, voire porter des perruques. Et puis toujours les ennuis domestiques : « Ma pauvre cousine devient de plus en plus insupportable. Aujourd'hui, elle a mis à la porte sa trentième femme de chambre depuis un mois, et j'ai rencontré sur l'escalier un serrurier qui portait les engins les plus extraordinaires pour la barricader. J'ai peur d'apprendre, un de ces jours, qu'elle est morte de faim et qu'on n'a pu parvenir jusqu'à elle qu'avec une compagnie du génie. »

Le 15 septembre *La Revue des Deux-Mondes* publie *Le*

Manuscrit du Professeur Wittenbach (Lokis). En même temps, Mérimée est en pourparlers avec Hetzel pour une préface à une nouvelle traduction du *Don Quichotte* de Cervantès. Retardé par une maladie de Mrs Ewer, il ne part pour Cannes que le 14 octobre après avoir appris la mort de Sainte-Beuve, décédé la veille.

Par une lettre à Jenny Dacquin, entre autres, nous apprenons qu'à nouveau sa santé n'est pas brillante. « J'ai toujours matin et soir des moments d'oppression très pénibles. » Il a eu de graves discussions avec sa cuisinière Pauline à son service depuis quarante ans et a failli la renvoyer. Enfin il a déjeuné à deux reprises avec Thiers qu'il a jugé bien changé au physique et en politique. « Il est redevenu sensé, à voir cette immense folie qui s'est emparée de ce pays-ci, et il s'apprête à la combattre, comme il faisait en 1849. » Là-dessus Mérimée s'embarque dans des propos ultra-réactionnaires et parle de traiter la populace à coups de chassepots. S'il n'est pas toujours possible de le suivre dans ses rancœurs politiques, du moins est-on sensible à ses prédictions pessimistes puisque ces dernières ne vont pas tarder à se réaliser. Il voit l'avenir immédiat sous de sombres couleurs. « Il me paraît prouvé, écrit-il à la princesse Julie, que ce pays-ci est indigne de la liberté et qu'il ne peut supporter le despotisme. Je le vois s'en allant à tous les diables. »

Cette humeur pourrait s'expliquer par un état de santé qui va s'aggravant sans cesse. Je crois Mérimée sincère lorsqu'il semble souhaiter la mort. C'est ce détachement qui lui inspire le dégoût du temps présent, et dans tous les domaines. La lettre qu'il adresse le 4 décembre 1869 à la duchesse Colonna me paraît caractéristique de cet état d'esprit : « Je suis découragé et je m'applique à sortir de ce monde avec le moins de regrets possible. Je ne sais quel est le philosophe qui a dit qu'il fallait chaque année se dégager de quelque lien, renoncer à quelque chose, jeter pièce à pièce sa vaisselle à la mer, comme le roi de Thulé. Vous êtes du très petit nombre de personnes avec qui j'ai aimé à échanger des idées. Il est peu probable que je jouirai encore de cet avantage. A quoi bon s'écrire ? Des lettres ne valent rien après qu'on a goûté du dialogue.

« Je suis toujours malade et, je le crois, fort malade, bien que je vous écrive assis à ma table et non dans mon lit. Je souffre continuellement, et quelquefois d'une manière insupportable. J'ai non seulement perdu l'appétit, mais j'ai un vrai dégoût pour manger. Enfin, Madame, je suis en route pour l'Achéron. J'en prends mon parti, d'abord parce qu'il n'y a pas moyen de faire autrement, ensuite parce que tout ce que je vois m'afflige ou me met en colère. J'assiste à une transformation de la société et je n'y puis pas prendre part ; peut-être est-ce à cause de cela que cette transformation me déplaît. Je ne prends qu'un point dans le grand gâchis universel, la littérature. A quelle époque a-t-elle été, je ne dirai pas plus plate, mais aussi vilaine ? »... « La grande tendance est à chercher le petit en tout, à produire le bizarre au lieu du beau, et le sale au lieu du naturel. Lisez, je vous prie, le dernier roman de M. Flaubert, où il y a pourtant du talent, mais qui, de gaîté de cœur, et par système, s'est jeté dans cette mer d'iniquités. »

De cela il faut retenir surtout que Mérimée est assez conscient pour comprendre que la transformation de la société lui déplaît, puisqu'il n'y peut prendre part. Un tel état d'esprit implique une acceptation de la mort.

XVI

1870

Cette année dramatique de 1870 dont Mérimée ne verra pas la fin commence pour lui comme la précédente avait fini. Un froid exceptionnel sévit à Cannes et dans tout le Midi. « Je suis bien souffrant, allant de mal en pire », écrit Mérimée à Edward Lee Childe. A Panizzi : « J'ai des jours bien pénibles et des nuits pires. Que voulez-vous ? C'est un voyage difficile vers un pays qui n'est peut-être pas des plus agréables. » Cette dernière phrase me surprend. A quelle croyance métaphysique Mérimée se rattache-t-il ? Il dit encore à Jenny Dacquin : « J'ai la certitude que c'est une mort lente et très douloureuse qui s'approche. Il faut en prendre son parti. » Et à Boeswillwald : « J'essaye de tous les remèdes mais rien ne me réussit. »

Malgré tout une légère amélioration se présente dans son état et, le 26 janvier, il confie à Viollet-le-Duc : « Je suis souvent trop souffrant pour écrire des drôleries. J'en ai commencé une cependant que je finirai, j'espère, si j'ai de bons jours. » Ne nous étonnons pas du mot « drôlerie », Mérimée l'emploie souvent à propos de ses écrits quels qu'ils soient. Sans nul doute c'est à *Djoumane* qu'il fait allusion. Ce n'est pas un long travail. La nouvelle est des plus courtes. Aussi, malgré le mauvais état de santé de l'auteur, nous ne sommes pas trop étonnés d'apprendre par une lettre à la duchesse Colonna que le 18 mars l'œuvre est achevée. Il écrit en effet : « Votre rêve du crabe m'a frappé. J'avais fait une petite drôlerie sur une anguille, que je vous montrerai, si jamais j'ai l'heur de vous voir. Ne pouvez-vous faire un croquis de ce crabe ? » A défaut de connaître la lettre de la duchesse, on ne peut dire de quel crabe ni de quel rêve il s'agit. Pour l'anguille il suffit de lire les quelques feuillets de *Djoumane.* Mais sans doute Mérimée ayant terminé sa tâche avait-il des doutes sur certains détails puisqu'il revient sur le sujet le 21 mars dans une lettre à Charles-Edmond[1] : « Vous qui les savez toutes " et une d'avec ", comme on dit en Normandie, soyez assez bon pour me dire comment on nomme un gué en arabe. Ne sachant que faire et toujours bien souffrant, je me suis mis à écrire une petite histoire, à laquelle il ne manque plus que le titre. Le gué de... Savez-vous une rivière en Algérie qui ait un gué ? Ou ce qui revient au même pour moi, faites-moi un nom de rivière et un nom de gué. Vous avez été si bon pour moi dans une occasion semblable que j'ai de nouveau recours à vous. Cela vous apprendra à ne plus obliger les gens qui sont importuns. » Tout de même il écrit le 7 avril à Jenny Dacquin : « Quant à l'histoire dont je vous ai parlé, je la réserve pour mes œuvres posthumes. Cependant si vous voulez la lire en manuscrit vous pourrez avoir ce plaisir qui durera un quart d'heure. »

Djoumane se passe en Algérie, un pays qui a toujours fort intéressé Mérimée. N'avait-il pas été sur le point de s'y rendre comme inspecteur des Monuments historiques en 1844 ? Et puis ce voyage avait été décommandé. Enfin n'oublions pas qu'il a été contemporain de toutes les étapes de la conquête, sur laquelle d'innombrables ouvrages et articles ont été publiés de son vivant. Lorsque Jenny Dacquin est allée à Alger voir son frère, il l'a priée maintes fois de lui donner des détails de « couleur locale ». L'exotisme l'a toujours passionné, c'est de son temps. De la couleur locale il en met et remet dans *Djoumane,* qui sans doute lui est inspirée par la révolte d'un chef local, Sidi Lala, dont on parle beaucoup vers les années 1864-1868. Il en remet tellement

1. Charles-Edmond Choïecki, ancien secrétaire du prince Napoléon et bibliothécaire du Sénat.

qu'on est surpris de lire la lettre à Hetzel du 2 mars 1870 : « Je lisais il y a peu de temps dans un journal que " le goum de Tlemcen réuni au maghzen avait fait une razzia sur les... à la suite de quoi une diffa avait été offert au Kaïd... " Franchement, il faut être un peu arabisant pour comprendre ce français-là. » Or lui-même n'hésite pas à nous parler dans sa nouvelle de burnous, de marabout, de cheyk, mots peu connus en son temps.

On a voulu voir dans ces dix-douze pages, parfaitement insignifiantes, je ne sais quel rêve susceptible d'interprétation psychanalytique. A mon sens, Mérimée écrit n'importe quoi d'un peu étrange et en accord avec son goût de l'exotisme. On m'objectera bien sûr que ce « n'importe quoi » est la voix même de l'inconscient. Mais une des caractéristiques de la psychanalyse est précisément de donner apparence logique à n'importe quoi. A partir du moment où tout ce qui est long est phallus et tout ce qui est creux vagin, toute littérature se trouve éliminée au profit des sciences humaines.

Djoumane nous raconte une expédition vécue par un lieutenant de cavalerie à partir de Tlemcen contre le redoutable Sidi Lala. Avant de quitter Tlemcen, notre narrateur, assiste à une séance de dressage de scorpions et serpents par un vieux sorcier. Une ravissante petite Arabe de quatorze ans est mordue par un de ces serpents, incident mineur qui n'empêche pas l'escadron de quitter la ville pour la mission projetée. Le lieutenant s'endort sur son cheval. Il rêve qu'il tue Sidi Lala en combat singulier, puis qu'il pénètre dans une caverne où la petite fille entrevue à Tlemcen est aux mains d'une bande de fanatiques qui la jettent dans un trou puant où vit un serpent colossal. Le lieutenant s'éloigne dans l'obscurité. Par le charme du rêve il se trouve soudain transporté dans une chambre ornée du bric-à-brac arabisant qu'on appelait alors couleur locale. Là se trouve une charmante odalisque qui l'invite à s'asseoir près d'elle. On se croirait dans le tableau de Delacroix, *Femmes d'Alger.* La dame ressemble vaguement à la petite fille de Tlemcen. Elle offre à son invité du café. Instant paradisiaque auquel succède le malheureux réveil du lieutenant à qui un maréchal des logis, vraisemblablement moustachu, présente un quart du « jus » traditionnel. « Il paraît que nous avons pioncé tout de même, mon lieutenant. »

Sauf le style, bref et épointé comme à l'habitude, je ne vois nulle qualité particulière à ce récit qui est celui d'un rêve, genre des plus ennuyeux où des centaines d'auteurs ont égaré leur talent en fantasmes absolument vains. Tout au plus *Djoumane* traduit-il la fatigue de Mérimée, exprime-t-il ses nuits exténuantes d'insomnies coupées de cauchemars.

Car c'est là que nous en sommes. Cet homme n'en peut plus. La trêve, ou plutôt l'amélioration légère constatée en janvier et qui peut-être lui a permis de venir à bout de son dernier conte, a été de courte durée. Les plaintes recommencent. A Albert Stapfer : « Je suis si souffrant que je n'ai pas la force de prendre une plume. » Pourtant il se propose de traduire encore une nouvelle de Tourgueniev qui paraîtra en effet le 1er mars dans *La Revue des Deux-Mondes* sous le titre *Etrange histoire.* Il corrige aussi les épreuves de sa *Notice sur Cervantes* pour l'éditeur Hetzel.

A Panizzi : « Comme toute cette machine humaine est mal inventée ! Elle meurt petit à petit au lieu de s'éteindre comme une bulle de savon qui crève. » A Mme de Beaulaincourt : « Je vois que je ne respirerai jamais bien jusqu'à ce que je ne respire plus du tout. » A ces gémissements qui ne vont plus cesser se mêle un certain intérêt pour les ragots mondains. « La fille du duc de Hamilton qui a épousé le prince de Monaco en a déjà *in culo* et dans le ventre aussi car elle est grosse, mais elle l'a quitté et s'en est allée à Nice »... « Mais aussi pourquoi la fille d'un duc de Hamilton épouse-t-elle une espèce de croupier. » Puis encore, à Jenny Dacquin : « Je mène une vie vraiment misérable », et aussitôt après on parle de l'arrestation de Rochefort qui avait protesté contre le meurtre de Victor Noir par le prince Pierre Bonaparte. A Viollet-le-Duc on dit son mépris du suffrage universel et la façon qu'il y aurait d'empêcher les barricades en tirant cinq ou six coups de feu qui auraient peut-être « tué un garçon épicier de grande espérance ». A Mme de Beaulaincourt : « Je suis toujours dans un état de santé misérable. » « Rien ne me réussit. Je suis tous les jours plus faible. » En même temps Mérimée prie ses correspondants de lui faire des rapports exacts et précis sur ce qui se passe autour d'eux. Sa curiosité des choses futiles est intacte. « Vous ferez grand plaisir à un pauvre malade qui aime encore le monde et qui n'en peut rien savoir par lui-même à présent. »

Cependant le mois de mars s'est montré plus favorable. Aussi au début d'avril Mérimée se rend-il à Nice un peu à titre d'expérience. Il déjeune avec le Dr Maure chez le préfet des Alpes-Maritimes, M. Gavini, et va rendre visite à Lise Przezdziecka. Le résultat est décevant : « Lundi dernier, voulant faire une expérience et savoir si je pouvais supporter le voyage de Paris, je suis allé à Nice faire des visites. J'ai cru un instant que je commettrais l'indiscrétion de mourir chez quelqu'un que je ne connaissais pas assez intimement pour prendre cette liberté. Je suis revenu ici en mauvais état et j'ai passé vingt-quatre heures à étouffer. Hier, j'ai été un peu mieux. Je suis sorti et me suis promené au bord de la mer, suivi d'un pliant sur lequel je m'asseyais tous les dix pas. Voilà ma vie. J'espère pouvoir, à la fin du mois, me mettre en route pour Paris. La chose sera-t-elle possible ? Je me demande souvent si je pourrai monter mon escalier ? Vous qui savez tant de choses, connaissez-vous quelque appartement où je pourrais caser mes livres et ma personne sans monter beaucoup de marches ? » Ainsi écrit-il à Jenny Dacquin. On voit qu'il pense à déménager. Sans doute a-t-il de mauvaises nouvelles de sa cousine Fresnel, sa folle propriétaire.

Non, le voyage à Nice n'a pas été une réussite. Une nouvelle « bronchite » se déclare qui oblige Mérimée à garder le lit pendant trois semaines. De son lit même il écrit à Panizzi : « Notre pauvre amie, Madame de Lourmel est morte. Elle était devenue folle depuis un mois ou plus. Cela a commencé par une scène assez ridicule. Elle a sauté au cou de l'Empereur et lui a demandé de la rendre heureuse, *hic et nunc.* Ce n'a pas été sans peine qu'on a pu le retirer de ses bras. »

Quelques tentatives de courtes sorties sont suivies de rechutes. Il faut tout de même sortir pour voter « oui » au plébiscite du 8 mai qui va donner 82 % des suffrages exprimés au régime impérial. Mérimée se félicite du résultat dans une lettre à Jenny Dacquin à qui il parle à nouveau de déménagement. Encore une rechute de cette bronchite à répétitions. Il écrit à Mme de Montijo : « Je reviens à Paris assez triste et beaucoup de tracas m'y attendent. Je ne sais si je vous ai dit que ma cousine, qui est la propriétaire de la maison que j'habite, est à peu près folle. Elle s'est persuadée que tout le monde veut la voler et se barricade le soir chez elle, sans un seul domestique. Elle a fait faire pour cinq à six mille francs de serrures, en sorte que, s'il lui arrivait quelque accident la nuit, il faudrait une douzaine de sapeurs pour enfoncer les portes. Il est question de lui donner une tutelle judiciaire ou même de l'enfermer. Tout cela est fort triste. D'un autre côté, elle a des parents qu'elle déteste, mais comme elle n'a jamais voulu faire de testament, sa fortune reviendra à ces parents-là. C'est là le moindre de mes soucis. Je vais chercher à me loger quelque part dans un rez-de-chaussée, car je ne pourrai bientôt plus monter un escalier. La perspective d'un déménagement est terrible pour moi, et je ne sais pas comment je m'en tirerai avec mes livres et toutes les vieilleries auxquelles je suis attaché. »

On comprend assez bien que dans le triste état où il se trouve, l'idée de déménager paraisse atroce à Mérimée. Il accomplit avec peine le voyage de Paris avec une escale à Marseille. A Paris sa santé ne s'améliore pas. Des œdèmes apparaissent aux jambes, signant l'existence de troubles circulatoires et donc cardiaques. Les étouffements ne cessent pas. Il écrit moins. On vient le voir. Même Mme Delessert lui rend visite. Jusqu'au dernier moment, alors que la guerre est imminente, il se refuse à croire que Bismarck désire vraiment recourir aux armes. Quand le fait devient évident, il réagit tout banalement par un patriotisme anti-prussien et l'inquiétude que lui inspire une possible république prête à prendre la relève de l'empire. Toutes ses angoisses se confondent à partir de la déclaration de guerre de la France à la Prusse le 19 juillet. Il souffre dans son corps, il souffre d'une guerre qui rapidement tourne au désastre, il souffre réellement pour l'impératrice nommée régente. Il tente en vain de rallier Thiers à la cause de l'empire. En dépit de son mauvais état, il rend visite deux fois à Eugénie. C'est pour admirer son courage et sa détermination dans les malheurs qui s'annoncent. Sa correspondance de plus en plus brève, s'adresse surtout à Panizzi à qui il fait envoyer 2 400 livres sterling pour placer à la banque d'Angleterre. « S'il était possible d'en avoir un intérêt quelconque, *tanto meglio*, mais il s'agit pour moi d'avoir du pain pour quelque temps en cas de désastre. » A Panizzi toujours, dans plusieurs lettres successives, il expose l'état de sa fortune, parle un peu de la guerre en cours : « Il est probable que, le mois prochain, la question sera décidée. Ou bien : *Finis Galliae*, ou bien l'ennemi sera rejeté sur le Rhin, et alors nous avons une paix glorieuse. Mais, de toute façon, nous ne sommes qu'au prologue d'une tragédie qui va commencer. Quel gouvernement peut subsister en France avec le suffrage universel, compliqué par l'armement d'une partie de la population ? Le moyen de changer cela ? Vous représentez-vous la mauvaise humeur du pays après tant de sang versé et tant d'argent dépensé ? Rien ne me paraît possible en vérité.

« Je ne me représente pas davantage ce que peut devenir notre amie. Je crois peu probable qu'elle aille en Angleterre, et si j'avais un conseil à lui donner sur un sujet si délicat, je ne lui proposerais pas. J'aimerais mieux le Far-West, je crois, ou quelque endroit ignoré de l'Adriatique. Enfin, qui vivra verra. Je ne suis pas trop curieux de voir la fin, mais je ne pense pas la voir. » Le 4 septembre sa lettre à Panizzi est un cri d'horreur : « Tout ce que l'imagination la plus lugubre pouvait inventer de plus noir est dépassé par l'événement. C'est un effondrement général. Une armée française qui capitule ; un empereur qui se laisse prendre. Tout tombe à la fois. Je vous écris du Sénat. Je vais essayer d'aller aux Tuileries. On me dit que le Prince impérial est en Belgique chez le prince de Chimay. Le Maréchal Mac-Mahon est mort de sa blessure. C'est un dernier bonheur. En ce moment-ci, le corps législatif est envahi et ne peut plus délibérer. La garde nationale, qu'on vient d'armer, prétend gouverner. » Ce jour-là, malgré ses jambes enflées, il s'est rendu au Sénat. A la Chambre, l'empire est renversé et Eugénie sous la protection de Metternich et Nigra[1] quitte les Tuileries pour l'exil. C'est d'Eugénie qu'il parle quatre jours plus tard à Mme de Montijo : « J'ai beaucoup regretté de ne pouvoir dire adieu à une noble exilée. Si j'en avais eu la force, j'aurais voulu lui dire de songer beaucoup à la postérité, d'autant plus qu'elle me semble ne rien regretter du présent. Que je voudrais passer quelques heures encore auprès d'elle et lui persuader d'écrire trois cents pages qui paraîtront quand il plaira à Dieu et qui feront que les gens qui ne sont pas encore nés deviendront amoureux d'elle. »

Le 11 septembre, Mérimée arrive à Cannes. Sur le quai de la gare il trouve le Dr Maure qui a raconté cette entrevue à Mme Adam : « En pantoufles et en veste de chambre, il n'avait emporté que des valeurs et un énorme paquet de lettres à brûler. Il était fou de chagrin. “ La France meurt, disait-il, je veux mourir avec elle. Tâchez que Thiers sauve ce qu'il peut de la France. ” Je ne puis vous peindre la violence du désespoir de cet homme si maître de lui. Il avait changé de physionomie, de gestes, d'allure. C'était un vieillard cacochyme, courbé, ravagé de visage, qui avait constamment des larmes dans les yeux. Ses lèvres, sévères et pincées d'ordinaire, s'abandonnaient dans une expression que je n'oublierai jamais. Nul en France n'a plus souffert de la défaite que Mérimée. »

Le 13 septembre en effet, il écrit à Mme de Beaulaincourt : « J'ai toute ma vie cherché à être dégagé de préjugés, à être citoyen du monde avant d'être Français, mais tous ces manteaux philosophiques ne servent à rien. Je saigne aujourd'hui des blessures de ces imbéciles de Français, je pleure de leurs humiliations, et, quelque ingrats et absurdes qu'ils soient, je les

1. Constantin Nigra, ambassadeur d'Italie en France.

aime toujours. » Et ce même jour à Panizzi : « Vous êtes mon cher ami la personne à qui je m'adresserais en cas de nécessité avec le plus de confiance et le moins de confusion. Mais nous n'en sommes pas encore là. Vous me gardez quelque chose à votre banque. J'ai encore des actions au chemin du Nord, qui m'assurent quatre ou cinq mille francs par an ; enfin j'ai, en rentes françaises, un revenu d'environ seize à dix-huit mille francs. Que restera-t-il de ces rentes ? Quelque chose, je crois, assez pour enterrer leur propriétaire, qui est bien malade et sur ses fins.

« Adieu, mon cher P. Je vous suis bien reconnaissant. Je vais vivre ici en philosophe au soleil. Si je pouvais m'endormir comme Epiménide !

« On assure que notre amie est près de chez vous, à Hamilton palace. S'il en est ainsi, vous devriez lui écrire et l'amener à Invergarry, où elle se plairait beaucoup, je crois. Adieu encore. Je souffre trop pour continuer ce sujet. *Ever yours.* »

Connaissant les idées de Mérimée, son épuisement physique, on imagine sans peine son amertume et son désespoir. Le 23 septembre, il écrit trois courts billets à la duchesse Colonna, à Tourgueniev, à Jenny Dacquin. Il meurt brusquement ce même jour à neuf heures du soir, âgé tout juste de soixante-sept ans.

Ses obsèques posent pour nous un problème. Il n'est pas aisé à résoudre. A la mort de sa mère, en avril 1852, on avait célébré un service funèbre. Il aurait alors exprimé le souhait qu'un quelconque cérémonial, pourvu que n'y soit pas mêlée l'Eglise, ait lieu lors de sa propre disparition. « Un départ, une mort, avait-il écrit au début de *H. B.*, doivent se célébrer avec une certaine cérémonie, car il y a là quelque chose de solennel. » A Mme de la Rochejaquelein il disait en juin 1856, à propos de la mort de Mme Childe : « Il y a eu, je crois, un service chez elle, mais où personne n'a été invité. Cela m'a fait peine. J'ai sur ce sujet des idées païennes. Avez-vous jamais lu Homère ? Pour les héros grecs, c'était une grande douleur de mourir sans être pleuré, sans être enterré : *aklautos athaptos.* Notez qu'à cette époque, on n'avait pas l'idée, relativement moderne, de la misère des âmes qui attendent au bord du Styx qu'un ami leur fournisse les moyens de passer dans l'empire de Pluton. Je voudrais pour moi une cérémonie. » Plus tard, en 1859, à cette même femme qui depuis longtemps essayait de le ramener à la religion, il avait écrit : « Je ne puis me représenter Dieu comme un souverain qui accorde des faveurs à la sollicitation de ses proches. Le culte de la Vierge serait pour moi une grande objection contre le catholicisme, si je n'en avais d'autres. Cela me paraît tout bonnement une superstition et un sacrifice fait aux idées populaires du paganisme. Je vous dis cela, bien que je craigne que cela ne vous fasse de la peine, mais parce que je me crois obligé de vous dire la vérité sur moi. Je pense très souvent à Dieu et à l'autre monde. Quelquefois avec espérance. D'autres fois avec beaucoup de doutes. Dieu me semble très probable, et le commencement de l'évangile de St Jean n'a rien qui me répugne. Quant à l'autre monde, j'ai bien plus de peine à y croire. Il m'est bien difficile de n'y pas voir une invention de la vanité humaine. » J'avoue ne pas bien comprendre de tels propos. Dieu probable ? Un autre monde improbable ? Tout ceci est vague et ne ressemble guère à Mérimée qui sans doute veut ménager la susceptibilité de sa correspondante à laquelle il est reconnaissant des prières qu'elle fait pour lui.

Là-dessus se greffe le testament daté du 30 mai 1869 : « Je désire qu'on appelle à mon enterrement un ministre de la confession d'Augsbourg », testament sans doute prémédité puisque c'est dans une lettre de janvier 1865 que Mérimée écrit à Viollet-le-Duc : « Je déclare dans mon testament que j'appartiens à la confession d'Augsbourg et je vous prierai de veiller à ce qu'on ne me porte pas à St Thomas d'Aquin. » De la part d'un homme qui a toute sa vie montré une irreligion passionnée, de tels souhaits sont pour le moins curieux. On peut, comme Mallion et Salomon, estimer que pour un intellectuel le protestantisme, représentant une idée relativement progressiste et populaire, pouvait apparaître comme une solution moyenne et « un rempart contre le cléricalisme envahissant ». On peut aussi reprendre la lettre citée plus haut, adressée à Mme de la Rochejaquelein en 1859, et la compléter : « Il est certain que je suis absolument différent de ce que j'étais autrefois. Si je vis longtemps, mon âme s'affaiblira de plus en plus en même temps que mon corps. » L'âme de Mérimée s'est-elle affaiblie, avec l'âge et la maladie, au point de lui faire considérer un enterrement religieux comme une prudence vis-à-vis de l'au-delà ? N'oublions pas que le testament est de 1869.

Toujours est-il que Fanny Lagden se conforma à la volonté du défunt en faisant venir de Menton pour se recueillir sur la tombe du cimetière anglais de Cannes le pasteur Napoléon Roussel, lequel fit un discours de militant. Le docteur Maure, présent, aussi étonné que moi-même, trouva la chose scandaleuse. Il semble qu'il y ait eu altercation entre les deux hommes. Maure, ignorant les dispositions dernières de Mérimée, avait tort. Peut-on ajouter, comme le fait le marquis de Luppé, que cette cérémonie était geste de courtoisie vis-à-vis de l'impératrice amie, de l'empire, de la cour, courtoisie aussi envers les deux Anglaises qui avaient servi Mérimée jusqu'au bout ?

Neuf ans plus tard, Fanny rejoindra dans la tombe cet homme qu'elle connaissait depuis si longtemps et auquel elle s'était dévouée avec une remarquable humilité.

Bibliographie

Ferdinand Bac, *Mérimée inconnu*, Hachette, Paris, 1939.
André Billy, *Mérimée*, Flammarion, Paris, 1959.
Charles Du Bos, *Notes sur Mérimée*, A. Messein, Paris, 1921.
Europe. Numéro spécial consacré à Prosper Mérimée, 1975.
Paul Léon, *Mérimée et son temps*, Presses Universitaires de France, Paris, 1962.
Marquis de Luppé, *Mérimée*, Albin Michel, Paris, 1945.
P. Mérimée, *Correspondance générale*, établie et annotée par Maurice Parturier avec la collaboration de Pierre Josserand et Jean Mallion. T. I à VI : Le Divan, Paris, 1941-1947 ; t. VI à XVII : Privat, Toulouse, 1953-1964.
P. Mérimée. *Théâtre de Clara Gazul, Romans et nouvelles*, Bibliothèque de La Pléiade, Gallimard, 1978. Important appareil critique et biographique par Jean Mallion et Pierre Salomon.
P. Mérimée, *La Jacquerie*, Ed. P. Jourda, Paris, 1931.
P. Mérimée, *Romans et nouvelles*, Ed. Martineau, Paris, 1934.
Pierre Trahard, *La Jeunesse de Prosper Mérimée*, Champion, Paris, 1925.
Prosper Mérimée de 1834 à 1853, Champion, Paris, 1928.
La Vieillesse de Prosper Mérimée, Champion, Paris, 1930.

INDEX DES NOMS CITÉS

TABLE DES MATIERES

Achevé d'imprimer
sur les presses de l'Imprimerie Bussière
à Saint-Amand (Cher)

23.43.3642.01
ISBN : 2.01.008207.9
— N° d'édit. 4213. — N° d'imp. 127.
Dépôt légal : mars 1982
Imprimé en France

INSTITUT FRANÇAIS DES PAYS-BAS
MAISON
DESCARTES
BIBLIOTHEQUE